脳科学ライブラリー 3
津本忠治 編集

脳と情動
――ニューロンから行動まで――

小野武年

著

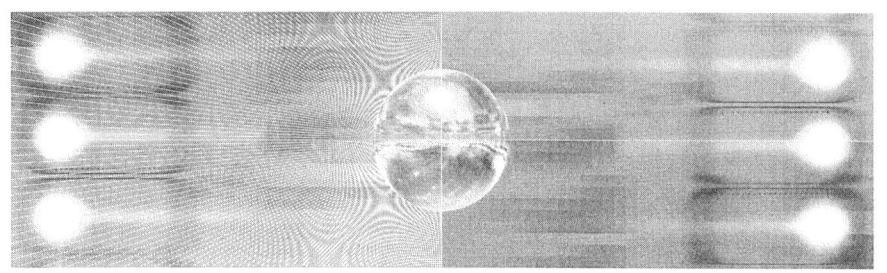

朝倉書店

まえがき

　筆者は富山医科薬科大学で1977年から33年余にわたり，80人を超える共同研究者とマウス，ラット，ネコ，サル，ヒトで，脳内のニューロン活動（インパルス放電）や脳波を記録し，情動と情動行動に関する分子，ニューロン，行動レベルの神経行動学的研究を続けている．この間，教育・研究に携わり，情動に関する多くの国内外の大学や研究所での講義やセミナー，学会に出席する機会にも恵まれた．これらの体験を踏まえて，筆者らの研究から得た実際のデータに基づき，情動や感情のメカニズムを少しなりとも体系的に説明することは情動学を広く理解して頂くためにも意義のあることだと信じている．

　本書は一般の読者，医学，心理学，理工学，人文社会学分野の学生，大学院生さらには様々な分野の教育や研究に携わる人々にとって入門書としてだけではなく，「脳と情動」の基礎知識を学び，さらには実際に高度の教育，研究に発展させるために役立てて頂くことを目的としている．本書の内容は，1）第1章の情動，記憶，理性に関する概説では情動，感情，理性とは何か，情動と理性を司る神経基盤，情動と理性，「生存」の重要性，2）第2章の情動の神経基盤では「生存」，情動，理性を担う脳内の各部位，神経回路，3）第3章では情動の神経心理学・行動学の概説，4）第4章の情動の神経行動科学では筆者らの実際のニューロンから行動までの総合的研究に基づく，情動のメカニズムについての体系化，5）第5章の人文社会学では人間の文化，宗教，社会における情動の役割について解説した．読者が，これら第1章から第5章までを通して脳と情動，情動学について総合的な理解ができるように配慮している．もう一方で，筆者と共同研究者が自ら得た実際の神経生理学的実験データを現時点で整理し，体系づけを試みるのに主な努力が払われているので，本書では必ずしもすべての文献の引用に特別の注意を払っていない．そのため各分野の先駆的文献の引用がなされていないことなど礼を失することも多々あると思う．このようなことを予めお許し願いたい．

　なお，本書で述べられた意見の責任はすべて筆者にあるが，莫大な労力と時間

をかけて得た実験データがあって体系だてがはじめて可能であり，一人の力ではできない．共同研究者たちのひたむきな努力が本書を出版する原動力となっている．本書のもう一つの意義は共同研究者たちの研究成果を少しでも体系化して公表し，彼らの労に報いることである．

最後に，恩師，大村裕先生，Eccles卿，Noell教授，Wayner教授には神経生理学や神経行動学の基礎を学んだ．また，平尾武久，川村浩，久保田競，酒田英夫，岩村吉晃，篠田義一先生をはじめ偉大な時実先生門下の学問的にも人間的にも素晴らしい先生方には貴重なアドバイスや励ましの言葉を頂いた．伊藤正男先生には，まだ本能や情動の神経生理学的研究を開始した当初からいつも温かいご配慮を頂き，とくに国際学会でシンポジウムの座長や演者としての推薦，超過密なスケジュールにもかかわらず会場に顔を出して言葉をかけて頂くなど何よりも心強い励ましを頂いた．勝木元也先生（自然科学研究機構理事）にはご自身の研究室で作製されたドパミン受容体（D1R, D2R）ノックアウトマウスをご提供頂いただけではなく，実際の研究面でも貴重なご指導を頂いた．さらに，2003年3月に急逝された松本元先生（理化学研究所ブレインウェイグループディレクター）については亡くなられる直前までお互いの研究室へ出かけ，情動について熱い議論をさせて頂いたことをこの機会に触れておかねばならない．先生は天才肌の物理学者でありながら，情動の脳内機構の解明が「人とは何か」の理解や，「脳型コンピュータ」の開発に不可欠であると主張された．先生は人間愛を最も大切にされ，学問的にも精神的にも筆舌に尽くせないほど多くのことを教えて頂いた．1990年に亡くなられた松原一郎先生（東北大学薬理学助教授）には金沢が郷里でもあり，研究や様々なことについて温かいご指導を頂いた．これらすべての先生方，素晴らしい共同研究者各位，学内外の数々の先輩に心からお礼を申し上げます．なお，西条寿夫氏（富山大学医学薬学研究部システム情動科学教授）の献身的な協力が本書の出版を可能にしたといっても過言ではありません．また田村了以氏，永福智志氏，堀悦郎氏，上野照子氏にも格別の労をとって頂いた．とくに上野照子氏には，原稿のタイプや図の作成など休日返上で協力頂いた．これらの富山大学医学部の現スタッフと末尾に掲げる共同研究者，共同研究指導者に深謝いたします．最後に津本忠治先生（理化学研究所脳科学総合研究センター副センター長）には朝倉書店の「脳科学ライブラリー」の執筆者としてご推薦頂き，朝倉書店編集部の方がたには出版のため多大のご配慮を頂き，ここに深甚の謝意を

まえがき

表します．

2012 年 1 月

小野 武年

〔共同研究者・共同研究指導者一覧〕（敬称略）
I. 現富山大学スタッフ：西条寿夫，田村了以，堀悦郎，永福智志，上野照子，浦川将，杉森道也，梅野克身
II. 旧富山医科薬科大学スタッフ：西野仁雄，佐々木和男，福田正治，田渕英一，村本健一郎，Luiten PGM，木村龍生，中村清実，柴田良子，Tran AH，川西千恵美
III. 大学院生・研究生：旭雄士，池田宏明，大吉達樹，数井健一，川越隆，喜多敏明，栗本博昭，栗脇淳一，小林恒之，小村豊，近藤高史，酒井重数，坂本尚志，櫻田忍，櫻田司，柴田孝，周天禄，鐘咏梅，高倉大匡，高橋二郎，高村雄策，竹之内薫，只野武，田積徹，種部恭子，坪田雅仁，豊満祐二，永井元，中田恭史，西尾陽一，西野章，西村房枝，野島浩史，林央周，福原弘紀，古沢A.明美，堀亨，増田良一，松村内久，松山望，宮本啓一，山口英俊，山谷和正，山本祐一，余川隆，米森誠，李陽，李瑞錫，Dayawansa S，De Souza WC，Ho SA，Mallick HN，Martin PD（故人），Steffen A
IV. 共同研究指導者：松本元（故人），勝木元也，鳥居邦夫
V. 国外（学術国際学会，招聘上級研究者）：Bures J，Molotschinikoff，Nicolov AN，Norgren R，Rolls ET，Squire LR

目　　次

1. **情動・記憶・理性に関する概説**——情動系は動物やヒトの生存（個と種維持）に不可欠な「こころ」の中核である—— ……………………………… 1
   1.1 情動は感情（喜怒哀楽）とも言える ……………………………… 2
   1.2 理性とは何か ……………………………………………………… 3
   1.3 情動，感情がなければ理性は機能しない ………………………… 5
   1.4 生存がなければ情動，感情も理性も生まれない ………………… 6

2. **情動の神経基盤（ハードウェア）** ………………………………… 7
   2.1 脳の構造と機能の概説 …………………………………………… 7
      a. ニューロン（単位素子） ……………………………………… 8
      b. ニューロン説（シナプス） …………………………………… 8
      c. 脊髄と脳幹 …………………………………………………… 10
      d. 間脳（視床と視床下部） ……………………………………… 10
      e. 大脳辺縁系（辺縁系） ………………………………………… 15
      f. 大脳基底核と小脳 …………………………………………… 20
      g. 大脳新皮質（感覚野，運動野，前頭連合野） ……………… 22
   2.2 脳の階層構造と機能 ……………………………………………… 23

3. **情動の神経心理学・行動学** ………………………………………… 26
   3.1 情動の神経科学的研究はできる ………………………………… 26
   3.2 生物学的意義 ……………………………………………………… 29
   3.3 人間の生後情動発達：一次情動と二次情動 …………………… 30
   3.4 脳のシステム ……………………………………………………… 32

4. 情動の神経行動科学 ……………………………………………… 34
4.1 情動発現から行動表出の過程における神経情報処理はどのように行われるのか …………………………………………………… 34
4.2 視床下部の役割 ……………………………………………… 48
　a. 視床下部損傷の本能，情動行動への影響 ……………………… 48
　b. 摂食行動の調節因子 …………………………………………… 49
　c. 視床下部外側野ニューロン活動（インパルス放電頻度）と情動行動の表出 ……………………………………………………… 50
　d. 視床下部における神経伝達物質と視床下部外側野ニューロンの応答性 ……………………………………………………………… 60
　e. 視床下部室傍核ニューロン活動（インパルス放電頻度）と情動行動の表出 ……………………………………………………… 63
　f. 視床下部ニューロン活動（インパルス放電頻度）とストレス … 65
4.3 視床の役割 …………………………………………………… 71
　a. 視床感覚中継核 ………………………………………………… 71
　b. 視床背内側核 …………………………………………………… 75
4.4 大脳基底核の役割 …………………………………………… 78
　a. 大脳基底核はどんな機能を営むか …………………………… 78
　b. 感覚と運動の統合 ……………………………………………… 79
　c. 大脳辺縁系（辺縁系：情動脳）—大脳基底核間における情動情報の運動情報との統合 ……………………………………………………… 80
4.5 扁桃体の役割 ………………………………………………… 99
　a. 扁桃体と情動発現 ……………………………………………… 99
　b. サル扁桃体のニューロンの応答性，生物学的な価値評価および意味概念認知（意味認知）による情動表出 …………………………… 102
　c. ラット扁桃体ニューロンの応答性，情動記憶および情動表出 … 114
　d. 扁桃体と非言語的（顔の向き，表情，視線，ジェスチャー，その他）コミュニケーション ……………………………………………… 118
4.6 情動を支える記憶 …………………………………………… 125
4.7 中隔核の役割 ………………………………………………… 148
　a. 中隔核の統合機能 ……………………………………………… 148

	b. サル中隔核ニューロンの応答性	149
4.8	側頭葉における顔の認知	160
	a. サル大脳新皮質への前部上側頭溝と前部下側頭皮質ニューロンの顔に対する応答性	161
	b. ヒト脳の顔認知部位の双極子追跡法による解析	166
4.9	情動・記憶・理性システム（神経回路）の相互作用	170
	a. 情動系と記憶系の相互作用	170
	b. 情動と理性の相互作用	172
	c. 社会的認知における相互作用	188

5. 情動の人文社会学 ………………………………………………… 194

5.1 情動と文化・文明の発展 ……………………………………… 194
5.2 情動と理性 ……………………………………………………… 197

文　　献 ……………………………………………………………… 200
あとがき ……………………………………………………………… 220
索　　引 ……………………………………………………………… 222

1. 情動・記憶・理性に関する概説
—情動系は動物やヒトの生存（個と種維持）に不可欠な「こころ」の中核である—

　近年，情動（喜怒哀楽の感情）を科学的に解明しようという機運が急速に盛り上がっている．歴史的には，情動（感情）の神経学的な研究は17世紀のデカルトまで遡るが，デカルト自身は，高次精神機能における情動の役割については否定的であった．大脳辺縁系（辺縁系：古皮質）が多くの脳研究者によって注目されるようになったのは，1937年以降である．この年，神経科学上特記すべき2つの報告が行われている．ひとつはKlüverとBucy（1937, 1939）による『情動に関する嗅脳部の意義について』と題して，両側の側頭葉を切除したサルの所見についての映画供覧による報告である．この症状は今日"Klüver-Bucy症候群"として知られている（後述）．もうひとつは，Papez（1937）による『情動発現の機構』と題した報告であり，情動行動発現に関与するひとつの神経回路を提唱したものである．これは今日でも"Papezの情動回路"として知られている（後述）．その後，多くの研究者が情動の神経機構の解明に挑み，情動は個体の生存のための基本的な仕組みであり，ヒトが合目的行動戦略を決定する際には，情動（感情）発現に中心的な役割を果している辺縁系（扁桃体）が重要な役割を果たしていることが明らかにされつつある．またこれら情動系は記憶に重要な海馬体や意思決定ならびに理性に関与する前頭葉（大脳新皮質の背外側前頭前皮質や前頭眼窩皮質および辺縁系の前部帯状回）と協調して作動している．すなわちヒトは地球上で最も高度で複雑な社会を作り上げた最高傑作であり，このような社会で生き抜いていくためには様々な個人体験や歴史，文化など社会的な知識に基づく思考，将来の予測（推論），意思決定，理性などに関与する脳内の各システムを統合し，合目的な行動戦略を立てることが必須である．前頭葉はすべての高次連合野から入

力を受けるだけでなく，辺縁系と相互の密接な線維連絡を有し，これら合目的な行動戦略に重要な役割を果たしている．一方，ヒトは記憶システムを用いて認知，情動，運動系など脳の各システムの活動を年代順に記録することにより過去から現在における自己の同一性を確認することができる．

　筆者らは 30 年以上にわたって，マウス，ラット，ネコ，サル脳の間脳（視床下部，視床），大脳基底核（尾状核，被殻，淡蒼球，黒質），辺縁系（扁桃体，海馬体，中隔核，前部帯状回，後部帯状回），前部下側頭皮質，前部上側頭溝，背外側前頭前皮質（前頭前皮質），前頭葉眼窩皮質（眼窩皮質）などの各部位で，報酬や嫌悪性物質，音，さらにはサル，ヒトの顔などを呈示したときのニューロン応答性（促進応答：インパルス放電頻度の増加，抑制応答：インパルス放電頻度の減少）を解析し，各脳部位の認知，情動，記憶，行動発現における役割を明らかにしている．本章では情動，喜怒哀楽の感情，理性（知性）について概説する．この第 1 章に出てくる脳部位，神経回路（ネットワーク）については，第 2 章「情動の神経基盤（ハードウェア）」で述べてあるので，そのつど参照されるか，先に第 2 章を読んでおかれてもよい．

1.1　情動は感情（喜怒哀楽）とも言える

　「情動」（emotion）の語源は「動くこと」を意味するラテン語の "motion" に分離を意味する接頭語の "e" がついたもので「行動」に結びつく感情の意味を含んでいる．動物や子供が好きなものを求めたり，嫌いなものを避けようとするのをみれば情動が行動に直結していることがわかる．しかし文明化されたヒトの大人では「こころ」では嫌だと思っていても顔は笑っているなど，情動が必ずしも素直に行動に結びつかない．ヒトの「こころ」と行動には表と裏があるといわれる由縁である．

　『最新医学大事典』によると，「情動 emotion（affect）とは喜悦，激怒，恍惚，驚愕，憎悪などの突然に引き起こされた一過性の感情という表情，身振り，声の変化，自律神経反応を伴い，内分泌系，生殖系の諸機能にも影響を与える精神生理的過程である．視床下部を含む辺縁系によって統合される英語の affect は広い意味の感情，感情を引き起こす刺激あるいは観念に付随している感情や情動をいう」とある．時実利彦先生（1960, 1962）は著書『よろめく現代人』，『脳の話』の

中で「個と種の生存と維持に不可欠な食物や異性などを獲得のために競争や闘争を避けることはできない．この宿命的な競争や闘争を勝ち抜くためには，基本的な生命活動の欲求がかなえられているか否かを感じ，それをあらわにする「こころ」の動きが情動である．」と述べている．また，伊藤正男先生は著書『脳の設計図』の中で「外部環境に対して個体が示す一連の反応を"情動反応"と呼び，この反応を起こしているはずの脳内の過程を情動という．感情が主観的に体験されるのに対し，情動反応として客観的に捉えられる情動が感情とまったく同じであるかというと，問題であろう．しかし快，不快情動と喜怒哀楽の感情間にはかなりの対応があるとみてよい．」と述べている．Damasio は著書『Decartes' Error—Emotion, Reason, and the Human Brain』(1995) の中で「感情，そしてそのもとになっている情動は決して贅沢品ではない．感情はヒトが他人とコミュニケーションをするのに重要であり，実体のないものでもなければ捉えがたいものでもない．伝統的な科学的見解に反し，感情は他の知覚結果と同じくらい認知的である．」[田中光彦訳『生存する脳—心と脳と身体の神秘』(2000)] と述べている．このように，情動に関する著書では情動と感情という言葉を明確に定義し，区別して用いられていない．むしろ，情動は喜怒哀楽の感情という言葉と同じニュアンスで用いられている．本書では，ヒトにも動物にも共通の動物的感情は基本情動である喜怒哀楽の感情であることから，情動という言葉は喜怒哀楽の感情と同じ意味として用いる．情動，動物的感情（以後，感情と略）は，ヒトに特有の人間的感情，例えば道徳観，使命感，慈悲の「こころ」などの崇高な感情（理性）や無差別殺意（テロ），苛め，妬みなど，残忍な感情とは区別する．

1.2　理性とは何か

理性は冷静沈着で判断や意思決定，推論（予測）を営む高等な「こころ」で，情動や喜怒哀楽の感情のような下等な「こころ」には割り込めないというのが，伝統的な見解であった．理性こそが動物的な衝動的感情と行動の暴走を制御するというのである．しかし，人間的理性という戦略は進化的にも人間の個体発生的にも生体調節機構に不可欠な情動や感情の誘導的な力がなければ発達しないといってもよい．さらに初期の発達形成期に推論の戦略が確立した後も，その効果的な実践は情動や感情を体験する継続的能力に依存する．しかしこのことは，あ

る状況下では，情動や感情が推論のプロセスに混乱をもたらす可能性があることを否定するものではない．人間の理性は単一の脳中枢にではなく，様々なレベルのニューロンを介し，互いに協調しながら機能するいくつかの脳システムに依存している．理性は人間が考えているほど純粋ではない（Damasio, 2000）．情動と感情は理性の邪魔者でもない．情動はよくも悪くも，理性の神経回路網に絡んでいる．

最近 Pinker（1997）は『How the Mind Works』（1997）の中で次のように述べている．「情動はこれまで非適応的な荷物扱いをされてきた．米国の脳科学者 McLean（1949）は情動についてのロマン主義の教義をとりあげ，それを「三位一体の脳」として知られる，1）最下層は大脳基底核，すなわち「爬虫類の脳」は原始的で利己的な情動の座，2）その上につぎたされた辺縁系は「旧哺乳類の脳」で，子育てを裏で支える情動のような爬虫類の脳より穏やかでやさしい社会的な情動に関与する，3）それをつつみ込んでいるのが「新哺乳類の脳」，すなわち人間進化の過程で急成長した大脳新皮質で，知性の座である，という学説を提唱した．しかしこれは間違った学説に翻訳したものである．問題のひとつは，進化の力は土台を変更せずにただ層を重ねていくだけでないからである．私たちの身体は過去の名残をひきずっているが，修正を受けていないもの，祖先種の必要性に適応した状態のままのものはほとんどない．さらに知的探究心や問題を設定して解く意欲や，仲間との連帯感があり，これらはすべて情動によるものである．感情と思考を明確に区別する線はない．思考が感情に先行する，あるいはその逆に感情が先行するといったことはない．人工知能の研究者の多くは，将来自由に行動するロボットができたら（それは組み立てラインの横に固定されているロボットとは違って）情動のようなものをもつようにプログラムされているはずだと考えている．しかしロボット自身がそれらの情動を感じるかは別の問題である．」[椋田直子，山下篤子訳『心の仕組み（中）』（2003）]．戸田（1992）は次のように述べている．感情は本来知的であるべき人間の正常な「こころ」の働きを妨げる「こころ」の雑音のようなものであると主張している．しかし表面的には合理性に欠けることが多いように見える人間の意思決定にしばしば隠れた合理的な意味が見つかることが多く，その発見に興味をもっていた筆者にとって一見非合理の塊のように見える「感情」の働きに合理的解釈を考えてみることは大変魅力的な挑戦に思われる．また従来のように感情を単に曖昧でもやもやとした非知的，非合理

的なものと考えるのでなく，感情のもつ知的な，特に情報処理的側面に注意が払われて活発な理論化が試みられるようになってきた．心理学においても認知科学においても感情を理解せずに人間の「こころ」の働きを理解することはできないという合意が少しずつ形成されつつあるのは喜ばしいことである．Damasio (1995) は特定の脳損傷と合理性の欠如との関係ならびに神経生理学的研究に基づき，次のように述べている．理性は大脳新皮質の前頭前皮質から視床下部や脳幹まで「高位の」脳中枢と「下位の」脳中枢の協調によって生み出される．理性を生み出す神経組織の下位レベルは，情動や感情のプロセス，ヒトや動物の生存に必要な身体機能を調節している組織と同じである．これら下位のレベルはすべての身体器官と直接的，相互的関係を保っているから，身体は推論，意思決定，社会的行動，創造性という最高の能力を生み出す一連の働きに直接関与する．情動，感情，生体調節はいずれも人間の理性にある役割を果たしている．下位レベルの活動がヒトの高い理性を生む神経回路網に必要だということである．「理性」という「こころ」のレベルに進化の過去の影が存在するのは興味深い．Darwin (1872) がヒトの身体構造には消すことのできない下位の生物の痕跡が存在することを予告していたのは興味深い．結局 Damasio も理性が高等で，情動や感情が下等とはいえないと述べている．

1.3　情動，感情がなければ理性は機能しない

時実先生は著書『よろめく現代人』『脳の話』の中で 50 年前に次のようなことを述べている．私たちの脳には上なる大脳新皮質が下なる辺縁系を監視するという，抑制，統御の仕組みが具わっている．傲慢な欲情の「こころ」は，冷静な理性と知性により適正に制御されていて社会の秩序や国家の規則が守られ，世界の平和が維持されている．米国の脳科学者 McLean は辺縁系（大脳古皮質）を競馬のウマに，大脳新皮質をウマを御す騎手にたとえ，競走の勝敗は騎手の手腕であるが，駿馬であることが不可欠である．けだし，二重構造の大脳皮質（新皮質と辺縁系：古皮質）に宿る二つの異質の「こころ」の関係と，二つの「こころ」によって操られる人間行動の実相を申し分なく表現している．結局，時実先生も McLean も大脳新皮質で営まれる理性と知性が高等で，辺縁系で営まれる情動や感情は下等な「こころ」であるとの見解を示しながらも，情動の重要性を認めて

いる．しかし感情，情動がなければ理性，知性がないとは述べられていない．最近，神経内科学や心理学，認知科学の分野の Damasio (1995)，戸田 (1992)，Pinker (1997) も情動や感情がなければ理性は機能しないことを主張している．松本と小野 (2002) も，「こころ」は知，情，意からなるといわれ，情はむしろ下等なものと考えられていたが，自らの研究と国内外の多くの分野の人との情報交換を通して，知・情・意は並列ではなく，階層化され，相互に連関し，情が受け入れられ，意が高まり，知が働くとの見解を提唱している．脳では情と意がマスター（主人）で，知はむしろ，スレーブ（従僕）とみなせると，情動の重要性を強調している．

1.4　生存がなければ情動，感情も理性も生まれない

　辺縁系は視床下部と中脳を介して，上に向かっては大脳新皮質の活動を支配し，下に向かっては内臓の働きを調整している．いわば私たちの精神と肉体のバックボーンであり，まさしく気力のわきでる神経回路網である．私たちの心身の健康が気力によって左右されることは日常経験することである．したがって，辺縁系の活動を健全にし，大脳新皮質で営まれる精神活動を十二分に発揮させることは，内臓の健康を増進することにもなるのである．McLean (1949) は辺縁系を「内臓脳」と呼んだほどである．情動，感情の「こころ」も理性の「こころ」も脳幹レベルの生存の営みがなければ生まれない．生存の営みは情動，感情，理性や知性の「こころ」とは無関係な営みである呼吸，循環，体温など生存に関与する脳幹レベルの働きがなければ生存は保証されない．私たちは生存し，身体の健康が保たれて，はじめて辺縁系と大脳新皮質の精神機能が発揮できるのである．Damasio がデカルトの名言「我思う，故に我あり」は「我あり，故に我思う」と修正すべきと主張する由縁である．

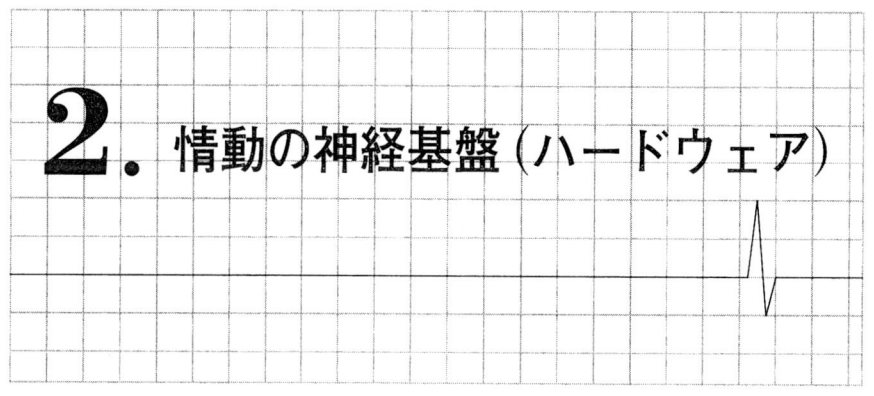

2. 情動の神経基盤（ハードウェア）

2.1 脳の構造と機能の概説

　ヒトの脳は約 1,400 g で白子（タラ科の魚の雄の腹にある白い塊状の精巣）のように柔らかく，硬膜，クモ膜，軟膜からなる三重の膜で包まれている．クモ膜下腔の軟膜の表面には血管があり，軟膜とクモ膜の間隙（クモ膜下腔）は脳脊髄液で満たされていて，脳を衝撃から守る役目をしている．よくクモ膜下出血と呼ばれるが，これはクモ膜下腔の血管から出血が起こることである．クモ膜の外側には硬膜があり，その外側を頭蓋骨が覆い，脳に傷がつかないように厳重に保護している（図 2.1）．

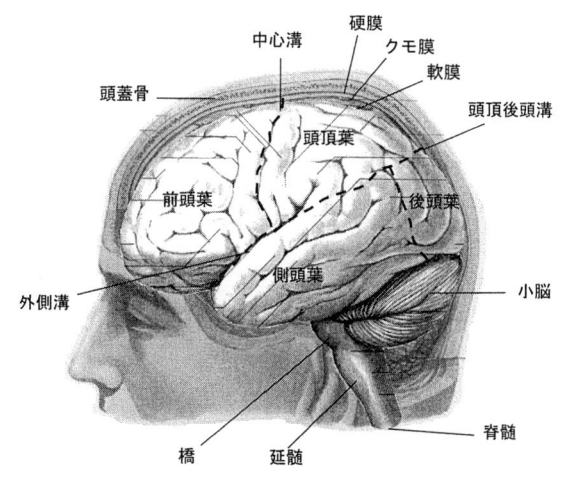

図 2.1　頭蓋骨の中の脳（Netter, 1958 と時実, 1968 を改変）

脳は大脳，間脳，脳幹，小脳からなる．大脳は約 1,000 g で，右脳（右半球）と左脳（左半球）に分かれ，情動（喜怒哀楽の感情），思考，記憶，創造などの高次精神活動や感覚中枢がある．大脳の表面は大きなしわ（脳溝）によって，大きく外側面の前頭葉，側頭葉，頭頂葉，後頭葉と，外側からは見えないが，内側面の大脳辺縁葉の 5 葉に分けられている（図 2.1）．前頭葉は高等動物，特にヒトやチンパンジーなどの霊長類で発達し，ヒトでは大脳の表面の約 30% を占める．また右脳と左脳は脳梁と呼ばれる 3 億本もの神経線維の束で繋がっている．

a. ニューロン（単位素子）

ヒトの脳には総数 1,000 億のニューロン（単位素子）があると推定され，各ニューロンは 1,000-2,000 のシナプスを形成し，100 兆ものシナプスで繋がった複雑な神経回路網と約 500 兆のグリア細胞からなる．この精緻にして広大なニューロンのネットワークをもつ脳も心臓や肝臓と同じく身体の器官のひとつである．

ニューロンは神経細胞体とその突起である神経線維（軸索）および樹状突起からなる（図 2.2 A）．神経細胞体，細胞体から出る樹状突起の基部，神経線維は約 100 mV，持続時間 0.5-2 ミリ秒の電気的信号（活動電位：インパルス）を発生する．一般に樹状突起と細胞体は他のニューロンからの情報信号を受ける受信部位であり，神経線維は樹状突起と細胞体で受信した無数の情報を軸索丘（図 2.2 A）で処理統合して他のニューロンへ送り出す送信機のようなものである．神経線維には有髄線維と無髄線維がある．有髄線維にはほぼ 1 mm 間隔で電気抵抗の高い髄鞘という脂質に富んだ鞘があり，無髄線維にはない．髄鞘はシュワン細胞の細胞膜からつくられ，隣接部位では髄鞘がとぎれる（図 2.2 B）．これら途切れた部位をランビエ絞輪と呼ぶ．

b. ニューロン説（シナプス）

ニューロンとニューロンとの接合は物質的な連続ではなく，機能的な連続である．これが Cajal（1888）により提唱され，Waldeyer（1891）が命名したニューロン説であり，ニューロンが神経の機能的な単位であるという細胞仮説である．Sherrington（1897）はニューロンとニューロンの継ぎ目（接合部）をシナプスと命名した．シナプスでは，インパルスを送るシナプス前側の神経終末部のシナプス前膜と，これを受け取るシナプス後側の細胞膜が約 200 Å の間隙を隔てて向か

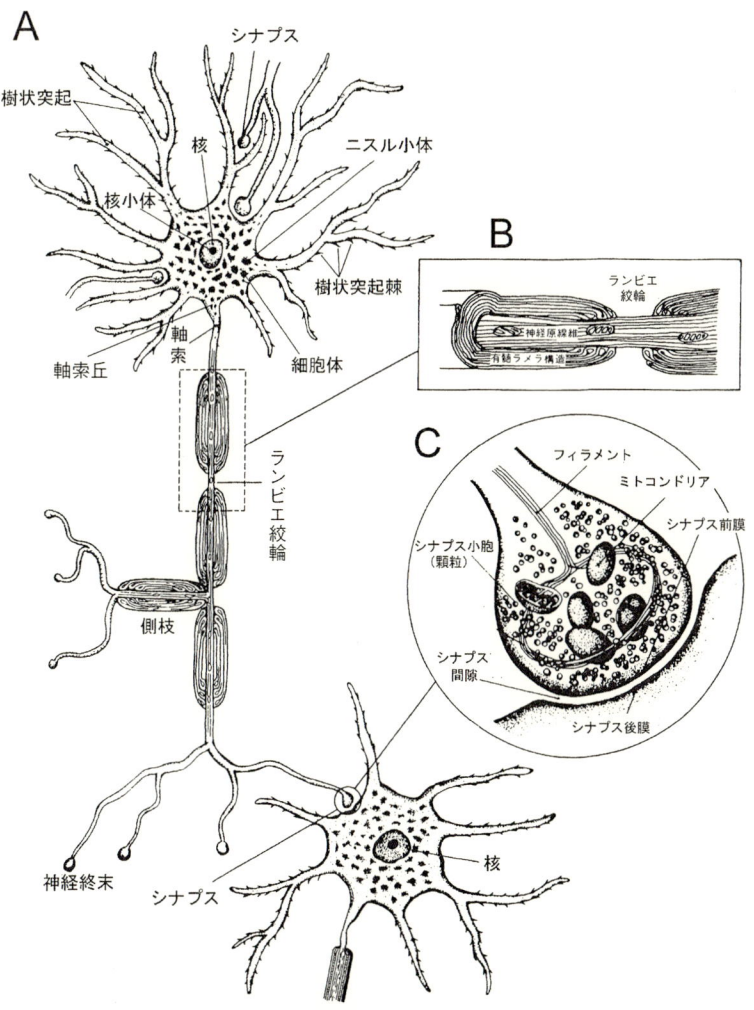

図 2.2 ニューロン（A），有髄神経線維（B），シナプス（C）の構造（小野，1985）
ニューロンは神経細胞体とその突起である神経線維（軸索）と樹状突起からなる．有髄神経線維の髄鞘はシュワン細胞の細胞膜からつくられ，隣接部位では髄鞘がとぎれる（ランビエ絞輪）．シナプスでは，シナプス前膜とシナプス後側の細胞膜が，約 200 Å の間隙を隔てて向かいあっている．活動電位（興奮）がシナプス前側の神経終末部に到達すると，シナプス小胞内に蓄えられている神経伝達物質がシナプス間隙に放出される．

いあっている（図 2.2 C）．インパルスがシナプス前側の神経終末部に到達すると，シナプス小胞内の神経伝達物質がシナプス間隙に放出される．神経伝達物質は拡散によりシナプス後膜に到達して受容体と結合し，シナプス後側のニューロン膜

に電位変化を引き起こす（シナプス後電位，postsynaptic potential）．シナプス後電位には，ニューロンの活動性を促進するプラスの信号（興奮性シナプス後電位，excitatory postsynaptic potential：EPSP）と抑制するマイナスの信号（抑制性シナプス後電位，inhibitory postsynaptic potential：IPSP）とがある．ニューロンにはプラスやマイナスの様々な入力が収束し，神経線維起始部の軸索丘で統合されて神経線維を介して出力を送り出すのである．このようにすでにニューロンのレベルで機能分化があり，情報処理を行うから脳のシナプスでの情報処理能力は莫大なものとなる．

c. 脊髄と脳幹

　脊髄は脊椎骨が連なった脊柱管の中にある細長い円柱形の索状構造で，長さは約44 cm，重さは約25 gである．脊髄の両側面からは31対の脊髄神経（頸神経，8対；胸神経，12対；腰神経，5対；仙骨神経，5対；尾骨神経）が出入りしており，これに対応して頸髄，胸髄，腰髄，仙髄に区分されている（図2.3 B）．脊髄の横断面は中央にH字形の灰白質があり，まわりを白質が取り囲んでいる．灰白質は前柱，後柱，側柱に分かれており（図2.3 A），それぞれ形や働きの異なる神経細胞が集まっている．前柱には運動を司る大型の神経細胞（運動ニューロン）と筋肉に繋がる神経線維（運動神経）がある．後柱には感覚を司る感覚神経細胞があり，側柱にある小型の神経細胞は自律神経系に属する．白質は主に縦方向の末梢または中枢に向かう神経線維の束である．末梢へ下行する神経線維束は運動神経路と自律神経路で，中枢へ向かう神経線維は感覚神経路である．

　脳幹は約220 gで中脳，橋，延髄からなり（図2.3 C），ヒトも含めてすべての動物の生命維持の中枢である．間脳は視床と視床下部，脳下垂体，松果体からなり，延髄から脊髄へも連絡している．脳幹は右脳と左脳を繋いで脊髄と連絡し（図2.3 C），モノアミン（ノルアドレナリン，ドパミン，セロトニンなど）やアセチルコリンを神経伝達物質または神経修飾物質とするニューロン群があり，脳のいろいろな領域に線維を投射している（図2.4）．

d. 間脳（視床と視床下部）

　視床は多数の神経核からなり，前方，外側，内側，腹側，中心部の核群に分けられる（図2.5）．これらの核は機能的側面から感覚情報を大脳皮質感覚野へ送る

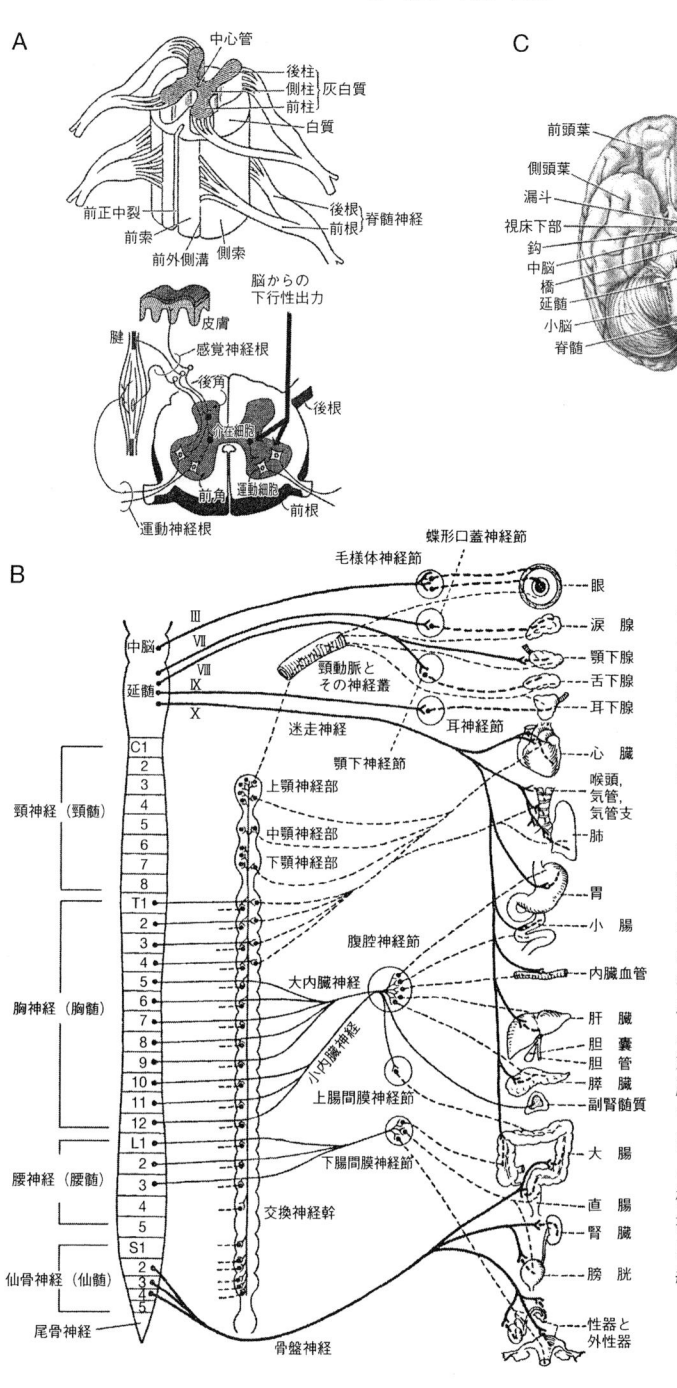

図 2.3 脊髄の模式図（A：時実，1962），脊髄と延髄の自律神経遠心路（B：Ganong, 1999；松田ら，1975 を改変），脳の底面（C：時実，1962）

脊髄の横断面は中央にH字形の灰白質があり，まわりを白質が取り囲んでいる．灰白質は前柱，後柱，側柱に分かれている．脊髄の両側面からは 31 対の脊髄神経（頸神経，8 対；胸神経，12 対；腰神経，5 対；仙骨神経，5 対；尾骨神経）が出入りしており，これに対応して頸髄，胸髄，腰髄，仙髄に区分されている．前柱には筋肉に直接繋がる運動神経と運動ニューロン，後柱には感覚を司る感覚神経細胞が，側柱には自律神経系に属する神経細胞がある．

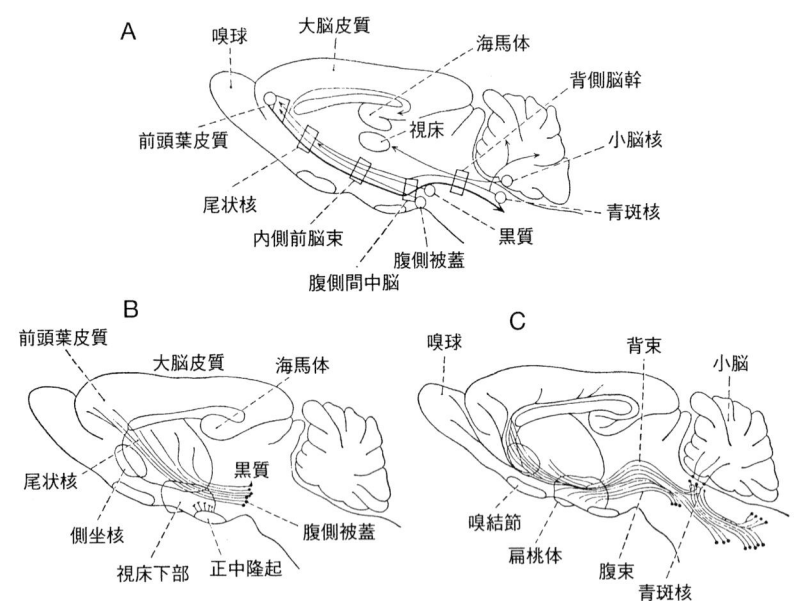

図2.4 ラットの報酬経路と蛍光法により明らかになったカテコラミン系 (Routtenberg, 1978; 久保田, 1979)
A: 報酬経路の縦断面を示す模式図. 背側脳幹, 中脳, 視床下部の内側前脳束と前頭葉皮質からなっている. この経路は両方向に走る. ○: 細胞体の存在部位, □: スキナー箱での研究から確実に自己刺激行動が起こる部位.
B: ドパミン系. 起始細胞は中脳の黒質と腹側被蓋にあり, 神経線維は主に尾状核, 側坐核, 前頭葉皮質およびその腹内側部へ投射.
C: ノルアドレナリン系の起始細胞は主に脳幹の青斑核にあり, 神経線維は小脳, 視床下部および大脳皮質へ投射.

特殊核群, 脳幹網様体からの入力を大脳新皮質全体へ送る非特殊核群, 視床内の他の核からの入力を大脳新皮質連合野へ送る連合核群に分けられる.

　視床下部は名前のように視床の下, 下垂体のすぐ上にある小さな領域である(図2.5, 2.6). 前端は視交叉の前方にある視索前野で, 後端は乳頭体である. 外側の前部は内包, 後部は大脳脚である. 視床下部は系統発生学的には脳の古い部分であり, その構造は動物の進化過程を通して比較的に一定であって, ヒトでもその重量は約4-5g (脳の総重量1,200-1,400g) である. しかし図2.6からもわかるように, その位置は脳全体を扇にたとえるとちょうどその要の部分, すなわち, 脳幹も含めて脳の中心部にある.

　脳では一般的に, 血管内皮細胞どうしが緊密な融合膜 (tight junction) を形成

2.1 脳の構造と機能の概説

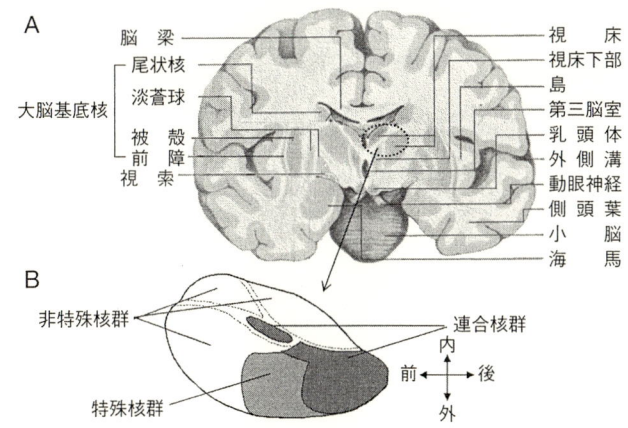

図 2.5 視床と大脳基底核を含む脳の冠状断面（A；時実，1968を一部改変）および視床の内部構造（B）
視床は脳の中心部に位置し，前方，外側，内側，腹側，中心部の核群に分けられる．大脳基底核は大脳の深部にあり，尾状核，被殻，淡蒼球，前障などを含む．

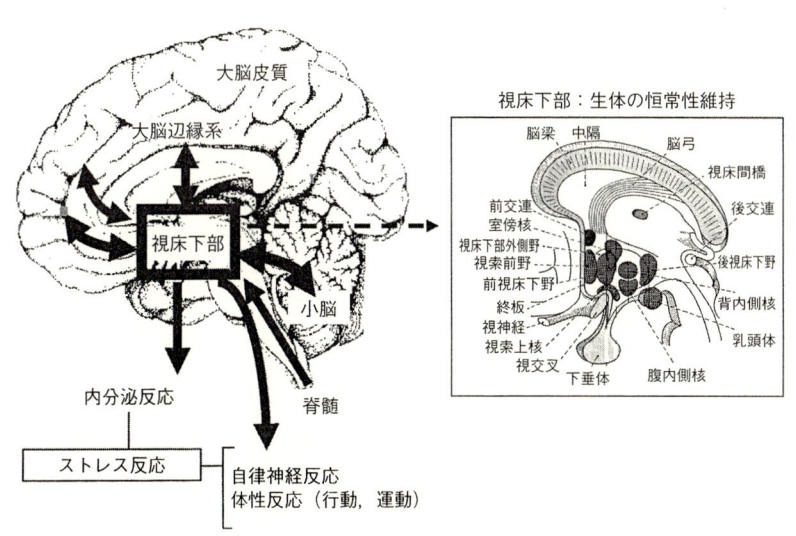

図 2.6 視床下部の脳内での位置
視床下部は視床の下で下垂体のすぐ上にある小さな領域，脳全体を扇にたとえると，脳幹も含めて脳の中心部の要の部分に位置する．

し，その周囲にはアストログリアによる被覆があって，血液中の物質が神経組織内へ直接には透過しにくい構造となっている．これは神経細胞の物理的および化学的環境を安全に保つために重要な構造であり，血液脳関門と呼ばれる．しかし

視床下部の毛細血管は血管内皮細胞に小窓（fenestration）があったり，アストログリアによる被覆を欠くなど血液脳関門が欠如している部位がある．また視床下部ではタニ細胞により血液と神経組織との間で物質が双方向に行き来できる"小管系"も形成されている（Olds, 1977 ; Sluga and Seitelberger, 1967 ; 小野, 1984）．血液脳関門の欠乏やタニ細胞の存在は視床下部ニューロンが血液や脳脊髄液中の代謝産物やホルモン濃度の変化など内部環境を直接にモニターしていることを裏付ける．

筆者らはラットで第7と第9胸椎レベルの脊髄側柱または下垂体後葉に逆行性トレーサーである西洋ワサビ過酸化酵素（horseradish peroxidase：HRP）を注入し，視床下部室傍核のHRP陽性細胞の分布を検討した（Ono et al., 1978 ; Hosoya et al., 1977, 1979）．脊髄にHRPを注入した動物では，HRP陽性細胞は主に室傍核の背内側部に分布し（図2.7 AとB），比較的大きな2つの樹状突起をもつ双極細胞や多数の樹状突起をもつ多極細胞であった（図2.7 G）．一方下垂体後葉にHRPを注入した動物では，HRP陽性細胞は主に室傍核の背外側部に分布し（図2.7 C-

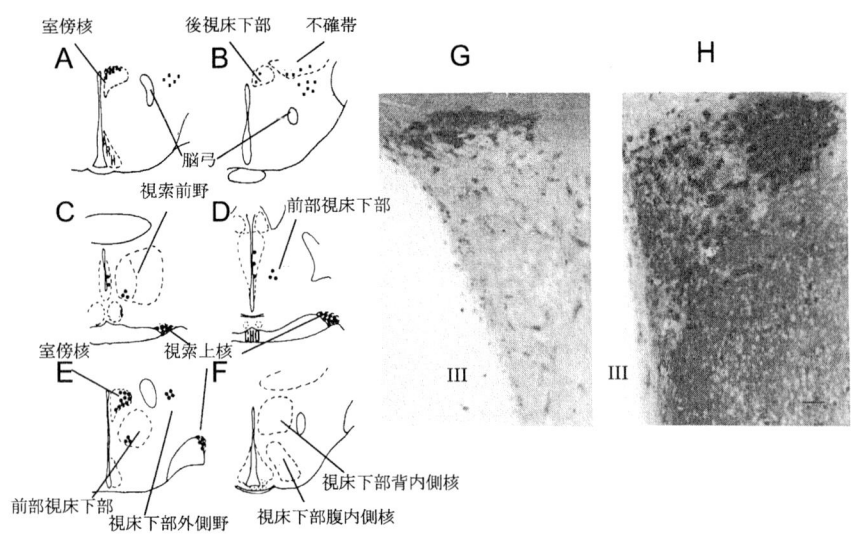

図 2.7 視床下部室傍核と脊髄の側柱または下垂体後葉との線維連絡
ラットの脊髄の中間外側柱（胸髄7-9）または下垂体後葉への西洋ワサビ過酸化酵素（horseradish peroxidase：HRP）注入後における HRP 陽性ニューロンの分布．A, B：脊髄への注入，C-F：下垂体後葉への注入．G, H：脊髄と下垂体後葉への HRP 注入後の室傍核とその近傍の脳組織標本の光学顕微鏡写真．脊髄への HRP 注入では室傍核の背側部に，下垂体後葉への注入では背外側部に多極細胞と円形細胞が集中して見られることに注意．Ⅲ：第三脳室，縮尺：50 μm（Ono et al., 1978）．

F),細胞体の大きさは背内側部のHRP陽性細胞と同程度であるが,球形により近い細胞であった(図2.7 H).これらの経路は情動行動発現時の循環調節に重要な役割を果たしている(4.2節 e.2)視床下部室傍核ニューロンの報酬および嫌悪刺激,神経伝達物質に対する応答性と自律神経反応との相関を参照されたい)(Ono et al., 1976, 1979; Oomura et al., 1969a, 1969b, 1970).

e. 大脳辺縁系(辺縁系)

辺縁系は大脳皮質の内側にあり,進化的には発生学的に古い皮質(古皮質)であり,特に辺縁系の扁桃体,海馬体,帯状回は情動,記憶に重要な役割を果たしている.扁桃体は喜び,恐れ,怒り,悲しみなどの情動の統合中枢として,海馬体は思い出(いわゆるエピソードまたは出来事)と知識の記憶(陳述記憶:頭の記憶)の統合中枢として中心的な役割を果たしている.

辺縁系はその名前のように大脳の辺縁部にある脳構造のことである.歴史的には,1878年にフランスの外科医,Brocaが哺乳類の脳に共通にみられる脳幹の頭端部を環状にとりまく大脳の皮質領域を大辺縁葉(le grand lobe limbique)と呼んだことに由来する.MacLean (1949, 1970) は,これらの領域を辺縁系としてまとめ,情動行動に関与する系として位置づけている.辺縁系の定義は研究者により異なるが,側脳室と第三脳室の吻側の周囲,すなわち前脳梁下溝,帯状溝,頭頂下溝,鳥距溝,側副溝および嗅溝によって囲まれた大脳皮質の領域およびこれら領域と解剖学的にも機能的にも密接な関係にある皮質下の領域とされている

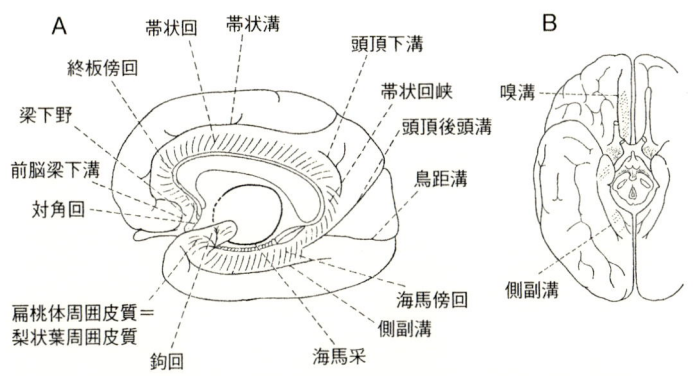

図2.8 大脳内側面(A)と下面(B)の大脳辺縁系(辺縁系)領域(網掛け部)
大脳辺縁系(古皮質)は前脳梁下溝,帯状溝,頭頂下溝,鳥距溝,側副溝および嗅溝によって囲まれた大脳皮質の領域とこれら領域と解剖学的にも機能的にも密接な関係にある皮質下の領域.

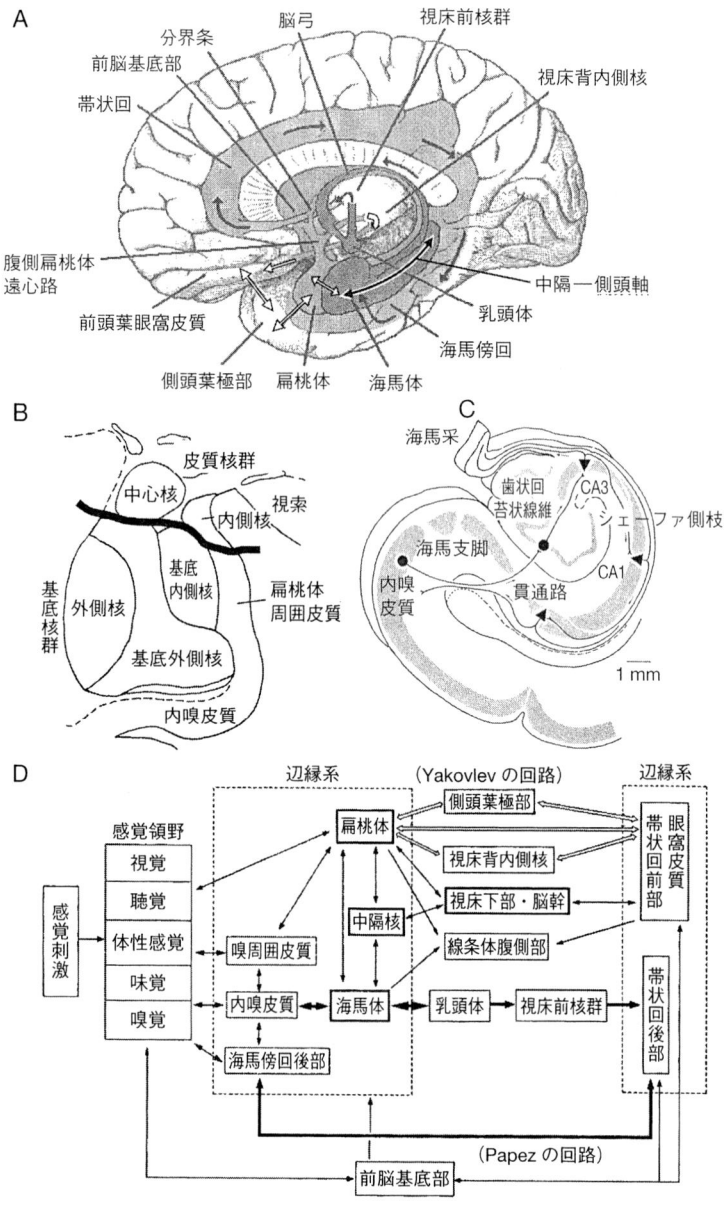

図 2.9 大脳辺縁系の解剖
A：ヒト大脳内側面の辺縁系各部の線維結合．
B：扁桃体の亜核．太い曲線：系統発生学的に古い皮質核群と新しい基底核群との境界．
C：海馬体の内部構造．海馬体は歯状回，固有海馬（CA1 から CA3），海馬支脚を含む．
D：辺縁系の各領域，大脳新皮質の感覚野と視床下部・脳幹の線維投射様式の模式図．

表 2.1 辺縁系の分類と範囲の細部（小池上，1971 および佐野，1973 を一部改変）

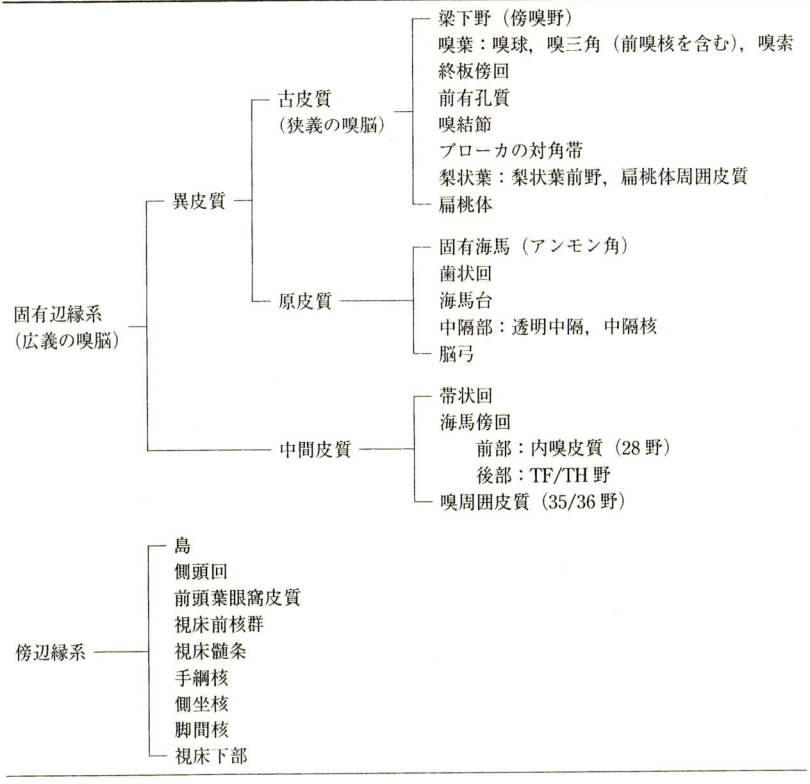

（図 2.8, 2.9 A, 表 2.1）．辺縁系の皮質は発生学的に古い型の皮質であり，新皮質とは異なった層構造をもっている．新皮質の細胞構成は 6 層からなるのが基本型で，等皮質と呼ぶが，これに対して辺縁皮質では 6 層形成がなく，異皮質と呼ぶ．

扁桃体（amygdaloid complex）は側頭葉前内側部の新皮質下にあるアーモンドの形をした核で鉤の皮質に覆われ，いくつかの核により構成される核群であるので，扁桃体核とは書かないのである（図 2.9 B）．海馬体（hippocampal formation）は側頭葉内側部で扁桃体の尾側にある細長い構造体であることから海馬と書いていないのである．海馬は，通常固有海馬（CA1-3）および歯状回を示し，これに海馬支脚を加えたものが海馬体である．また海馬体の長軸（中隔―側頭軸：septo-temporal axis）のどの点で切っても類似した内部構造が見られる（図 2.9 C）．扁桃体は視床背内側核との間に分界条と腹側扁桃体遠心路を介して相互に線維投射が

ある．視床背内側核は帯状回前部，眼窩皮質と，帯状回前部，眼窩皮質は側頭葉極部と相互に密接な線維結合を有する．海馬体からは脳弓を介して視床下部の乳頭体へ，乳頭体からは乳頭体視床路を介して視床前核群へ，さらに視床前核群からは帯状回後部に線維投射がある．このように辺縁系には，扁桃体―分界条，腹側扁桃体遠心路―視床背内側核―帯状回前部，眼窩皮質―側頭葉極部系（基底外側辺縁回路，記憶回路：1949年にYakovlevの提唱の記憶回路）と，海馬体―脳弓―乳頭体―視床前核群―帯状回後部―海馬傍回系（情動回路：1939年にPapez提唱の情動回路）の2つのほぼ並列する神経回路網がある（図2.9 D, 2.15 Bb, c）．この2つの系はすべての大脳新皮質感覚連合野と相互に密接な線維連絡を有する．扁桃体は視覚，聴覚，体性感覚，味覚および嗅覚のすべての大脳新皮質感覚連合野および前頭葉や多感覚性連合野から直接の線維投射を受けている（図2.10）（Turner et al., 1980）．海馬体と大脳新皮質とは内嗅皮質，嗅周囲皮質および海馬傍回を介して相互に線維投射を受けている（図2.11）．内嗅皮質と海馬傍回が視覚，聴覚，体性感覚，嗅覚などの新皮質の各種感覚連合野や扁桃体からの入力を受け，海馬体にもすべての感覚情報が送り込まれる．

　筆者らは扁桃体におけるノルアドレナリン系とアセチルコリン系入力の分布様式をラットで免疫組織化学的に調べた（Li et al., 2001）．免疫染色を行った脳標本を光学顕微鏡で観察すると，アセチルコリン作動性入力（コリンアセチル基転移酵素, choline acetyltransferase：ChATの免疫反応）もノルアドレナリン作動性入力（ドパミン-β-水酸化酵素, dopamine-β-hydroxylase：DBHの免疫反応）も扁桃体基底外側核で最も強い（図2.12 A, B）．これを共焦点レーザー顕微で観察すると，基底外側核でのアセチルコリン作動性入力部とノルアドレナリン性入力部は近接している（図2.12 C）．さらに微細構造を電子顕微鏡を用いて観察すると，扁桃体ニューロンの樹状突起上へのアセチルコリン作動性入力は主として抑制性結合（図2.12 Da, 対称性シナプス）を，ノルアドレナリン性入力は抑制性（対称性シナプス）と興奮性（非対称性シナプス）の両方のシナプス結合をしていた（図2.12 Db, c）．アセチルコリン作動性入力はノルアドレナリン性入力に対してシナプス前性に抑制性結合をしていること（図2.12 Dd）なども明らかになってきた．このような扁桃体内でのアセチルコリン作動性入力とノルアドレナリン作動性入力の相互作用には学習，記憶の形成，保持に対し調節的な役割があると考えられる（Dalmaz et al., 1993；McGaugh et al., 1993）．

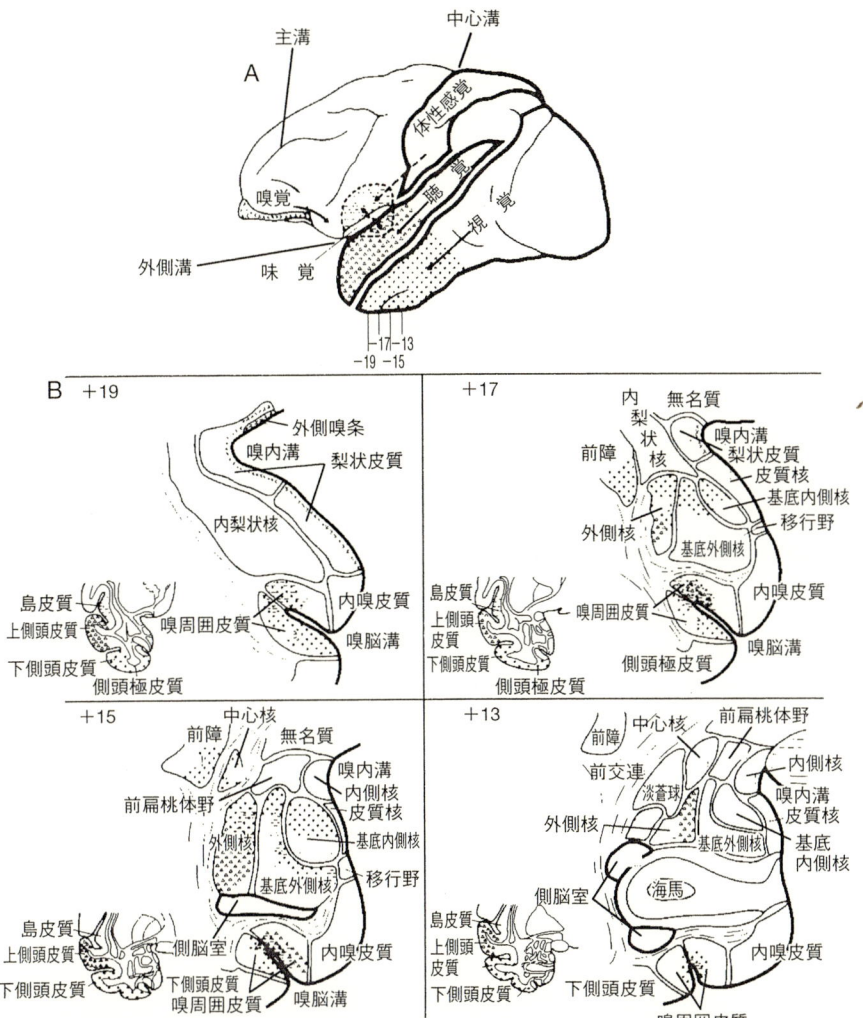

図 2.10 サルの脳の大脳新皮質の各種感覚連合野から扁桃体への局在性線維投射（Turner et al., 1980；小野と西条，1990）
A：左大脳外側面における視覚（●），聴覚（△），味覚（−）の連合野および嗅覚（×）の中継核．
B：扁桃体と側頭皮質の前額断．Aの各種感覚連合野からの線維投射部位をそれぞれ同じ印で示している．

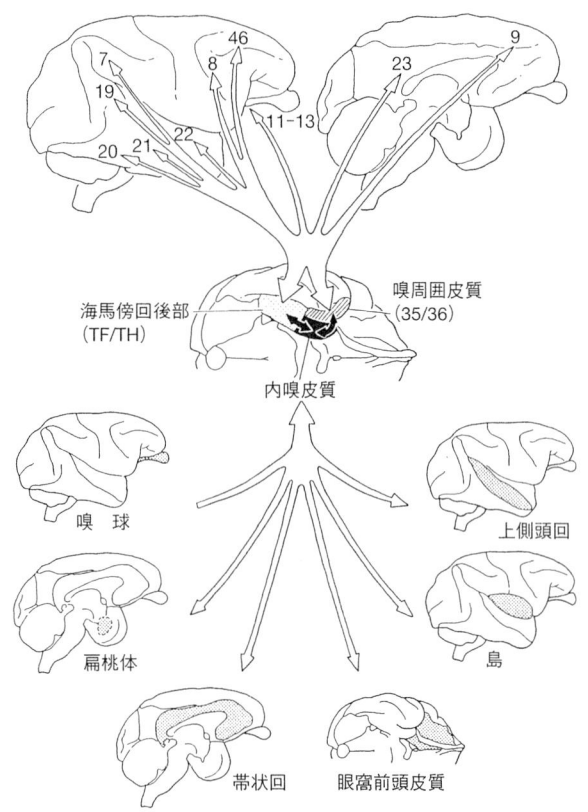

図 2.11 サルの脳の海馬体と大脳新皮質連合野や他の辺縁系領域との線維連絡（Squire et al., 1988 を一部改変）
海馬体と大脳新皮質連合野や他の辺縁系領域との間の内嗅皮質，嗅周囲皮質（35/36），海馬傍回（TF/TH）を介した相互の線維投射．図内の数字：Brodmann の領野（細胞構築学的区分）番号．

f. 大脳基底核と小脳

　大脳基底核は大脳のさらに深部にあり，尾状核，被殻，淡蒼球，黒質，視床下核の総称である（図 2.5）．大脳基底核は大脳新皮質や脳の他の部位から情報を受け取り，スムーズな運動を行うための統合中枢であり，技能や習慣などの記憶（身体の記憶）に重要な役割を果たしている．

　小脳は約 130 g で，表面には大脳よりも細かいしわがある．小脳も左右の半球に分かれ，運動学習の中枢である．

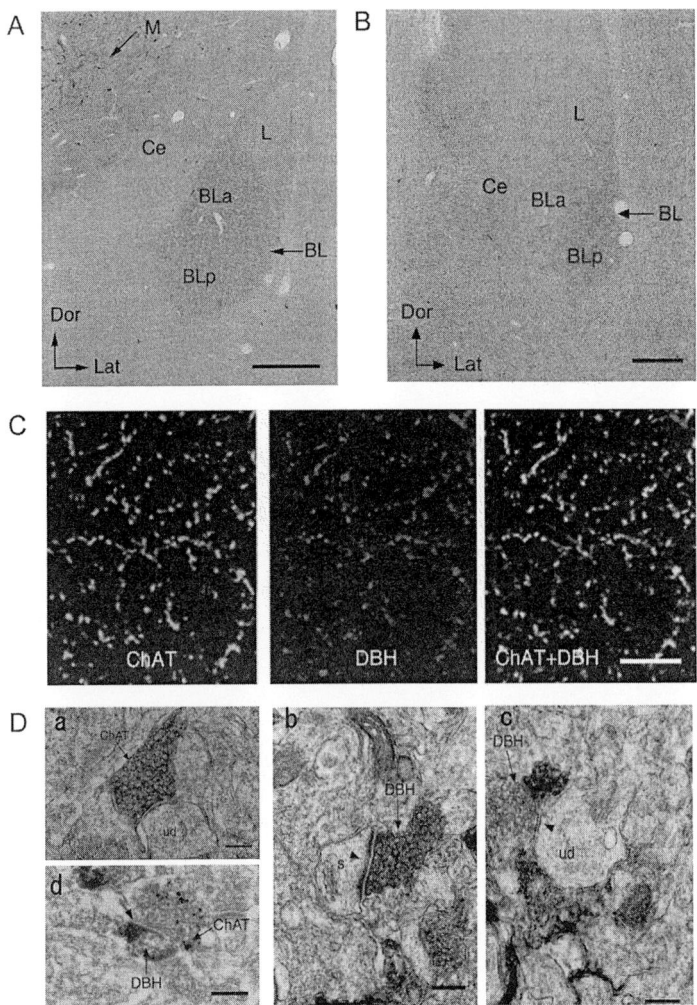

図2.12 扁桃体におけるカテコラミン作動性入力とコリン作動性入力（Li et al., 2001を一部改変）
A, B：コリンアセチル基転移酵素（cholineacetyltransferase：ChAT）抗体とドパミン-β-水酸化酵素（dopamine-β-hydoroxynase：DBH）抗体を用いた免疫組織標本の光学顕微鏡写真. ChAT免疫反応もDBH免疫反応も扁桃体基底外側核で最も強い. Ce：扁桃体中心核, L：扁桃体外側核, BLp：扁桃体後部基底外側核, M：マイネルト基底核. Dor：背側, Lat：外側. 右下のスケールバー：0.5 mm.
C：ChAT抗体とDBH抗体を用いた免疫組織標本の共焦点レーザー蛍光顕微鏡写真. 左, 中央, 右の写真：ChAT免疫反応に対する蛍光像（緑色）, DBH免疫反応に対する蛍光像（赤色）, これらの融合像（ChAT免疫反応とDBH免疫反応とが近接しているところは黄色）.
D：ChAT抗体とDBH抗体を用いた免疫組織標本の電子顕微鏡写真. a：扁桃体ニューロンの樹状突起上に, コリン作動性入力が対称性シナプスを形成. b, c：扁桃体ニューロンの樹状突起上に, ノルアドレナリン性入力が対称性シナプスと非対称性シナプスを形成. d：コリン作動性入力がノルアドレナリン性入力にシナプス前性に対称性シナプスを形成. ud：抗体でラベルされていない樹状突起.

g. 大脳新皮質（感覚野，運動野，前頭連合野）

先にも述べたように大脳新皮質の表面は脳溝によって，外側から見える前頭葉，側頭葉，頭頂葉，後頭葉，内側の見えない辺縁葉の5葉に分けられている（図2.1）。新皮質は神経細胞の種類により分類される（細胞構築学的区分）。Brodmann（1909）はこの細胞構築学的分類により大脳皮質を52の領野（番地）に区分し，各部位を数字（1-52）で示した（図2.13）。前頭葉には運動野（4野），運動前野

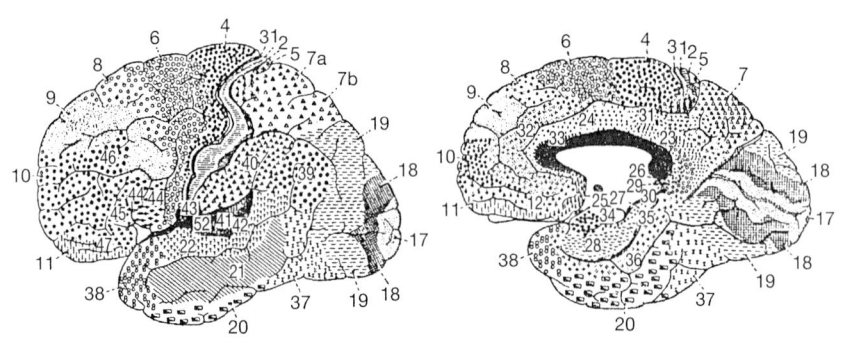

図 2.13 ヒトの細胞構築学的脳図（Brodmann, 1909）
左は左大脳半球外側面，右は右大脳半球内側面。4野は運動野，6野は運動前野・補足運動野，8野は前頭眼野，左半球の44，45野は運動性言語野。3，1，2野は第一次体性感覚野。17，18，19野は第一次視覚野。41，42野は第一次聴覚野，左半球の22，39，40野は感覚性言語野。

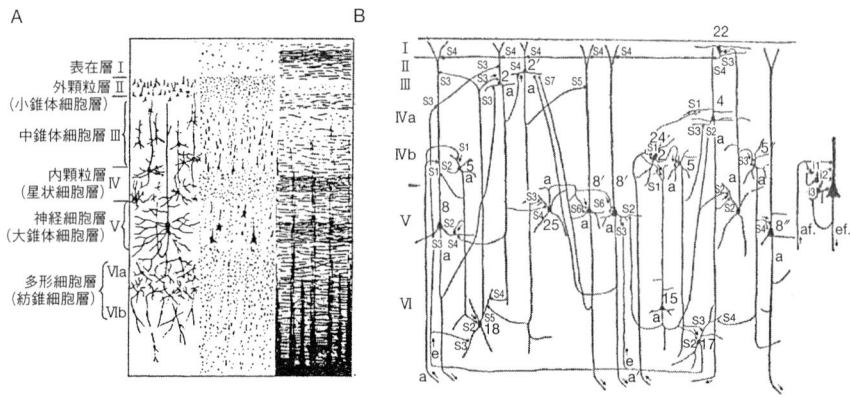

図 2.14 大脳新皮質の層構造（Brodmann, 1909を一部改変）と大脳新皮質内局所回路（Lorente de Nó, 1949）
A：左からGolgi-Cox渡銀法，Heidenhain-Nissl細胞染色法，Weigert-Pal髄鞘染色法。左端の数字は細胞構築による皮質層の名称。

表 2.2 大脳新皮質の層構造

第Ⅰ層（表在層）	ニューロンは少ない
第Ⅱ層（外顆粒層）	小型のニューロン（顆粒細胞）が密集する
第Ⅲ層（外錐体細胞層）	中型の錐体状のニューロン（錐体細胞）が多い
第Ⅳ層（内顆粒層）	小型-中型のニューロン（顆粒細胞）が密集する
第Ⅴ層（内錐体細胞層）	中型-大型の錐体状のニューロン（錐体細胞）が多い
第Ⅵ層（紡錘細胞層）	紡錘状のニューロン（紡錘細胞が多い）

と補足運動野（6野），前頭眼野（8野），運動性言語野（左半球の44，45野）を含む前頭連合野などがある．頭頂葉には第一次体性感覚野（3，1，2野）や頭頂連合野（5，7，39，40野）があり，後頭葉には第一次視覚野（17，18，19野）がある．側頭葉には第一次聴覚野（41，42野）や視覚認知に関わる側頭連合野（20，21野）があり，左大脳半球の側頭葉後方上部には感覚性言語野（22，39，40野）がある．

大脳新皮質は哺乳類になって特に発達した構造で，厚さ約2.5 mmのシートでヒトでは広げてみると，約2,250 cm^{2}の面積（新聞紙の大きさ）となる（時実，1962）．大脳新皮質の細胞層は基本的に6層からなり（図2.14，表2.2），等皮質または同種皮質と呼ばれ，発生学的には6層構造をもつが，成熟すると，6層構造を失う異型皮質（一次感覚野と一次運動野）と成熟しても6層構造を失わない同型皮質に分類される．

2.2 脳の階層構造と機能

脳は系統発生学的に古い方から脳幹—脊髄系（中脳，橋，延髄，脊髄），間脳（視床下部，視床），辺縁系（古皮質）および新皮質に至る大きく4つの階層構造からなる（図2.15 A）．1962年，日本の脳研究のパイオニアの一人である時実先生は，名著『脳の話』の中で，1）脳の最下層の脳幹・脊髄系は"生きている"という植物的（静的）な生命現象に，2）中間に位置する辺縁系は"たくましく生きていく"という動物的（動的）な生命活動を遂行するための本能や情動行動に，3）最上層の新皮質は"うまくよく生きていく"ための創造的活動に関与すると述べている．1970年，米国の脳生理学者MacLeanも，脳の構造を原爬虫類の脳，旧哺乳類の脳，新哺乳類の脳の3つの階層に分け，それらが三位一体となって働いているとの仮説を提唱した．しかし，MacLeanの仮説については批判もある（1.2

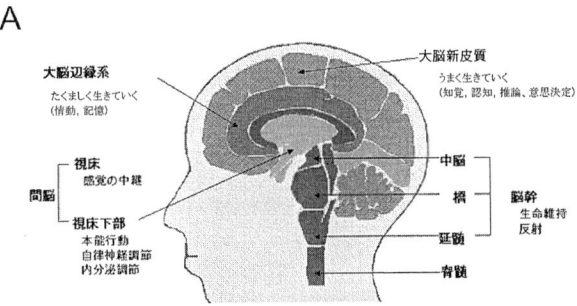

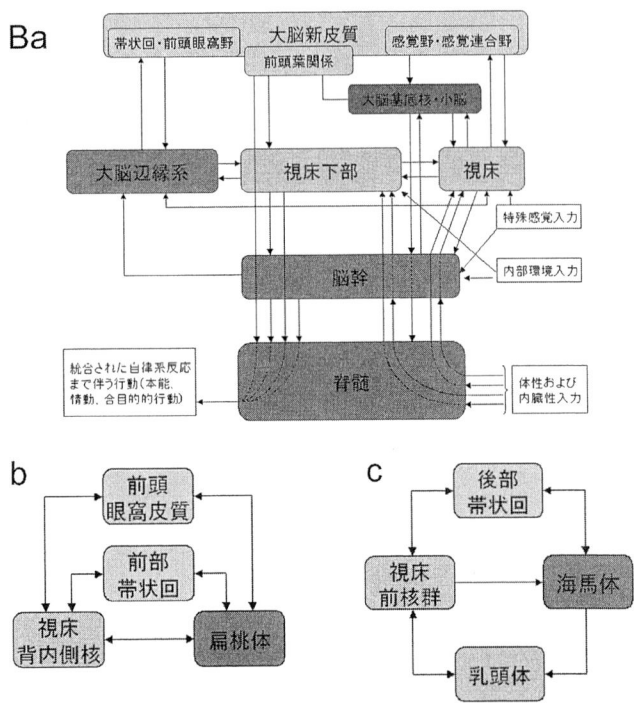

図 2.15 大脳新皮質，辺縁系，視床下部，脳幹・脊髄の解剖学的位置関係（A）と脳の階層システム（B）
(Yakovlev, 1949；Papez, 1939)
a：階層システムの全体．b と c：情動回路（Yakovlev 提唱の記憶回路）と陳述記憶回路（Papez 提唱の情動回路）の模式図．

節参照）．

　図 2.15 B には仮説的な脳内神経回路の模式図を示してある．ヒトも動物も脳

幹―脊髄系があればそれより上位の脳がなくても，呼吸，循環，消化吸収，嚥下，咳，瞬きなど各種の自律性と体性反射，さらには免疫機能などにより，無意識的な生命維持が可能である．間脳の視床下部にはヒトや動物に共通の食欲，飲欲，性欲，集団欲などの本能的欲求や摂食，飲水，性，集団行動などの本能（または動機づけ）行動および接近行動（快情動行動），攻撃・逃避行動（不快情動行動）などの情動行動の遂行と自律神経，内分泌，免疫反応の統合中枢があり，脳幹部の生命維持機能をより確かなものにしている．辺縁系には様々な事物や事象が自己にとって有益か有害かあるいは好き嫌いの度合いの生物学的価値評価とそれに基づく，情動発現から視床下部や脳幹の働きにより具現される各種の本能や情動行動遂行の統合中枢がある．新皮質系の，特にヒトで桁違いに発達している前頭葉は視床下部や辺縁系の生得的な本能や情動とこれらに基づく摂食や飲水などの接近，逃避，攻撃などの本能や情動行動よりもむしろ後天的に身に付けた人間独特の理性，慈しみ，憎しみ，孤独などの感情や創造，社会奉仕，戦争，自殺行動などに関わる統合中枢である．

　先にも述べたように間脳，辺縁系および新皮質からなるシステムとして，扁桃体―分界条，腹側扁桃体遠心路―視床背内側核―帯状回前部，眼窩皮質―側頭葉極部系（図 2.15 Bb, Yakovlev の回路）と，海馬体―脳弓―乳頭体―視床前核群―帯状回後部―海馬傍回系（図 2.15 Bc, Papez の回路）の 2 つの並列する神経回路網がある．これら仮説的な回路が提唱された当初は，Yakovlev（1948）の回路は記憶回路で，Papez（1939）の回路は情動回路であるとされていたが，その後の多くの研究より実は Yakovlev の回路が情動回路であり，Papez の回路は陳述記憶回路であることがほぼ明らかになっている．大脳新皮質運動野，大脳基底核，小脳，視床（運動系）は一体となって，手順の記憶や運動技能の習得などの非陳述記憶や，時間的―空間的に組織化された円滑な随意運動の遂行に関わる神経回路である（図 2.15 B）．

3. 情動の神経心理学・行動学

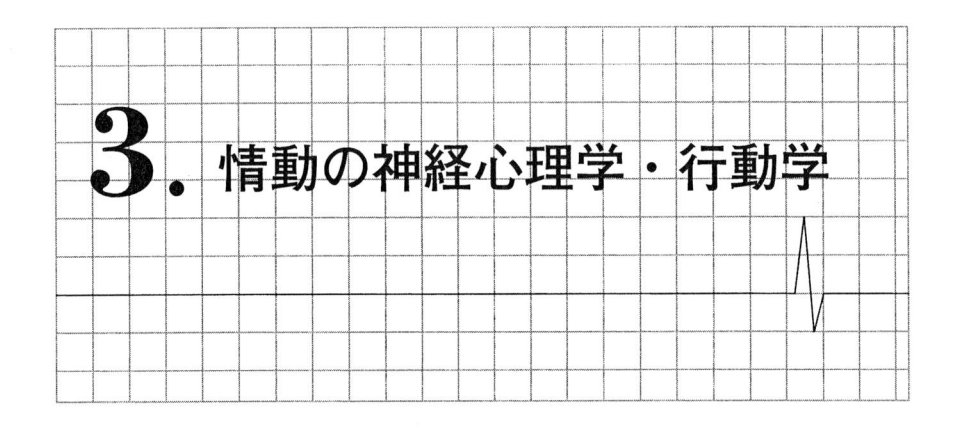

3.1 情動の神経科学的研究はできる

そもそも"情動"とは何だろうか．1.1節と1.2節で述べたように，一般的に"喜怒哀楽"などの動物にもヒトにも共通にみられる感情は情動として認知されている．しかし現在のところ情動の科学的な定義はないのが現状である．研究者各自の理論が千差万別であり，その理論により"情動"に含まれる範疇が異なるからである．このため現時点では情動の正確な定義は困難であるが，情動発現時に起こる諸現象を手掛かりに情動の研究を進めることができる．情動に伴う諸現象とは，1. 対象物の認知，2.「こころ」の中で起こる内的な感情（情動の主観的体験），3. 動機づけ（例えば対象物がヘビやクモであれば，それから逃げようという動機が起こる），4. 自律神経系やホルモン系を介した生理的反応および，5. 相手とのコミュニケーション（顔の表情やジェスチャーにより相手に自分の感情を非言語的に伝える）などである（McNaughton, 1989）．これら5つの現象は同時に起こるのではなく，連続した一連の脳内の情報処理の一形式として起こる．すなわち情動は，1）感覚刺激（対象物に関する情報）の受容，2）感覚刺激の生物学的または情動的価値評価（価値評価）と意味概念の認知（意味認知）および，3）価値評価と意味認知に基づく情動表出と情動の主観的体験の3つの過程からなる（LeDoux, 1986, 1987）．感覚刺激の価値評価とは情動系が過去の体験や記憶と照合した外界の事物や事象が自分にとってどのような生物学的意味をもつのか，報酬性（有益）か嫌悪性（有害）か，などを判断する過程である（後述）．

情動の主観的体験とは感覚刺激により喚起される喜びや怒りなどで，情動の表

出とは逆に「こころ」の中で起こっている過程である．情動体験の分類に関しては文化的要因あるいは言葉の違いにより用語が異なることや分類方法自体も様々であることから，これまで統一的な見解は得られていない．Plutchik（1962）は，情動を，生存するための順応的手段であると捉え，基本的な生物学的行動パターンに対応するそれぞれ8つの基本情動（共同-受容，拒絶-嫌悪，破壊-怒り，守り-恐れ，生殖-喜び，喪失-悲しみ，定位-驚き，探索-期待）を想定している（図3.1 A）．これらの基本情動は色と同様に様々に混ぜあわせることができ，それらの組み合わせにより，より高次の情動（派生情動）を表現できるとしている（図3.1 B）．図3.1 Aの隣接する情動の組み合わせ（一次融合）により，例えば喜びと受容により愛情が表現される．図3.1 Aにおいて，1つ（二次融合）または2つ（三次融合）離れた情動どうしの融合によりさらに複雑な情動が表現される．しかしこの場合は一次融合と異なり，融合される情動の性質が大きく異なるために融合が不完全になる．例えば"喜び"と"恐れ"の間には受容が入っており，融合が不完全になるため葛藤が生じる．この葛藤が"喜び"と"恐れ"の融合による"自責"の源となる．基本情動はヒトと動物に共通する情動（喜怒哀楽の感情）であるが，これら派生情動はヒト特有の高次の情動である．

　情動の諸現象に含まれる"動機づけ"とは特定の目標に向かって行動を解発させ，維持・遂行させる一連の過程である．行動を解発させる外部刺激（餌など）は誘因（あるいは目標）と呼ばれる．生理学的欲求（空腹，渇きなど）は，生体の恒常性を保とうとする生理学的動機（動因）を引き起こし，摂食，飲水，体温調節および性行動などの動機づけ行動を誘発する．これら動機づけと情動が関連

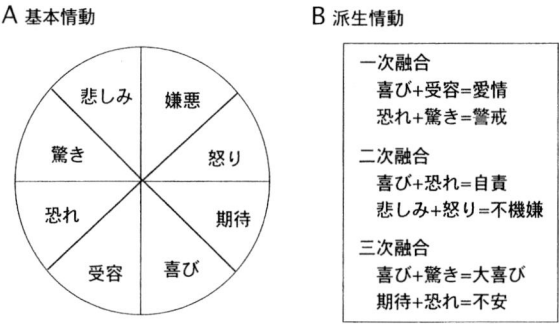

図3.1 情動の主観的体験の分類（Plutchik, 1962を一部改変）
A：8つの基本情動．B：派生情動の形成を示す模式図．

するよい例としては食欲，性欲，集団欲などの生理学的欲求を含むあらゆる欲求について，それが満たされたときの快感や喜び，満たされないときの不快感や悲しみ，また危険物や外敵に出会うなど生命を脅かす外界の事物や現象に対する恐れや怒りなどの情動が考えられる．ヒトも動物も快感や喜びを感じるものには近づこうとする接近行動を起こし，不快感や怒り，恐れや悲しみを与えるものには攻撃または逃避行動を起こして遠ざかろうとする．すなわちこれら快感や喜び，あるいは恐れや不安などの快または不快情動が行動の動因となっている．

　情動表出とは外に現れて目に見える変化のことであり，刺激が有益であれば近づき手に入れようとする接近行動や有害なときには遠ざかろうとする逃避や攻撃行動，顔面筋による顔表情の表出およびこれら情動表出に伴う自律神経反応やホルモン放出などが含まれる．情動表出では上述のように，1）自律神経反応（呼吸，血圧，脈拍，体温，組織血流量の変化，脱糞），2）内分泌反応（ACTH，副腎皮質ホルモン，カテコラミン，バソプレシンなどの分泌），3）顔面筋による表情の表出，4）行動（情動行動，動機付け行動）などが起こるが，それぞれ無関係に起こるのではなく，情動の種類により様々な組み合わせのパターンがある．図3.2には種々の情動発現時における自律反応（A：心拍数，B：体温）を示してあ

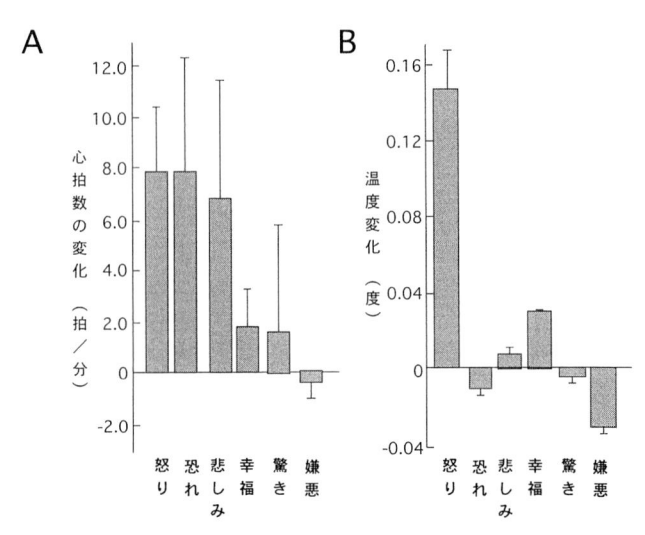

図3.2　ヒトの情動表出時における自律反応（心拍数と体温の変化）（Ekman et al., 1983）
被検者は種々の顔の表情を演ずるよう求められる．そのとき心拍数（A）と指の温度（B）を測定．

る (Ekman et al., 1983). このように，怒り，恐れ，悲しみ，幸福，驚き，嫌悪などの情動発現時には心拍と体温はそれぞれ一定のパターンにしたがって自律神経反応が起こるので，基本情動である喜怒哀楽の感情を区別することができる．さらに情動発現時にはこれらの自律神経反応だけでなく，情動行動，顔表情の表出やジェスチャーも同時に伴っている．

3.2 生物学的意義

　Darwinは19世紀に『種の起源』の中で自然選択説を唱え，生存に適した特性を有する子孫が生き延び，世代を経るに従い，その特性が発達して種が分離するとした．彼の説によると，哺乳類は情動行動などの共通の行動特性を備えているので，共通の祖先から発達し，共通の神経系を備えていることになる．これら情動反応は生存する確率を増大させる．例えばラットなどでは情動反応として"すくみ反応（freezing）"が起こるが，天敵から身を隠すのに都合が良い．これら情動反応は急激に起こるが，天敵の姿や匂いなど重大な刺激に短時間に応答するのに適している．このように"情動"とは生物が進化の過程で獲得し，発達させてきた生存のための手段である．情動行動の生物学的意義は個体の生存確率を高める個体維持と種族保存にあり，それ故，ヒトを頂点としてすべての動物は情動を発達させてきた．Darwin (1872)は著書『人間と動物の情動表出』（浜中訳，1991）の中で，様々な動物やヒトの情動表出を比較した結果，それらに共通性がみられることを見いだし，ヒトの情動表出は後天的に習得したのではなく，遺伝的（本能的）に備わったものであると述べている．

　上述のようにヒトは最も"情動"の発達している動物である．動物の情動行動を比較した研究によると，動物の知的レベルの上昇に伴い，情動反応を引き起こす刺激の種類が増え，複雑となり，それに対する情動の持続時間も増加する．例えばラットではヘビやクモなどの天敵，突然の大音響や痛みあるいは未知の環境などが情動反応を引き起こす主な刺激である．一方，イヌではより複雑な刺激に反応するようになり，床の上を動く帽子や普段と違う服装をした飼い主などにも情動反応をする．さらにチンパンジーになると，人形や玩具の動物，デスマスク，ホルマリン漬けのチンパンジーの頭部やヒトの頭の模型などに対しても情動反応をする (Hebb, 1972)．ヒトでは言語機能が発達し，より広範囲の幽霊やお化けが

出そうな何となく不気味な感じがする場所といったような形而上の対象（物）に対しても情動反応をする．

　これらヒトの情動行動はすべて遺伝的に備わった本能行動に帰することはできない．出生直後の新生児もある程度基本的な情動の表出ができ，動物の情動表出と共通性が高いことから基本情動といわれている．ヒトでは乳幼児期から社会活動へ参加するようになるにつれ，情動行動は急速に発達して複雑化し，それとともに相手の情動行動を認知する脳機能（社会的認知機能：後述）も発達していく．ヒトを含めて霊長類は大きな社会集団を形成することから，個体間の非言語的コミュニケーションが生存に不可欠であり，喜怒哀楽の顔表情の表出とその認知機能がこれらコミュニケーションに重要な役割を果たしているからである．このように霊長類では社会的認知機能が生後急速に発達することから，学習により獲得していく後天的要素も重要である．自閉症児などでは情動表出はある程度可能であるが，社会的認知機能の後天的な発達障害により様々な行動障害が生じる．近年の研究によると，情動発現に重要な役割を果たしている扁桃体や海馬体，前部帯状回などの辺縁系は生後早期から活動を開始し，これら社会的認知機能の発達にも重要な役割を果たすことが明らかにされつつある．

3.3　人間の生後情動発達：一次情動と二次情動

　Damasio（1995）は豊富なヒトの症例研究に基づき，情動とその神経回路の発達に関して非常に魅力的な仮説を提唱している．彼らの説では情動は一次情動（primary emotions）と二次情動（secondary emotions）に分けられている．サルやヒトなど高等動物の発達初期の情動は一次情動であり，情動の基本過程であるが，原始的で生得的要素が非常に強い．この一次情動は多くの下等生物でも認められ，感覚刺激の鍵となる特徴またはその組み合わせが情動反応を惹き起こすのである．この場合，情動は必ずしも意識されない．このような一次情動は扁桃体を中心とする神経回路で処理される．一方発達が進み成人になると，二次情動が一次情動に置き換わる．二次情動とはヒトが情動を情動として意識し，事物や事象と一次情動との間に意味論的なつながりを形成することにより生じるものである．二次情動の脳内過程には扁桃体を中心とする情動の基本回路に，さらに眼窩皮質や腹内側前頭皮質が加わる．二次情動の多くは生後学習に依存し，過去の様々

3.3 人間の生後情動発達：一次情動と二次情動

な体験は情動行動に柔軟性をもたらし，繊細で機敏な情動の制御が可能になる．

一方，Shaverら（1987）は乳幼児の情動発達過程に対する考察から情動の分類を試みている（図3.3）．乳幼児は最も初期の段階で，人や出来事あるいは状況を自己に利益をもたらすもの（快情動）と有害な喪失をきたすもの（不快情動）に大きく分類することを学習する．それぞれniceうまい，like好きな，good良いおよびbad悪い，meanけちな，don't like嫌いなどの言葉に代表される情動である．これらの抽象的な情動は，さらに5つの基本情動（love愛，joy喜び，anger怒り，sadness悲しみ，fear恐れ）に分かれる．これらの基本情動はそれぞれに相当する表情を伴い，幼児が学習する最も初期の情動的語彙である．この基本情動に相当する言葉はほとんどの文化でみられ，生物学的な基盤を有する普遍的なものである．これらの基本情動は，さらに嫉妬，罪悪感，自尊心，憤慨などのいくつかの情動に細分される．小児は精神発達のより後期で社会的な成功や不成功，偶発的または意図的行為および道徳的責任などを理解し，情動的語彙の識別ができるようになるにつれ（情動が細分化されるにつれ），これらの言葉を次第に習得していく．したがって，これら細分化された情動概念は文化の種類により，さらには同一の文化でも歴史的年代によりかなり異なる．

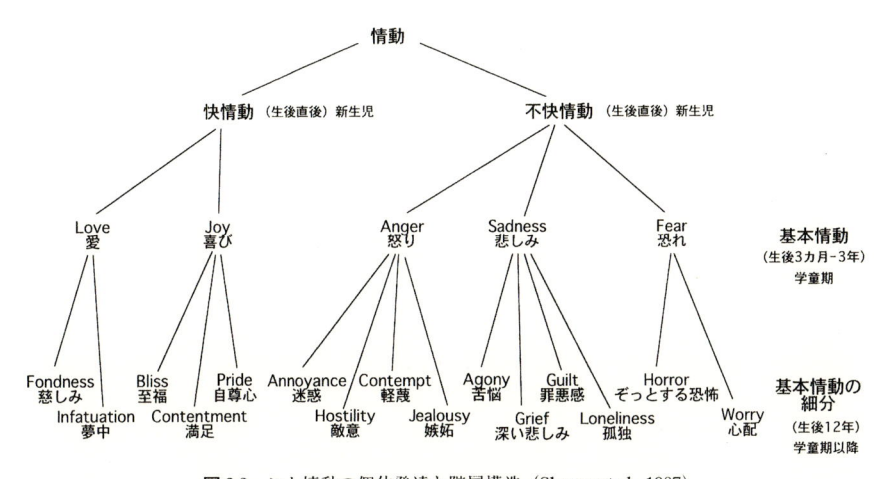

図3.3 ヒト情動の個体発達と階層構造（Shaver et al., 1987）

3.4 脳のシステム

解剖学的知見,ヒトや動物の神経心理学的研究に基づき,情動発現の神経機構について脳内の機能モジュール(脳のシステム)が提唱されている.ここでは筆者らの考え方をマウス,ラット,ネコ,サルの快または不快情動行動中の脳内各部位ニューロン応答性の解析結果に基づき,情動,記憶および理性システムの体系化の試みについて述べる(図3.4).

前頭葉は側頭葉ならびに頭頂葉などすべての新皮質連合野から入力を受け,理性や知性の発現に重要な役割を果たしている.前頭葉は系統発生学的にヒトで最も発達し,ヒトでは全大脳皮質表面の30%に達する(Semendeferi1 et al., 2002).

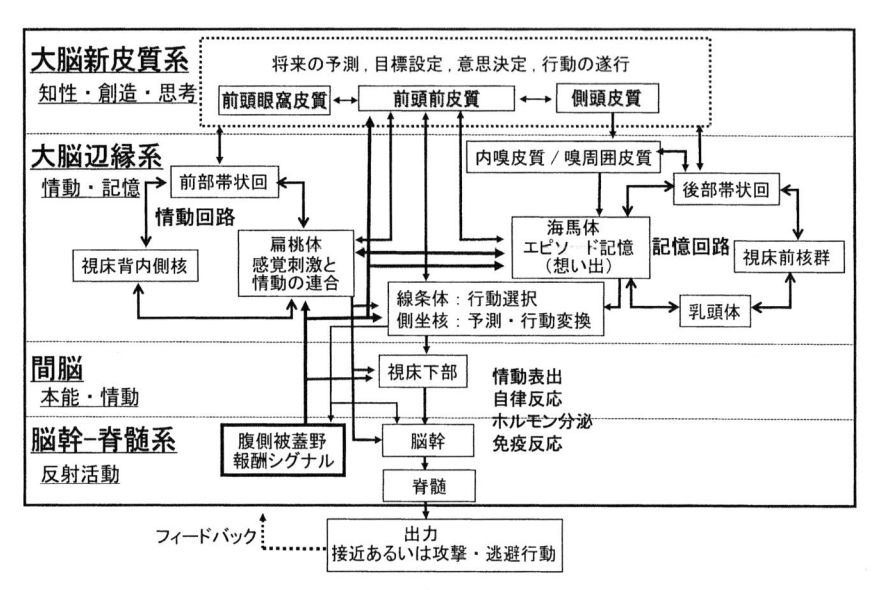

図3.4 情動・記憶に関与する仮説的な神経回路

前頭葉の前頭前皮質(背外側前頭前皮質)では行動の意思決定.頭頂葉(頭頂皮質)と側頭葉(側頭皮質)には各感覚種の連合野があり,感覚刺激の知覚と認知.右大脳半球の下頭頂小葉(頭頂皮質の一部)には環境内の空間的位置関係の認知に関与.左大脳半球下頭頂小葉は言語領野(左大脳半球のブローカ,ウェルニッケの領域および下頭頂小葉)に含まれる.これら大脳新皮質連合野からの出力は扁桃体を中心とする情動回路,海馬体を中心とする陳述記憶回路,および大脳基底核(線状体・側坐核)を中心とする非陳述記憶回路に入力.海馬体で処理された高次の情報は海馬体と扁桃体間の直接経路を介して扁桃体に入力.視床下部は扁桃体からの主要な出力機構.現時点では側坐核,後部帯状回,視床前核の役割は不明.実線と点線はそれぞれ直接および間接的な線維結合.

この比率はサルなど他の霊長類と比較しても桁違いに大きい．このためヒトの進化の歴史を"前頭葉の時代"と称することもある．しかし長い間，前頭葉の機能は不明であった．ヒトの前頭葉を直接電気刺激しても何ら反応が起こらないことから，一時期「沈黙領野（silent area）」と呼ばれたこともある．現在では，多くの研究者の意見は少なくとも前頭葉がヒトの精神活動に非常に重要な位置を占めることで一致している．

　これまでの多くの非侵襲的研究により扁桃体，前部帯状回，眼窩皮質，側頭葉極部（側頭皮質），島皮質および視床背内側核などが動物だけでなく，ヒトでも情動発現に重要な関与が報告されている（Damasio, 1994）．情動発現には扁桃体を中心とするこれら辺縁系各領域（扁桃体，前部帯状回/眼窩皮質，側頭葉極部および視床背内側核）が神経回路（情動回路：1949年にYakovlevが提唱した記憶回路と同じである）を形成し，脳の他のシステムと協調して中心的な役割を果たしている．Yakovlevの記憶回路は実は情動回路であったことが明らかになったのである．扁桃体は大脳新皮質の前頭連合野（背外側前頭前皮質，眼窩皮質）をはじめとするすべての感覚連合野，辺縁系の他の部位，視床下部との相互連絡により，知覚，認知された身体内部情報や環境内の事物，事象に関する情報の価値評価と意味認知を行い，各種の本能や情動行動の制御に重要な役割を果たしている．

　海馬体は海馬傍回を介して前頭前皮質および下頭頂小葉（頭頂皮質の一部）など高度な機能を有する連合野から直接入力を受け，神経回路（記憶回路：1937年にPapezが提唱した情動回路と同じである）として思い出（エピソード；出来事）と知識の記憶や，場所や事物，事象などの記憶や空間認知に重要な役割を果たしている．1939年，Yakovlevの記憶回路提唱よりも10年前にPapezが提唱した情動回路は，実は記憶回路だったのである．Papezの情動回路が記憶回路であり，Yakovlevの記憶回路が，逆に情動回路であったことは情動系と記憶系の相互作用を暗示していたようで興味深い．

　一方，大脳基底核の線条体や側坐核は扁桃体，海馬体，前頭前皮質および他の大脳新皮質から入力を受け，楽器の演奏や自転車の運転，運動競技における手足の動作などの非陳述記憶（技術や習慣記憶）に重要な役割を果している．これらシステムの相互作用と同時並列的な情報処理が情動と記憶のメカニズムの中核をなしているのである．

4. 情動の神経行動科学

4.1 情動発現から行動表出の過程における神経情報処理はどのように行われるのか

行動発現の神経・物質基盤

1) 動機づけと情動行動

　視床下部は動機的および情動的側面から行動を強力に制御している．動物では摂食，飲水，性，体温調節などいわゆる本能行動が主な動機づけ行動である．一方ヒトも動物も快感を覚えるものには快情動行動（接近）を起こし，不快感を覚えるものには攻撃または逃避といった不快情動行動を起こして遠ざかる．これら快および不快情動行動を称して情動行動と呼ぶ．これら行動の根底にある「動機づけ」と「情動」は互いに関連している側面がある．一種の動機づけ行動である電気ショックを回避する能動的回避行動では恐れや不安などの不快情動が行動の動因となっている．逆に動機づけは情動を発現するためのエネルギー源である（Buck, 1984）．例えば空腹や渇きなどの生理的欲求について，それが満たされたときには快感や喜び（快情動）が，満たされないときには，不快感や怒り，恐怖や悲しみ（不快情動）が沸き上がってくる．この快感や不快感は動機づけ行動を促進する強化刺激となっている．これから述べるように視床下部の刺激や破壊により，これらの行動が大きな影響を受けることから視床下部は動物の動機づけと情動発現による行動表出の重要な統合中枢であることがわかる．

2) 行動発現の神経基盤（報酬系と嫌悪系）

　脳内には快情動（快感）を生み出したり，それに基づいて行動を解発する特異

的な部位が存在する．1954 年，Olds と Milner は当時明らかになりつつあった網様体刺激の覚醒効果を研究していた折，ラットが自ら好んで自分の脳を電気刺激する現象（脳内自己刺激，intracranial self-stimulation：ICSS）行動を偶然に発見した．彼らはラットの中脳網様体を電気刺激するために電極を埋め込んだが，当時は電極の埋め込みが非常に困難で電極がたまたま斜めに刺入され，約 4 mm も目標からずれた中隔核に入っていた．このラットが大きな卓上の走路を動き回っているときに，特定の場所でその電極から電気刺激すると，ラットは刺激を受けた場所へ戻ろうとする傾向のあることに気づいた．彼らはこの偶然の観察を見逃さず，ラットが中隔核領域の電気刺激を受けた場所へ行くことを学習することを実証した．その後，多くの研究により脳内には動物が電気刺激を好んで求める領域（報酬系）と，逆に電気刺激を回避しようとする領域（嫌悪系または罰系）の存在が明らかになった．

報酬系は視床下部外側野を貫いて中脳被蓋の腹外側部と嗅球，辺縁系，大脳皮質などの前脳部を結ぶ内側前脳束に一致する領域である．ICSS 行動は，特に視床下部外側野で最も容易に起こる．図 4.1 にはいろいろな動物とヒトの脳の報酬系を示してある（Olds, 1976）．嫌悪系は中脳の背側部と前脳の大脳新皮質や辺縁系に属する部分を結ぶ室周系を中心とする領域である．

i) 報酬系（動機づけ行動） ICSS 行動の最も起こりやすい視床下部外側野は動機づけ行動の起こりやすい部位でもある．ラットの視床下部外側野では電気刺激により前部から後部へと体温調節，性，飲水，摂食および性行動の順で動機づけ行動の起こりやすい部位が配列している（図 4.2 A：Olds, 1976）．電気刺激により摂食行動の起こる部位で刺激強度を上げると，捕捉攻撃行動が起こる

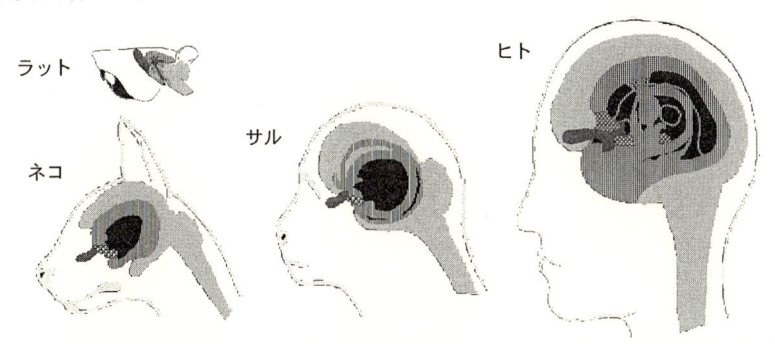

図 4.1 ヒトと動物の報酬領域（ラット：Olds and Olds, 1963；ネコ：Wilkenson and Peele, 1963；サル：Bursten and Delgado, 1958；ヒト：Bishop et al., 1963）

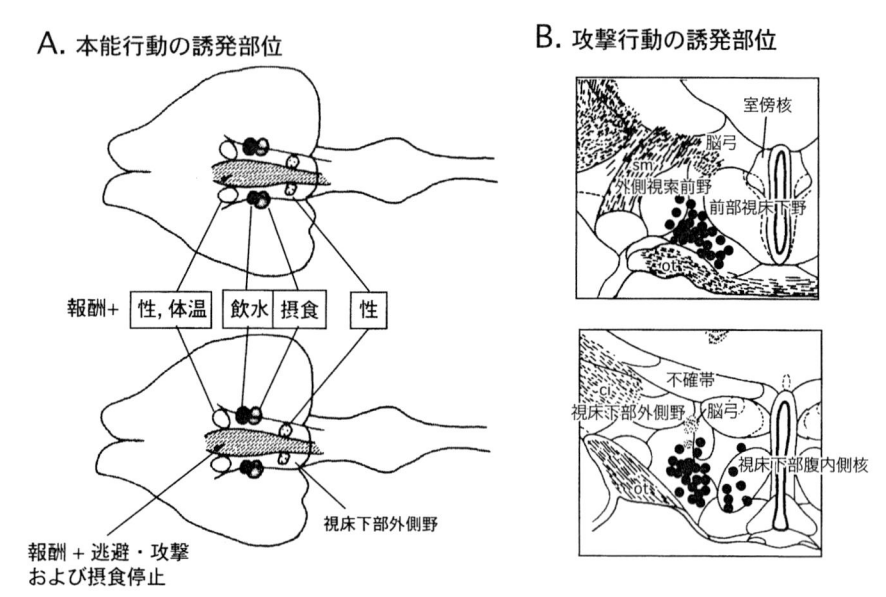

図4.2 視床下部の電気刺激による各種本能行動（A）と情動行動（B）（黒丸）の誘起部位（Olds, 1976 ; Hess, 1957）
視床下部外側野では前部から後部にかけて体温調節行動と性行動，飲水行動，摂食行動，性行動の順でそれぞれの行動の起こりやすい部位が配列（Olds, 1976）．しかし，各行動の誘起部位にはかなりの重複．攻撃行動は脳弓腹側部の領域，および腹内側核の腹側部の刺激により起こる（Roeling et al., 1994）．

（Panksepp, 1971）．空腹が動因となり，ネコがネズミを捕らえる行動は捕捉攻撃行動のよい例である．これらのことより，ICSS行動は摂食，飲水，性，体温調節行動などの動機づけ行動が満たされたときの快感発現に関与する神経機構を人工的に賦活することにより発現すると考えられている．

ラットでは摂食や飲水行動などに影響を与える生理的欲求，例えば空腹や渇き感などもICSS行動に影響を及ぼすことが知られている．摂食行動に関してはラット視床下部外側野におけるICSSの頻度は，1) 絶食により増加する（Margules and Olds, 1962），2) 胃に流動性食餌を強制的に注入して満腹状態にすると，減少する（Hoebel, 1968），3) 血糖値を低下させて過食を引き起こすインスリンの投与により増加し，逆に血糖値を上昇させるグルカゴンの投与により減少する（Hoebel, 1969）．飲水行動に関しては，1) 視床下部外側野の脳弓背外側部におけるICSSにより飲水行動が発現し，飲水量は1時間に40 mlにも及ぶ（Mogenson and Morgan, 1967），および2) 絶水により視床下部外側野におけるICSSの頻度が増加する（Brady and Nauta, 1955）などの報告がある．雄ラットの性行動に関

しては，1) 後部視床下部における ICSS により射精が起こる（Caggiula and Hoebel, 1966），2) 去勢したラットの後部視床下部における ICSS の頻度はアンドロゲン投与により増加する（Olds, 1958；Caggiula and Hoebel, 1966），3) 交尾し，射精した後では後部視床下部における ICSS の頻度が低下する（Herberg, 1963）．

これらの事実から，ICSS 行動は摂食，飲水，性行動などの動機づけ行動に伴う誘因報酬（incentive reward）（食物や水などを見たり，匂いをかいだりなど報酬獲得の可能性があるときの快感）や完了報酬（consumatory reward）（食物や水の摂取など欲求が満たされたときの快感）など正の強化機構の人工的な賦活により発現することを示唆する．脳への電気刺激が報酬となるのは自然の報酬と類似の強い効果を引き起こしているからだと考えられている（Rolls, 1976）．

ii) 嫌悪系(不快情動)　1949 年にノーベル医学生理学賞を受賞した Hess はネコの間脳，脳幹部を系統的に電気刺激し，視床下部刺激により自然の刺激によって誘発されるのと同様の攻撃行動あるいは防御行動を誘起することを発見した（Hess et al., 1943；Hess, 1957）（図 4.2 B）．その後の研究により，これらの領域は扁桃体から腹側扁桃体遠心路（Hilton et al., 1963）あるいは分界条（Fernandes de Molina et al., 1959）を介して視床下部前部から視床下部内側部と中脳中心灰白質へ続く連続した一連の領域の一部であることが明らかとなった．電気刺激によって誘発されるこれらの行動は刺激する領域と刺激の強さによって異なる．弱い刺激強度ではうなり声，頭部を下げた姿勢，瞳孔散大，立毛などが起こるが，刺激強度を上げるにつれて，うなり声が大きくなり，ヒッシング（"しっ"といううなり声）や攻撃や逃走行動を伴うようになる(Fernandes de Molina et al., 1959)．

これらの情動反応は視床下部では，特に腹内側核とその周辺部で起こりやすい．ネコにペダルを押して電気ショックを回避する能動的回避行動を学習させて，視床下部の攻撃行動または逃避行動を誘起する部位（腹内側核）を電気刺激すると，ネコは直ちにペダルを押すようになる（Nakao, 1958）．これらの部位の電気刺激は自然の刺激に誘発されて起こる怒りや恐れの情動と同様の心理状態を引き起こしていると考えられている．

iii) 脳内自己刺激（ICSS）行動の神経機構　ICSS 行動が動機づけ行動に関与する神経系を賦活することにより発現するという仮説を検証するひとつの方法はニューロン活動（インパルス放電）の記録実験である．それでは ICSS が最も高い頻度で起こり，刺激による摂食行動が誘発される視床下部外側野のニューロ

ンは摂食行動や ICSS 行動に対してどのように応答するのであろうか．Olds らはオペラント（道具的）条件づけの手法を用いたラットの学習実験で視床下部外側野ニューロンが食物の提示に先行する音条件刺激，その後の食物への接近行動中に促進応答（インパルス放電頻度の増加）をする視床下部外側野ニューロンは食物の摂取時には抑制応答（インパルス放電頻度の減少）をすることを報告している（Hamburg, 1971; Linseman and Olds, 1973; Olds, 1973）．視床下部外側野ニューロンの抑制応答は後部視床下部の ICSS や（Ito, 1971），多幸感をもたらすモルヒネを投与しても起こる（Kerr et al., 1974）．これらのことより Olds (1976) は，このような応答を示す視床下部外側野ニューロンは動因ニューロンであると考えた．すなわち自然報酬や ICSS 報酬，さらにはモルヒネ投与による視床下部外側野ニューロンの抑制応答は動因の低減に対応するとした．そして他の報酬系部位に存在する報酬ニューロンが動因ニューロンを抑制する機能を果たしていると考えたのである．

　一方，Rolls らはサルのニューロン活動の記録実験で，視床下部外側野には食物を見たときやグレープジュースを摂取したときに特異的に応答するニューロンが存在し，その応答の強さは，食物に対するサルの好みの程度に依存して変化することを見つけた（Rolls, 1976; Rolls et al., 1976, 1980）．これらのニューロンは視床下部外側野だけでなく，他の ICSS 行動誘発部位，例えば眼窩皮質，側坐核，視床背内側核などの刺激にも応答した．サルにニューロン活動の記録に用いた電極を通して電流を流せるようにして ICSS を行わせると，そのようなニューロンの存在部位で最も低い閾値で ICSS 行動が起こった．またサルが満腹状態に近づくにつれ，食物を見たときなどのニューロン応答は次第に減弱し，最終的には消失した．Rolls は，これらの実験結果から，1) 食物を見たときや摂取したときに応答する視床下部外側野ニューロンは報酬ニューロンである，2) これらニューロンは視覚，味覚，嗅覚などの食物がもつ種々の感覚性信号を入力として受け取る，3) これら入力の報酬ニューロンへの伝達は動物の動機づけ状態を反映した空腹ニューロンの活動によって調節される，4) 報酬ニューロンの出力は食物が食べられるか否かや，どのくらい美味しいかなど，快楽の程度を決めている，5) ICSS は刺激が直接あるいは間接的に報酬ニューロンに応答を引き起こし，快楽を生じることにより発現すると考えた（Rolls, 1976）．しかし Rolls らの実験ではサルの眼前に大きなカメラのシャッターと口角付近に注射筒が設置してあり，シャッ

ター開放後に瞬間的にピンセットの先に挟んだ種々の食物または非食物を呈示し，注射筒の先を舐めると（リック行動），報酬としてグレープジュースが出てくるようにしてある．サルは見た物体が食物であれば注射筒のリック行動によりグレープジュースを摂取でき，非食物であればリック行動をしてもグレープジュースは摂取できない．彼らの実験では呈示食物が何であっても報酬として同じ味のグレープジュースが与えられている．一方筆者らの実験では，4.2 節 c. 2）や 4.5 節 b. 1），2）で述べるように，サルは見た物体が食物であればレバーを押してシャッターを開けてその食物を手で取って食べ，非食物であればレバーを押さない．Rolls と筆者らの実験方法の違いはその後の研究の展開やニューロンの応答性と食物の認知，好き嫌いの度合，物体の生物学的価値評価や意味認知などデータの解釈に大きな意味をもつことを無視できない．Olds が食物の呈示や摂食時に応答する視床下部外側野ニューロンを動因ニューロンとして動因低減説の立場をとったのに対し，Rolls はそれを報酬ニューロンとし，むしろ快楽説の立場をとったのである．

しかし Olds が彼の考え方の根拠とした実験では同一の視床下部外側野ニューロンが食物や ICSS にどのように応答するかをみていない．また Rolls らの実験においても食物を見たときあるいは摂取したときの視床下部外側野ニューロンの応答といろいろな脳部位の ICSS により生ずる応答の方向（促進あるいは抑制）について言及していない．摂食や ICSS が視床下部外側野の動因ニューロンや報酬ニューロンを媒介として発現するという仮説は摂食や ICSS に対してこれらのニューロンが同じ方向の応答を示すということを少なくとも前提として成り立つものである．実際，筆者らの研究によると，サルの視床下部外側野ニューロンは好きな食物を口にしたときは抑制応答を示し，嫌いで摂食を拒否するような食物を口にしたときは，逆に促進応答を示す（4.2 節「視床下部の役割」を参照）（Nishino et al., 1982）．すなわちニューロンの抑制と促進応答の違いは異なった意味をもつ可能性がある．

そこで筆者らは自由行動下ラットの視床下部外側野ニューロン活動を長時間記録し，摂食と ICSS 行動に対するニューロン活動の促進と抑制応答性について調べた（Sasaki et al., 1983, 1984）．この研究では後部視床下部（内側前脳束）と側坐核に刺激電極を植え込み，それぞれの電極部位で ICSS 行動が起こること，空腹により後部視床下部の ICSS 頻度は増加するが，側坐核の ICSS 頻度は変わらな

いことを確認した．視床下部外側野ニューロンの30%が摂食行動に応答し，大多数は抑制応答であった．また視床下部外側野ニューロンは空腹によりICSS頻度の増加した後部視床下部の刺激にも摂食にも抑制応答を示した（図4.3）．しかし空腹によりICSS頻度に変化のなかった側坐核の刺激は，摂食により抑制された視床下部外側野ニューロンの応答に影響しないか，あるいは逆に促進応答を示した．すなわち摂食に関与する神経機構と明らかに相互作用する部位のICSS行動は視床下部外側野ニューロンに摂食行動のときと同じような応答を引き起こすのである．

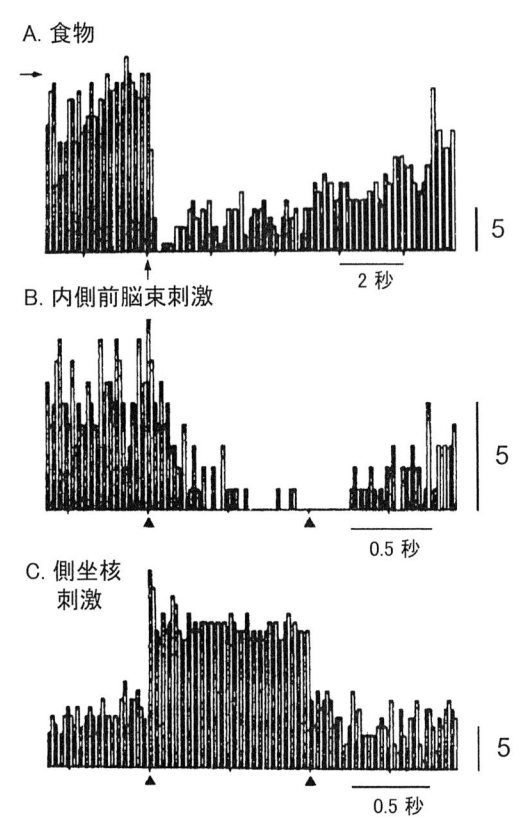

図4.3 摂食と後部視床下部（内側前脳束）および側坐核の反復電気刺激に対する視床下部外側野ニューロンの応答（Sasaki et al., 1983, 1984）
ニューロンの応答は加算ヒストグラムで示してある．A: 摂食中のニューロン活動の抑制（インパルス放電頻度の減少）．↑は餌摂取時点，→は摂食行動開始前の対照期のニューロン活動レベル．このニューロンは内側前脳束自己刺激部位の反復刺激（▲−▲）による抑制（B），側坐核自己刺激部位の反復刺激による促進（C）．

以上の結果はいずれも，ICSS行動が摂食，飲水，性行動などの動機づけ行動と関連した神経機構を賦活することにより発現するという考えを支持するものである．Rolls (1976) は「脳への電気刺激が報酬となる条件は自然の報酬による効果が模倣されることであろう」，そして「ある脳部位のICSS行動は刺激が食物や水に関連した報酬ニューロンを賦活することにより発現し，他の脳部位のICSS行動は刺激が他の報酬に関連した報酬ニューロンを賦活することにより発現するのであろう」と述べている．

3) 行動発現の物質基盤（脳内モノアミン系）

神経伝達物質としての脳内モノアミンにはカテコラミン（ドパミン，ノルアドレナリン，アドレナリン）およびセロトニンがある．これらの神経伝達物質は脳内の特定のニューロンで合成され，脳の比較的広範な領域のニューロン活動を修飾する．これまで情動行動における脳内モノアミン系の役割について多くの研究が行われてきたが，特にICSS行動や気分障害などの精神疾患との関連から興味深い知見が報告されている．

本項では，脳内モノアミンの解剖，モノアミンの合成と放出，ICSS行動や気分障害との関連について概説し，筆者らが行ってきた情動行動におけるドパミン系の役割に関する研究について述べる．

i) 脳内モノアミン系の解剖 脳内モノアミン系に関する解剖学的研究は，1960年代の蛍光組織化学的手法，その後の免疫組織化学的手法の開発により飛躍的に進み，今日ではその全容がほぼ解明されている．DahlstromとFuxe (1964) による中枢モノアミン系に関する古典的研究では脳内のモノアミンニューロン群は大文字のアルファベットA, BおよびCをつけて分類されたが，今日でもこの名称が踏襲され，ノルアドレナリン (A1-A7)，ドパミン (A8-A15)，セロトニン (B1-B9) およびアドレナリン (C1-C3) の各ニューロン群に分けられている．

図4.4にはドパミンニューロンの分布と神経線維の投射様式を示してある．ドパミンニューロンが神経線維を投射する最大の経路は黒質 (A9)—線条体経路であり，中脳の黒質ニューロンから起始し，軸索は内側前脳束を通り，主として線条体（尾状核，被核および淡蒼球）に終止する．黒質—線条体経路の障害によりパーキンソン病が起こることから，この経路の運動調節への役割が詳細に検討されてきたが，最近では，強化学習などの動機づけや情動への関与も注目されている．また中脳—辺縁皮質経路は主として腹側被蓋野 (A10) の細胞から起始し（一

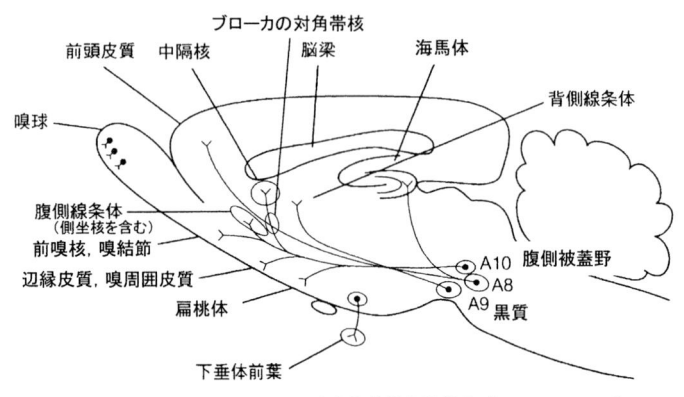

図 4.4 ドパミンニューロンの分布と線維投射様式（Longstaff, 2000）

部 A8, A9 を含む），側坐核（腹側線条体），嗅結節，中隔核，扁桃体，海馬体，ブローカの対角帯核，前嗅核，辺縁皮質領域などに終止する．これら領域がいずれも情動行動に重要な役割を果たしていることから，この経路は情動に関連する脳内の諸領域が協調して，合目的な機能を発現するための全般的な調節に関することを示している．

図 4.5 にはノルアドレナリンニューロンの分布と線維投射様式を示してある．Lindvall と Bjorklund（1983）はノルアドレナリン線維の起始核を，1）青斑核（A6）とその尾側部（A4），2）外側被蓋群（A3, A5）と A2（孤束核）および 3）背側延髄群（A2）に大別している．ノルアドレナリンニューロン群の中で最大の神経

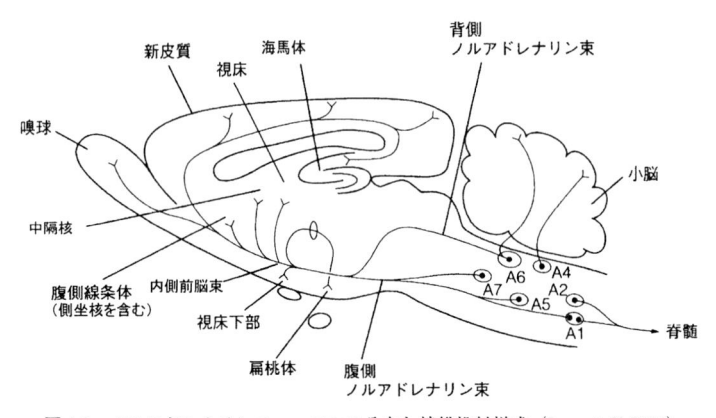

図 4.5 ノルアドレナリンニューロンの分布と線維投射様式（Longstaff, 2000）

核は青斑核であり，その軸索は背側ノルアドレナリン束として小脳，脊髄，新皮質，海馬体，扁桃体，中隔核，視床，視床下部など広範な脳領域に終止する．背側被蓋系としてA2から近傍の孤束核へ線維投射がある．孤束核は三叉神経，顔面神経，舌咽神経，迷走神経から味覚，内臓感覚，循環動態などに関する入力を受け取り，唾液分泌，顎運動，嚥下に関する出力を送る．なお，A3群は，ラットでは大オリーブ核の背方に分布するが，霊長類では認められない．

　アドレナリンニューロン群は延髄網様体にある（C1—C3）．C1ニューロン群は延髄腹外側部でA1ニューロン群の吻側部に位置し，その上行神経線維は内側前脳束を通って中脳周囲灰白質，視床下部，嗅覚中枢などに，下行線維のほとんどは胸髄と腰髄の側角（交感神経領域）に投射している．C2ニューロン群は延髄の背内側で第4脳室底付近に位置し，背側迷走神経核や孤束核へと神経線維を投射する．

　図4.6にはセロトニンニューロンの分布と神経線維の投射様式を示してある．これらニューロンの起始核は縫線核と下位脳幹の網様体にあるが，その中で最大の核は背側縫線核（B6, B7）である．セロトニンニューロン群は便宜的に尾側群（B1—B4）と吻側群（B5—B9）に分けられる．このうち尾側群は延髄と橋尾側部で正中と傍正中領域に位置し，ほぼ終脳全体（中脳灰白質，上丘，下丘，視床，視床下部，大脳基底核，辺縁系，大脳新皮質などの広範な領域）を支配する．

ⅱ）モノアミンの合成と放出　カテコラミン合成はチロシンを基質としチロシン水酸化酵素（tyrosine hydroxylase：TH），芳香族アミノ酸脱炭酸酵素（aromatic L-amino acid decarboxylase：AADC），ドパミン-β-水酸化酵素（dopamine

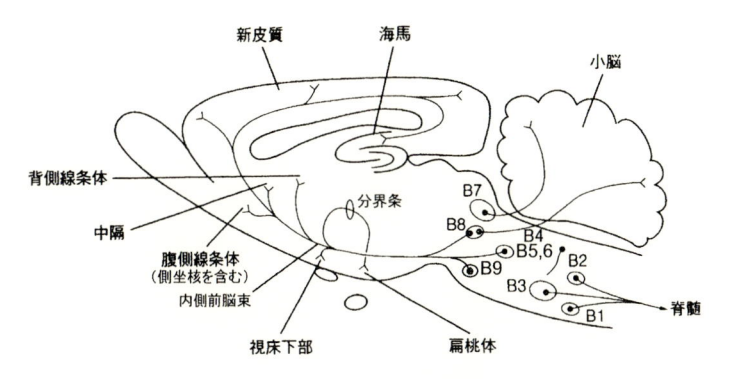

図4.6　セロトニンニューロンの分布と線維投射様式（Longstaff, 2000）

β-hydroxylase：DBH），フェニルエタノールアミン N-メチル基転移酵素 (phenylethanolamine N-methyltransferase：PNMT) によって行われる．これら酵素は細胞体で産生され，軸索輸送により神経終末部に運ばれる．各ニューロンにおけるカテコラミン合成の特異性はこれら酵素の発現の相違による．ドパミンニューロンでは TH と AADC の 2 種類の酵素のみが発現しているが，ノルアドレナリンニューロンではこれらに加えて DBH が，アドレナリンニューロンではさらに PNMT が発現している．ノルアドレナリンとアドレナリンはアドレナリン受容体を介して作用を発現する．アドレナリン受容体は G タンパク共役型で α と β 受容体に大別され，おのおのは，さらにサブタイプに分類される．ドパミン受容体も G タンパク共役型で，Gs タンパクと共役する D1 様受容体グループは D1, D5 の各サブタイプ，Gi タンパクと共役する D2 様受容体グループは D2, D3, D4 の各サブタイプに分類される．神経終末部で合成され，分泌小胞内に蓄えられたカテコラミンは原則的にエクソサイトーシス (exocytosis：開口分泌) により放出されるが，この放出は神経終末部まで伝播してきた活動電位によりシナプス前神経終末部の細胞膜の電位依存性カルシウムチャネルが開き，その結果終末部膜内へカルシウムが流入する．シナプス間隙へ放出されたカテコラミンはシナプス後部のニューロン膜の受容体と結合して作用を発現するが，一部はカテコラミン輸送担体 (transporter：トランスポーター) により神経終末部膜に再取り込みされる．シナプス間隙へ放出されたカテコラミンはモノアミン酸化酵素 (monoamine oxidase：MAO) とカテコール O-メチル基転移酵素 (catechol O-methyltransferase：COMT) により分解される．このうち，MAO はミトコンドリア外膜に存在し，分泌小胞に貯蔵されていない神経終末部内のカテコラミンを酸化的脱アミノ反応により分解する．COMT には膜結合型と可溶型の 2 つのタイプがあるが，いずれも S-アデノシルメチオニン (S-adenosyl methionine) のメチル基をカテコール基の O 位の水酸基部分に転移する反応を触媒し，カテコラミンの不活性化と分解を進める．

　セロトニンはトリプトファンを基質としてトリプトファン水酸化酵素と AADC により合成される．セロトニンニューロンでもカテコラミンニューロンと類似した過程を経て合成されたセロトニンが放出される．セロトニン受容体は現在少なくとも 18 種類に分類されているが，特に 3 種類のサブタイプ (5HT1, 5HT2, 5HT3) についてよく研究されている．5HT1 受容体は G タンパク共役型でセロト

ニンの結合によりアデニルシクラーゼ活性が抑制され，cAMP（cyclic AMP）合成が減少する．5HT2受容体もGタンパク共役型であるが，セロトニンが結合すると，フォスフォリパーゼC系が活性化する．5HT3受容体はイオンチャネルとカップルしており，セロトニンの結合によりイオンチャネルの開閉が起こる．シナプス間隙に放出されたセロトニンはセロトニントランスポーターを介して再取り込みされ，カテコラミンの場合と同様にMAOによる酸化的脱アミノ反応で分解される．

iii) 脳内モノアミンと情動

ドパミン ヒトも動物も，快感や喜び（快情動）を感じるものには接近行動（快情動行動）を起こす．脳内にはこの快情動に関わる領域（報酬系）が存在し，ドパミンが重要な役割を果たしている．脳内報酬系に関する研究はOldsとMilnerによるICSS行動の発見を契機として大きく進展した．ICSS行動とはマウス，ラット，サルなどの動物をレバーの付いたスキナー箱に入れ，レバーを押せば脳内のある特定部位（報酬系）に電気刺激を与えるようにすると，自らレバー押しを繰り返して自分の脳に電気刺激を与え続ける行動である．電気刺激が刺激電極先端近傍の特定の脳領域を賦活し，快感を生み出すと解釈されている．ICSS行動を誘発できる脳領域はかなり広範であるが，特に内側前脳束は誘発閾値の低い部位である．内側前脳束は種々の快情動行動に関わる上行性と下行性の投射線維からなる神経束であり，この内側前脳束が通過する視床下部外側野は，ICSS行動が最も起こりやすい部位である（図2.4）．1時間のレバー押しが8,000回にも達する．Gallistelらは2DGオートラジオグラフィー法（2-deoxyglucose autography）を用いて，内側前脳束でのICSS行動により活動の変化する領域を調べ，腹側被蓋野が活動性（インパルス放電頻度：インパルス数/秒）の最も高まる領域のひとつであることを見出した（Gallistel, 1983 ; Yadin et al., 1983）．上述のように腹側被蓋野は側坐核や大脳新皮質など中脳—辺縁皮質系諸領域へ強いドパミン線維を投射する起始核である（図2.4参照）．ICSS行動へのドパミン系の関与については，1) 腹側被蓋野自体の刺激でもICSS行動が起こり，側坐核におけるドパミン放出が顕著に増加する，2) 腹側被蓋野のドパミン含有細胞の選択的な破壊により線維投射を受ける前頭前溝皮質の刺激によるICSS行動が抑制される，3) 側坐核にD2受容体拮抗薬を注入すると，内側前脳束刺激によるICSS行動が抑制される，4) ドパミン放出を促進するアンフェタミンは黒質刺激によるICSS行動を促進する

が，黒質―線条体系の破壊により促進作用がなくなることなどの報告がある（Wise and Rompre, 1989；Fiorino et al., 1993；Mora, 1978；Mogenson et al., 1979；Clavier and Fibiger, 1977；Fray et al., 1983）．

電気刺激の代わりに薬物の自己投与を用いてドパミンの報酬系への関与を調べた研究も多い．例えばラットやサルではドパミン作動薬やドパミン再取り込み阻害薬により顕著な自己投与行動が起こる（Bergman et al., 1989；Howell and Byrd, 1991；Roberts, 1993）．ドパミン作動薬を側坐核に直接投与すると，そのとき動物がいた居場所を強く好むようになる（場所嗜好性）（White et al., 1991）．このことも腹側被蓋野から側坐核へのドパミン入力が，快情動の発現に重要であることを強く示唆する．中脳―辺縁皮質経路や黒質―線条体経路が強化学習や報酬予測に重要な役割を果たすことを示すニューロンレベルの知見もある（Schultz et al., 1993）．

ノルアドレナリン　ノルアドレナリンはドパミンよりも前から ICSS 行動に関与することが指摘されており，1）ノルアドレナリン線維の投射経路やその起始細胞のある青斑核の刺激により ICSS 行動が起こる，2）内側前脳束後部の刺激による ICSS 行動時に視床下部や扁桃体でのノルアドレナリン放出が増加する，3）アンフェタミンはドパミンだけでなく，ノルアドレナリンの放出も促進し，青斑核刺激による ICSS 行動が亢進する，4）ノルアドレナリン合成酵素である DBII 阻害薬の投与によりノルアドレナリンを枯渇させると，ICSS 行動が抑制されるなどの報告がある（Ritter and Stein, 1973；Stein and Wise, 1969；Stein, 1962, 1964；Wise and Stein, 1969）．

ノルアドレナリン系の情動への関与はうつ病をはじめとする精神病や神経系疾患の側面からも強く示唆されてきた．うつ病患者ではノルアドレナリン代謝，ノルアドレナリン拮抗薬に対する受容体の感受性，受容体刺激に対する内分泌反応などが変化している．またうつ病治療のノルアドレナリン系への影響についても，1）動物では抗うつ薬の急性投与により青斑核ニューロンの活動とノルアドレナリン合成が減少し，慢性投与によりクロニジン（$\alpha 2$ 作動薬）に対する反応性が弱まる，2）大脳新皮質や辺縁系における α 受容体数が減少することなどが報告されている（Brown et al., 1994；Feldman et al., 1996；Peroutka and Snyder, 1979）．ヒトではクロニジンの投与によりノルアドレナリンの代謝産物である 3-メチル-4-ヒドロキシフェニルグリコール（3-methoxy-4-hydroxyphenylglycol），成長ホ

ルモン，コルチゾール等の血中レベル，心拍数や自律神経活動に強い影響が現れるが，抗うつ薬投与により，このクロニジンの効果は抑制され，電気ショック療法や断眠によるうつ病の治療でも $\alpha2$ 受容体や β 受容体を介した反応が同様に変化する（Murphy et al., 1987）．さらにノルアドレナリン系がストレスによる不安などの情動変化に関与しているとの知見もある（Tanaka et al., 1990）．

　セロトニン　セロトニン系の情動における役割については痛みとの関連，動機づけ行動や情動行動，報酬，精神疾患などの観点から調べられてきたが，特にうつ病との関連が詳細に調べられている．自殺念慮のあるうつ病患者ではセロトニン代謝産物である 5-ハイドロキシインドール酢酸（5-hydroxy indole acetic acid：5-HIAA）の脳脊髄液中の濃度が低い（Asberg et al., 1976；Golden et al., 1991；Moller et al., 1983a）．死後脳でもセロトニンや 5-HIAA の濃度が低く，セロトニントランスポーターへのイミプラミンの結合が減少している（Shaw et al., 1967；Nordstrom and Asberg, 1992）．うつ病患者では血中トリプトファンの濃度が低下し，血中トリプトファンレベルと中性アミノ酸の比が大きくなればうつ病スコアが小さくなるという負の相関がある（Moller et al., 1983b）．抗うつ薬による治療で緩解状態にあるうつ病患者で血中トリプトファンが減少すると，治療を継続しているにもかかわらずうつ症状が再燃する（Delgado et al., 1990）．うつ病患者の血小板のセロトニンに対する結合能は変化しないが，取り込みは減少している（Poirier et al., 1986）．また種々のうつ病治療薬により血中セロトニンレベルが増加する（Feldman et al., 1996）．これらの知見はうつ病患者の脳内セロトニン活性の低下が治療により回復することを意味する．うつ病患者では特徴的な気分の落ち込みに加え，痛覚閾値，食欲や性的関心の低下，睡眠障害などの症状を呈するが，いずれも脳内セロトニンを枯渇させる処置をした動物でも見られる変化である．

　セロトニンと攻撃性の関連についても多くの知見がある．脳内セロトニン活性と攻撃行動とは負の相関を示すが（Miczek et al., 1989；Olivier and Mos, 1992），これには少なくとも 5-HT1B/2C 受容体が関与する（Kurk, 1991；Mos et al., 1992）．この知見に一致して 5-HT1B 受容体ノックアウトマウスでは攻撃性が亢進している（Saudou et al., 1994）．アカゲザルの攻撃性と脳脊髄液中の 5-HIAA 濃度との間に負の相関があることや脳脊髄液中の 5-HIAA 濃度と高リスク取り行動との間に負の相関がある（Higley et al., 1992；Mehlman et al., 1994）．ヒトでも脳

脊髄液中の 5-HIAA 濃度と攻撃性，衝動性，痛覚刺激への過敏な反応，不安などとの間に負の相関がある（Brown and Linnoila, 1990；Golden et al., 1991）．近年，MAO-A の遺伝子に突然変異のある家系で，この変異のある男性血縁者の尿中 5-HIAA は著しく減少しており，それに伴う衝動性，攻撃行動が増加することが報告されたが，これは MAO-A ノックアウトマウスで見られる攻撃行動の増加と一致する（Cases et al., 1995）．また Hariri ら（2002）はヒトのセロトニントランスポーター遺伝子のプロモーター領域に関する機能多型と機能的磁気共鳴画像法（fMRI）で測定した恐怖表情刺激への反応性について興味深い報告をしている．この報告によると，プロモーターの対立遺伝子としては短型（short：S）と長型（long：L）があるが，少なくとも片方が S 型を有する個体ではセロトニントランスポーターの発現が低く，そのためシナプス間隙にあるセロトニン濃度が高いと考えられる．このような S 型を有するヒトは L 型のヒトに比べ，行動学的に不安や恐怖がより強く，fMRI 上で恐怖表情刺激に対する扁桃体の活動が 2 倍以上高い．

4.2　視床下部の役割

a.　視床下部損傷の本能，情動行動への影響

前述（4.1 節）したように，視床下部には様々な本能や情動行動の統合中枢が存在するので，視床下部の破壊による効果は大きい（表 4.1）．特に動物では両側の視床下部外側野の破壊により行動を維持する正の強化系が障害され，傾眠傾向となり，外界からの刺激にも応答しなくなる．破壊直後は食物も水もまったく摂取しなくなり（無食・無飲），強制的に胃内チューブにより栄養を補給しないと死んでしまう（Anand and Brobeck, 1951a）．片側の視床下部外側野に損傷のある動物

表 4.1　視床下部の各種本能行動に及ぼす影響

行動	破壊により影響が現れる領域（↑：行動促進；↓：行動抑制）
日周リズム	視交叉上核（↓）
飲水行動	外側視索前野（↓），内側視索前野（↓），視床下部外側野（↓），不確帯（↓），第三脳室前腹側部（↓）
摂食行動	視床下部外側野（↓），腹内側核（↑），脳弓周囲核（↓），室傍核（↓）
性行動	雄：後視床下部（↑），内側視索前野を含む前部視床下部（↓） 雌：腹内側核（↓），内側視索前野（↑）
体温調節行動	視索前野・前視床下野（↓），視床下部外側野（↓）

では損傷側と対側から与えた各種感覚刺激に対して反応（感覚刺激に対する定位反射）を起こすことができない感覚無視（sensory neglect）という症状を呈する（Marshall et al., 1971；Turner, 1973）．この感覚無視には視床下部外側野を通過するドパミン線維系の障害が関与している．これらの動物では相対的に嫌悪系の活動が優位になるので，痛みに対する反応も増強する（Yunger et al., 1973）．一方視床下部腹内側核の破壊により動物は過食になり，全身運動（general activity）も低下し，肥満になる．また食物の味に対してより敏感になり，高インスリン血症を伴う（Bray et al., 1981）．

　ラットやネコでは視床下部外側野の破壊により無食と無飲が起こり，視床下部腹内側核の破壊により摂食の促進と肥満が起こる（Brobeck, 1946）．逆に視床下部外側野の刺激により満腹状態であっても摂食行動を誘起し，摂食量は増加する．一方，視床下部腹内側核の刺激により空腹状態で食餌を夢中で食べていても摂食行動は停止し，摂食量は減少する（Larsson, 1954；Miller, 1963）．これらの実験結果から，視床下部外側野は摂食行動を促進する摂食中枢（feeding center）であり，視床下部腹内側核は抑制する満腹中枢（satiety center）であるという二元中枢説が提唱された（Anand and Brobeck, 1951b）（図4.2）．しかしこれら古典的な破壊および刺激実験では視床下部外側野と視床下部腹内側核内を通過する神経線維を破壊あるいは刺激していた可能性があり，実験結果が疑問視されていた．これらの疑問を解決するために，細胞体だけを破壊するカイニン酸，イボテン酸やNMDA（N-methyl-D-aspartate）を用いた破壊実験（Grossman et al., 1978；Shimizu et al., 1987；Clark et al., 1990）や細胞体だけを興奮させる興奮性アミノ酸であるカイニン酸，α-アミノ-3-ヒドロキシ-5-メチル-4-イソオキサゾールプロピオン酸（α-amino-3-hydroxy-5-methyl-4-isoxazole propionate：AMPA）やN-メチル-D-アスパラギン酸（N-methyl-D-aspartate：NMDA）を用いた刺激実験が行われ（Stanley et al., 1993），古典的な破壊および刺激実験と同様の効果が確認された．

b. 摂食行動の調節因子

　前述（4.2節a）の本能行動，特に摂食調節は生体の恒常性を保つうえできわめて重要な機能である．健康なヒトや動物では極端に太ったり，痩せたりすることはない．これは，いかなる動物も筋肉労働，成長や組織の再生および熱として消

費するエネルギー量に等しいエネルギー源を外界から摂取してエネルギー出納の平衡を保っているからである．したがって，ヒトを含めてすべての動物はいろいろな必要性に適応して摂食を行う．そのような必要性は仕事の量，年齢，性，食習慣，嗜好，健康状態，食物の栄養価，気分，感情，季節，天候，空気の乾湿などの外界条件，さらには雰囲気に至るまで多くの因子によって左右される．この摂食の短期調節（short-term regulation）は長期調節（long-term regulation）と重複している．長期調節は摂食の一時的な誤差を修正し，正常体重への回復を保証する．強制摂食によって肥満した動物を正常条件下に戻すと，対照動物より摂食量は少ない．しかし動物が強制摂食前の対照の体重に回復するにつれて摂食量は徐々に増加する．逆に絶食後は一時的に摂食量が増加して体重を回復する．

　これら摂食行動の遂行には心理的因子と外部環境情報も関わっている．心配事や不安，不愉快なことなどがあると，たとえ空腹感があっても摂食は抑制される．逆に快適な環境や愉快な雰囲気では摂食は促進される．したがって摂食に影響を及ぼす因子としてはこのような情動的な問題，食物の入手しやすさ，食習慣，宗教的な考え方などが挙げられる．また摂食に影響を及ぼす外部環境情報として外観や美味そうな匂い，食事に関連のある音などにより食物を期待できる環境を知る．また食物を前にしたら，まず見て，美味しいかどうか，温かいか，冷たいか，柔らかいかどうかなどを知ろうとする．さらに注意深い人は味見をして風味や匂い，温度，硬さなどを確かめる．これらのことはすべての特殊感覚（視，嗅，味，聴）系や体性感覚（触，圧，温，冷，痛）系を介する外部感覚情報が摂食行動に重要であることを示している．すなわちこれらの外部感覚情報は食物の存在場所，食物と非食物の区別，消化の良否や栄養価，さらには味の認知などに重要である．

c. 視床下部外側野ニューロン活動（インパルス放電頻度）と情動行動の表出
1) ラット視床下部外側野ニューロンの応答性

　これまで述べた電気刺激や破壊実験は視床下部が動機づけ行動や情動行動に重要な役割を果たしていることを示している．筆者らは独自の実験システムを開発してラット視床下部外側野をはじめ脳内各部位ニューロンの報酬および嫌悪刺激とそれぞれを予告する音，光，匂い，体性感覚刺激に対する応答性や多連微小電極法によりニューロン膜に微少量投与した薬物の作用について詳細な解析を行った（Ono et al., 1985, 1986a, b, 1992；Nakamura and Ono, 1986；Uwano et al.,

1995；Yonemori et al., 2000）．筆者らの実験システムではラットにそれぞれグルコース，ICSSなどの報酬（快刺激）および尾部痛覚刺激または電気ショックなどの嫌悪刺激（不快刺激）を意味する予告音（聴覚刺激）や他の感覚刺激の弁別を学習させた（図4.7）．Aには実験装置の概略を示してある．ラットの頭部を無痛的に脳定位固定装置に固定し，その周囲には感覚刺激呈示装置としてスピーカー，光（白色光：豆電球の点灯），エアパフ用チューブ（体性感覚刺激：空気を顔に吹

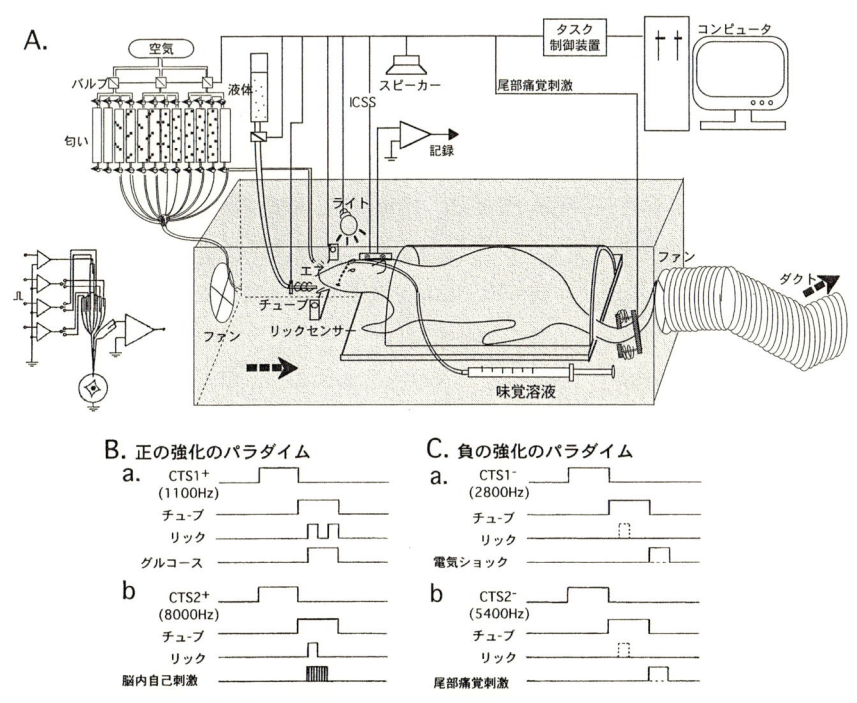

図4.7 ラットを用いた実験の模式図と正および負の強化パラダイム（Ono et al., 1985, 1986, 1992；Nakamura et al., 1986）

A：報酬刺激としてグルコース溶液やICSSを，嫌悪（罰）刺激として耳への電気ショックや尾部への痛み刺激を用いた．報酬および嫌悪刺激と連合した予告刺激の呈示装置として，ラット頭部周辺にスピーカー（聴覚刺激），匂い刺激装置，ライト（豆電球の点灯：視覚刺激），エアパフ用チューブ（体性感覚刺激）を設置．

B：正の強化パラダイム．2秒間の予告音（$CTS1^+$, $CTS2^+$）に続いてチューブ（tube）を2秒間，ラットの口直前まで突き出す．この間にラットがチューブをなめる（リック行動をする）と，グルコース溶液（a）またはICSS（b）報酬．

C：負の強化パラダイム．2秒間の予告音（$CTS1^-$, $CTS2^-$）に続いてラットの口の直前までチューブを2秒間突き出す．この間にラットがチューブをなめる（点線）と電気ショック（a）や尾部への痛み刺激（b）を回避（点線）．しかし2秒以内にチューブをなめない（実線）と，その後電気ショックあるいは痛み刺激（実線）．

きつける）および匂い呈示装置を設置してある．また味覚刺激をするためにカニューレをラットの口腔内に埋め込んであり，味覚溶液を注射器から口腔内に注入した．一方ラットの口部前方にはチューブを設置してあり，チューブを駆動して口直前まで突き出したときにラットがチューブを舌を出して舐めると（リック行動），グルコースやICSSのような報酬（快刺激）を獲得できるようになっている．さらに匂い刺激を用いたときはこれら装置全体をプラスチック製のケージに入れ，ファンで新鮮な空気が絶えず循環するようにして刺激後の匂いを部屋外へ排出するようにしてある．BとCには4種類の予告音を用いた課題が示してある．正の強化刺激（報酬）としてグルコース溶液やICSSを，負の強化刺激（嫌悪刺激：罰）として耳への電気ショックや尾部痛覚刺激を与えるようにしてある．ラットはそれぞれの強化刺激に対する予告音を認知し，その終了時にリック行動を行ってグルコースやICSS報酬（快刺激）は獲得し，嫌悪刺激（罰：不快刺激）である尾部痛覚刺激や電気ショックは回避する．報酬獲得行動ではラットはほぼ100％正しく行動するが，回避行動では弱い嫌悪刺激を用いているので，実際の回避率は30％程度である．この実験課題ではラットがリック行動を行ったときには，報酬獲得時の快情動と嫌悪刺激を受けたときの不快情動がラットの行動に対して正の強化刺激となっている．逆にラットが回避しないで，嫌悪刺激を受けたときの不快情動は負の強化刺激になっている．ここで述べる実験ではラットが嫌悪刺激を回避すると，視床下部ニューロンの応答が減弱するので，回避しない程度の弱い刺激強度を用いており，嫌悪刺激は負の強化刺激になっている．

　視床下部外側野の応答したニューロンの65％は報酬と嫌悪刺激に対する応答が逆方向の報酬―嫌悪刺激識別ニューロンであった．図4.8には報酬―嫌悪刺激識別ニューロンの応答例を示してある．このニューロンは正の強化刺激であるグルコースとICSSには抑制応答（インパルス放電頻度の減少）を示し（Aa，Ba），負の強化刺激である電気刺激ショックと尾部痛覚刺激には，促進応答（インパルス放電頻度の増加）をする（C，Da，b，c）．すなわちこのニューロンは報酬であればグルコースにもICSSにも同様に抑制応答を示し，嫌悪刺激であれば逆方向の促進応答をする．これら強化刺激の予告音（cue tone stimulus：CTS）に対してもそれぞれの正と負の強化刺激それ自体に対する応答と同方向の応答をする．Ab，Bbはグルコースとて ICSS の予告音に対する抑制応答，C，Db，cは電気ショックと尾部痛覚刺激の予告音に対する促進応答のそれぞれラスター表示と加算ヒス

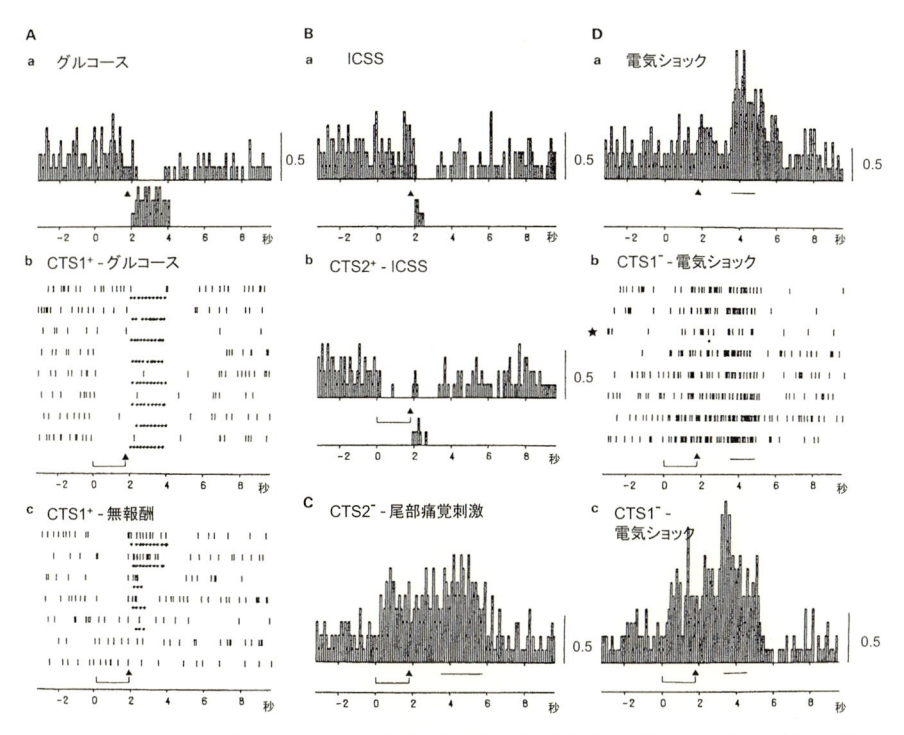

図4.8 ラット視床下部外側野ニューロンの報酬,嫌悪刺激およびそれらの予告音への可塑性識別応答(A, B, C, D:同一ニューロンからの記録)(Ono et al., 1985, 1986, 1992;Nakamura et al., 1986)
A:(a) グルコース摂取への抑制応答,(b) 予告音(CTS1$^+$)をグルコースと連合させたときの予告音に対する条件づけ抑制応答の速やかな獲得,(c) グルコースと予告音との関係を解消したときの予告音に対する抑制応答の速やかな消失(ニューロン応答の消失)とリック行動の停止(行動の消失).
B:(a) ICSSへの抑制応答,(b) ICSS予告音(CTS2$^+$)とICSSへの抑制応答.
C:尾部痛覚刺激とその予告音への応答はグルコースやICSS報酬とそれら報酬の予告音(CTS1$^+$, CTS2$^+$)への応答とは逆方向の促進応答.
D:(a) 予告音のない電気ショックへの促進応答,(b, c) 電気ショックと予告音(CTS1$^-$)を連合したときの予告音への促進応答.bの★の試行:チューブのリックにより電気ショックを回避したときの予告音(CTS1$^-$)へのニューロン応答の減弱.
Aa, Ba, Daを除いて,時間軸上の0:予告音の開始時点,└─┘:予告音の呈示期間,▲:チューブを口直前に近づけた時点,───:電気ショックまたは尾部痛覚刺激の期間.ヒストグラム:(上)ニューロン応答の5回または7回加算,(下)チューブリック信号の5回または7回加算.ラスター:各試行におけるニューロン応答.ラスターの下の黒丸:チューブリック時点.

トグラムである.これらのことより,この正と負の強化刺激を識別するニューロンは予告音の正と負の強化刺激の連合記憶に関与すると考えられる.このニューロンの予告音への応答はラットに予告音後の正と負の強化刺激の連合学習,消去および再学習を行わせると,可塑的に変化する.予告音に対する条件づけ応答が成立した後,予告音だけを呈示しても正の強化刺激を与えない消去学習を行うと,

予告音への抑制応答は速やかに減少し，リック行動も消失する（Ac）．このようにラットのリック行動と予告音への応答との間には高い相関があり，予告音への応答があるときにはラットはリック行動を行っている．これらのことより，視床下部外側野ニューロンは正または負の強化刺激とそれらを予告する信号の認知記憶に基づく動機づけ行動または情動行動の表出と強化に関与すると考えられる．また視床下部腹内側核レベルの視床下部外側野には報酬と嫌悪刺激に逆方向に応答する報酬と嫌悪刺激識別ニューロンが局在し，腹内側核前端のレベルより前方の外側視索前野—前部視床下部には両刺激に同方向に応答する報酬と嫌悪刺激非識別ニューロンが局在する．

2) サル視床下部外側野ニューロンの応答性

筆者らはサルで食物や非食物を呈示し，食物であればレバーを押して食物を取って食べ味わい，非食物であればレバーを押さない視覚認知行動や食物またはジュースなどの報酬や耳介への電気刺激を意味する音の認知行動を行わせ，視床下部外側野ニューロンの応答性を解析した（図4.9）（Ono et al., 1980, 1981；Nishino et al., 1982）．この実験では空腹状態のサルを2枚のシャッター（W1：不透明；W2：透明）とレバーの付いたパネルの前のモンキーチェアに座らせる（Aa）．食物の認知によるレバー押し摂食行動ではW2後方のステージまたは回転台上には各種の食物（スイカ，リンゴなど）または非食物（ネジ，ヘビやクモのモデルなど）を載せる．W2を任意の時間に開けて，W2後方のステージまたは回転台上においてある様々な物体を見せる．サルは見た物体が食物であればレバーを押してW2を開け，見た食物をとって食べ，非食物であればレバーを押さない（Ab）．これらレバー押し感覚認知課題は，1) 対照期（W1開放による物体または音の呈示前の期間），2) 視覚認知期（W1開放後の食物の視覚認知，食物を意味する音の聴覚認知から最初のレバーを押すまでの期間），3) レバー押し期（動因期：食物を獲得するためにレバーを押す期間）および, 4) 摂取期（W2またはW1とW2の同時開放期から食物をとって口に入れ，食べる期間，以後味覚認知期と略）に分けることができる（Abの一番下）．また多連微小電極を用いると，グルコース感受性も調べることができる．視床下部外側野ニューロンの30%はレバー押し摂食行動のいずれかの時期に促進または抑制応答をする．これらニューロンは応答様式によってI型（視覚認知期にだけ応答），II型（味覚認知期にだけ応答），III型（視覚認知期，動因期および味覚認知期のすべてに応答）に分類され

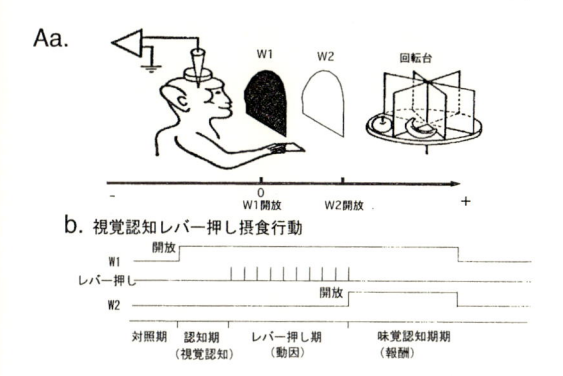

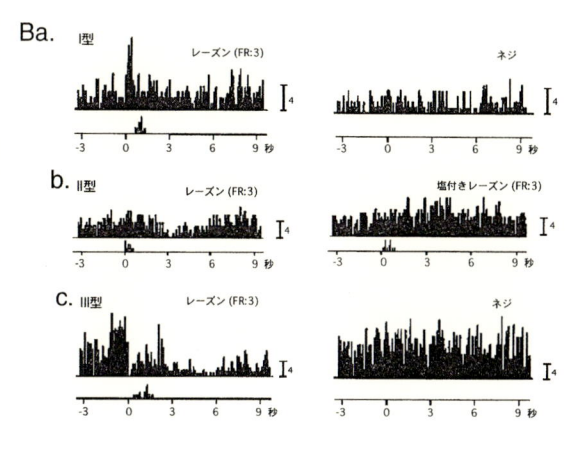

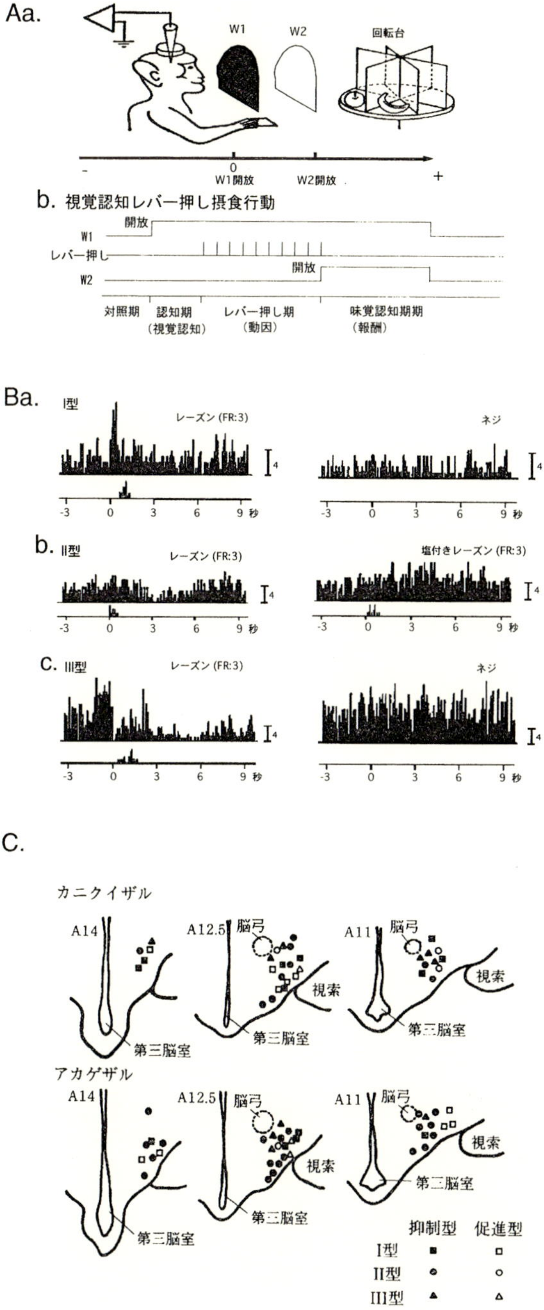

4.2 視床下部の役割

図 4.9 サル視床下部外側野ニューロンの応答性（Ono et al., 1980, 1981；Nishino et al., 1982）

A：サルを用いた各種感覚刺激呈示装置とレバー押し摂食行動の概要を示す模式図. a：サルを2枚のシャッター（W1：不透明, W2：透明）を備えた窓とレバー付きパネルの前に置く．水またはジュースはサルの口角付近に設置したチューブから与える．電気ショックは両耳介部に置いた電極間に通電．b：レバー押し視覚認知行動のi）認知期，ii）レバー押し（動因）期，iii）報酬獲得（摂取）の各期（F）を示す模式図．

B：サル視床下部外側野のI，IIおよびIII型ニューロンの食物と非食物の視覚認知によるレバー押し行動の各期におけるニューロン応答性（Ono et al., 1981；Nishino et al., 1982の改変）．ヒストグラム上：ニューロンの応答．縦軸，インパルス放電数／ビン．ビン幅，1.5ミリ秒．ヒストグラム下：レバー押し信号．縦軸，レバー押し信号数／ビン．横軸，時間（秒）；0，刺激呈示時点；−，刺激呈示前；＋：刺激呈示後．

C：各型ニューロンの視床下部内分布（上：カニクイザル，下：アカゲザル）．それぞれ前額断面で左から右の順に尾側へ移行．

る．Ⅰ，ⅡおよびⅢ型には抑制応答と逆の促進応答を示すニューロンがある．Bには各型ニューロンの好きな食物または嫌いな食物に対する応答を示してある．食物と非食物の視覚認知には食物を見たときには応答するが，非食物には応答しないⅠ型（Ba）および視覚認知期，レバー押し期および味覚認知期に応答するⅢ型ニューロンが（Bc），食物獲得動因にはレバー押し期に応答するⅢ型ニューロンが（Bc），味覚認知には食物の摂取期に応答するⅡ型（Bb）およびⅢ型ニューロンが関与すると考えられる．ⅡとⅢ型ニューロンの過半数は好きな食物（甘いスイカ，干しブドウなど）への味覚認知応答が嫌いな食物（塩をつけたスイカ，干しブドウなど）に対しては逆転する．ⅡとⅢ型ニューロンの味覚認知応答は食物を口に入れた時点から起こる．Bbにはサルの好きな干しブドウの味覚認知期には抑制応答を示し，最も嫌いな塩をつけた干しブドウの摂取期には促進応答に逆転するⅡ型味覚認知ニューロンの応答例を示してある．この摂取期応答は味覚や嗅覚，体性感覚などの口腔内感覚を介して食物の好き嫌いの認知に関与するのであろう．Cにはカニクイザルとアカゲザルの視床下部外側野におけるⅠ，ⅡおよびⅢ型ニューロンの分布を示してある．

　図4.10には血糖値を高くしたときの視床下部外側野ニューロンのクッキーに対する応答性の変化を示してある．Aには矢印の時点でグルコース静注あるいはサル用固形試料を摂食させたときの血糖値の変化を示してある．BにはこのときのⅡ型ニューロンのクッキーに対する応答性の変化を示してある．aはグルコース静注前の応答で，抑制性応答が認められる．bはグルコース静注後の血糖値が高いときの応答でニューロン活動の（インパルス放電頻度の減少が低下し，クッキーに対する抑制応答も消失している．しかしcのグルコース静注50分後では血糖値が低下し，ニューロン活動もグルコース静注前のレベル（a）に回復している．このようにサルの視床下部外側野にもグルコース感受性ニューロンが存在し，摂食やグルコース静注により血糖値が上昇すると，視床下部外側野ニューロンの活動は抑制され（インパルス放電頻度の減少），レバー押し摂食行動に対する応答も消失する．このときレバー押しも散漫になる．これらのことよりサルでも視床下部外側野は内部環境だけでなく，外部環境情報も統合して，食欲の発生，それを満たすための食物認知，食物獲得動因，食べるといった一連の行動の遂行に関与すると考えられる．

　またサルでも多くの刺激（10-20種類）に対する視床下部外側野ニューロンの

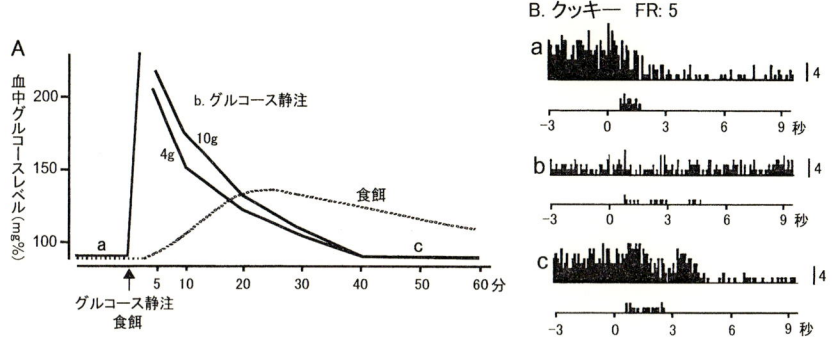

図4.10 血糖上昇時の摂食中枢タイプⅡ型ニューロンの報酬期応答の変化（Ono et al., 1980, 1981; Nishino et al., 1982）
A：グルコース静注後（実線：4, 10 g）またはサル用固形飼料摂食後（点線）の血糖値の変化.
B：グルコース（10 g）静注後のタイプⅡニューロンの報酬期応答の変化. a：静注前（血糖値 90 mg%）の応答，b：静注 10 分後（血糖値, 175 mg%）の応答，c：50 分後（血糖値, 90 mg%）の応答.

応答性を調べた（Fukuda et al., 1986）．サル視床下部外側野のニューロンも学習により報酬性であればすべての物体に特異的に応答するようになる．図4.11にはそのようなニューロンの応答例を示してある．このニューロンは学習行動の初期には報酬物体であるクッキー（A, D-1）に抑制応答を示し，注射器（B, D-2）には応答しない．しかしこのクッキーへの視覚応答はレバーを押してもシャッターが開かず，クッキーを獲得できない状況下（C, D-3：消去学習）やレバーを押せばクッキーのかわりに食塩水を与えられる状況下（D-4：逆転学習）では数回の試行で消失する．逆に非食物である木製円柱をジュースと連合させると，数回の試行で応答が出現する（D-5）．これらの学習に基づく非食物への視覚応答も消去または逆転（木製円柱を食塩水と連合する）学習をサルに行わせると，消失する（D-6, 7）．このように視床下部外側野ニューロンは扁桃体の選択応答型ニューロンとは異なり（4.5節 b.2) 参照），報酬物体であれば食物か非食物かに関係なく，すべての報酬物体に同様の応答を示すのが特徴である．

4.2節 c.1), 2) で述べたラットとサルの視床下部外側野ニューロンの応答性と行動の研究から，視床下部は正（報酬）と負（嫌悪刺激：罰）の強化刺激を認知し，快または不快情動行動のいずれかの行動を起こすスイッチを入れたり，切ったりする役割を果たしていることを示している．視床下部外側野は扁桃体など他の脳部位で処理された高次の複雑な情報を圧縮し，単純にして行動に結びつける，いいかえれば出力として情動行動の表出に関与するのである．筆者らが情動行動

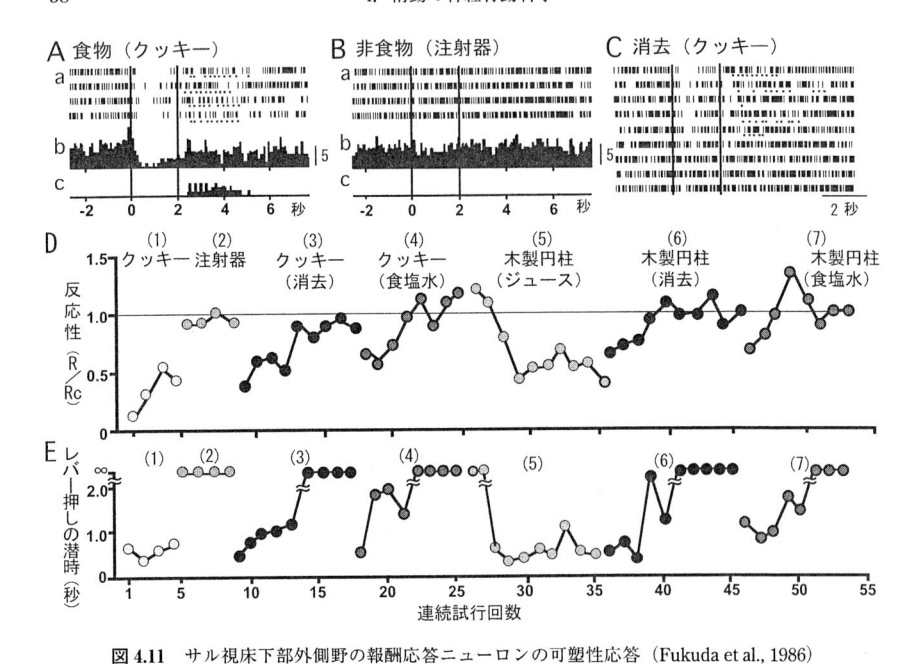

図4.11 サル視床下部外側野の報酬応答ニューロンの可塑性応答 (Fukuda et al., 1986)

A, B, C: 課題遂行中のニューロン応答のラスター表示 (a), ラスター表示の加算ヒストグラム (b), レバー押しの加算ヒストグラム (c). クッキーを見ている期間 (2秒間) に抑制応答 (A). 注射器を見た時には無応答 (B). レバー押しを完了してもシャッターが開かず食物を獲得できない状況下におけるニューロンの抑制応答の消失 (消去) と, それに伴うレバー押し行動の停止 (消去) (C).
D, E: 食物, 非食物を連続試行で呈示したときのニューロン応答性 (D) とレバー押し行動の潜時 (E) との関係. (1) クッキーを見た時の抑制応答, (2) 注射器を見ても無応答, (3) レバー押しを完了してもシャッターが開かず食物を獲得できない状況下における抑制応答の消失 (消去) とレバー押し行動の停止 (消去), (4) クッキーを, 食塩水を意味する一種の手掛かり刺激として呈示する状況下における抑制応答の数回の試行での消失 (消去) とそれに伴うレバー押し行動の停止 (逆転学習による消去), (5) 円柱をジュースと連合させると, 数回の試行で呈示円柱への抑制応答とレバー押し行動の出現, (6) 木製円柱とジュースの連合を解消したときの抑制応答の消失 (消去) とレバー押し行動の停止 (消去), (7) ジュースと連合していた木製円柱を食塩水と連合させたときの抑制応答とレバー押し行動の停止 (逆点学習による消去). Dの縦軸, ニューロンの応答性 (R/Rc); Rc, 物体呈示前の2秒間のインパルス放電頻度; R, 物体呈示期のインパルス放電頻度), 抑制応答ではR/Rcが1.0以下. Eの縦軸, 最初のレバー押しまでの潜時 (秒); D, Eの横軸, 試行順序; ∞, レバー押し行動の停止 (消去).

の研究を出力側に近い視床下部から着手したことが, 次の研究を可能にした点で幸運であったといえる.

3) ネコ視床下部ニューロンの相反的活動性

4.2節aで述べたように摂食行動に対して視床下部外側野は促進的に, 視床下部腹内側核は抑制的に作用する中枢である. この相関関係を明らかにするため, 無拘束状態のネコから視床下部ニューロン活動 (インパルス放電) を記録し, 種々

4.2 視床下部の役割

の行動状態下でのインパルス放電を比較した（図 4.12 A）（Oomura et al., 1969a）．その結果，視床下部外側野ニューロンの大部分は空腹下で徐波睡眠中にはインパ

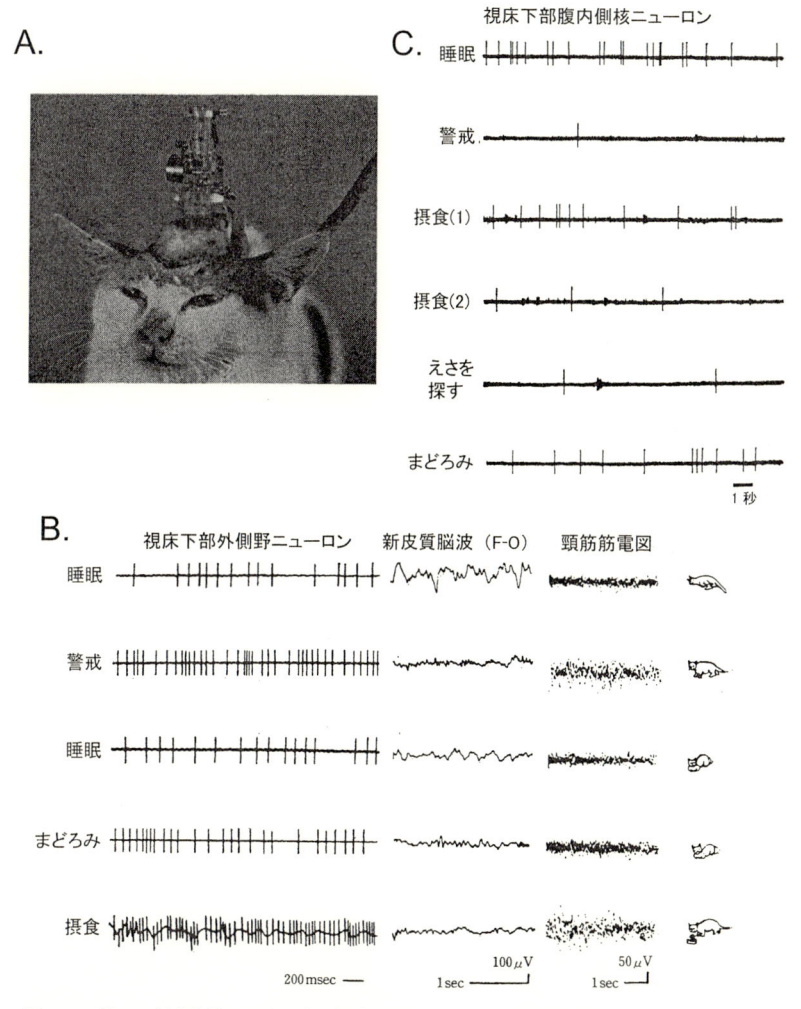

図 4.12 種々の行動状態におけるネコ視床下部ニューロンの活動性（Oomura et al., 1969a）
A：慢性実験に用いた単一ニューロン記録用微小電極誘導装置．
B：視床下部外側野ニューロンの活動性．左の列より順にインパルス放電頻度の変化，大脳新皮質脳波（前頭―後頭誘導），筋電図（頸筋），ネコの状態の略図．睡眠に比較して警戒や摂食でインパルス放電数が顕著に増加．
C：視床下部腹内側核ニューロンの活動性．睡眠に比較して，警戒，餌を捜す，あるいは摂食状態でインパルス放電数の顕著な減少．

ルス放電頻度が低く，2-6インパルス数/秒であるが，覚醒や警戒，餌を探す，さらには摂食に際して顕著にインパルス放電頻度が増加して6-20インパルス数/秒に増加する（図4.12 B）．覚醒状態のときは餌をケージ内に入れてもネコはすぐには食べない．まず餌に近づいて匂いを嗅ぎ，そして食べ始める．この食べ始めるまでの餌を探している期間にインパルス放電頻度が最も増加し，警戒がその次で，摂食はそれらに次ぐインパルス放電頻度を示している．いったん餌を食べ始めると，摂食中でもそれほど顕著なインパルス放電頻度の変化はない．このように多くの視床下部外側野ニューロンでは行動の移行期にインパルス放電頻度が一時的に上昇する．

一方視床下部腹内側核では多数のニューロンは徐波睡眠中のインパルス放電頻度は3-10インパルス数/秒であるが，覚醒，警戒，餌を探すあるいは摂食により顕著にインパルス放電頻度が減少する（図4.12 C）．これらの変化は視床下部外側野と同様に行動の移行期に最も顕著に認められる．

このように視床下部外側野ニューロンの活動は警戒および餌を探す状態で最も高く，摂食中はむしろ低いことから，視床下部外側野のインパルス放電は覚醒の水準，いいかえると，新皮質の意識水準に対応して変化している．これは視床下部外側野は解剖学的には中脳網様体の上行性賦活系が視床下部まで延びてきたものであることから当然と考えられる（Morgane and Stern, 1974）．しかし中脳網様体と異なり，視床下部外側野は摂食という特殊な機能を備えているので，満腹状態では中脳網様体と同様の活動はしない．満腹状態では視床下部外側野ニューロンの活動が睡眠や覚醒時に変化しないので，同領域は空腹感を発生させる空腹－動機づけ系（hunger-motivating system）と考える方が妥当である．

d. 視床下部における神経伝達物質と視床下部外側野ニューロンの応答性

1) 報酬および嫌悪刺激伝達物質 4.1節3)で述べたように，視床下部外側野にはカテコラミン系の入力があり，報酬系や嫌悪系における重要性が示唆されている．報酬系では，ノルアドレナリンは最初に可能性が指摘され，1) 起始細胞のある青斑核やその上行路でICSSが起こる（Stein, 1968；Crow et al., 1972），2) 内側前脳束後部のICSS行動により視床下部や扁桃体でノルアドレナリンの遊離が増加する（Stein et al., 1967；Stein and Wise, 1969），3) ノルアドレナリンの放出を促進するアンフェタミンは青斑核でのICSS行動を増強する（Ritter and Stein,

1973），4）ノルアドレナリン合成酵素のひとつであるドパミン-β-水酸化酵素（dopamine-β-hydroxylase：DBH）の阻害薬を投与すると，ノルアドレナリンの枯渇と ICSS 行動の抑制がみられる（Wise et al., 1969）ことなどから ICSS 行動との関連が強い．一方ドパミンの関与も指摘されており，1）腹側被蓋野ドパミン含有細胞の選択的な破壊により線維投射を受ける前頭前溝皮質（sulcal prefrontal cortex）での ICSS 行動が抑制される（Clavier et al., 1979），2）腹側被蓋野からドパミンニューロンの線維投射を受ける側坐核にドパミン拮抗薬であるスピロペリドールを注入すると，内側前脳束における ICSS 行動が抑制される（Mora et al., 1979），3）ドパミン放出を促進させるアンフェタミン（覚醒剤）は黒質での ICSS 行動を促進するが，黒質—線条体路を破壊すると，アンフェタミンによる ICSS 行動の促進が起こらない（Clavier et al., 1977）ことなどからドパミンも報酬系と関連する．しかしこれらの仮説に対する反証もある．例えばノルアドレナリンやドパミン含有細胞またはその投射線維を破壊しても ICSS 行動が起こることがある．青斑核における ICSS 行動はその近傍にある橋結合腕傍核の味覚領域を刺激しているからであるという報告もある．その他，モルヒネやエンケファリンなどのオピオイドやニューロテンシンなどが報酬関連物質として報告されている．

　嫌悪系では，アセチルコリン作動性物質の関与が指摘されている（Stein, 1973）．ラットではペダルを押して報酬を獲得できるオペラント条件づけで，報酬だけでなく嫌悪刺激も同時に与えると，ラットのペダル押し ICSS が抑制される．このときアセチルコリン作動薬であるカルバコールやアセチルコリン分解酵素を阻害するフィゾスチグミンを室周系のひとつである視床下部腹内側核に注入すると，嫌悪刺激を伴うときのペダル押し ICSS の抑制の程度が強まる．逆にアセチルコリンのムスカリン拮抗薬であるアトロピンを注入すると，抑制の程度が低下する．また電気ショックや寒冷ストレスにより脳内のアセチルコリンの代謝回転が上昇する．これらのことは少なくとも視床下部腹内側核では嫌悪系にアセチルコリン作動性シナプスが関与する．

2）　視床下部外側野ニューロンの神経伝達物質への応答性と自律神経系の相関

　4.2 節 c. 1)で述べた実験システムを用いて報酬—嫌悪刺激識別ニューロン膜に多連微小電極法により電気的に微少量投与して神経伝達物質であるドパミン，ノルアドレナリン，アセチルコリンおよびこれら伝達物質の遮断薬の作用を解析し

た (Ono et al., 1992). この研究によると，視床下部外側野ニューロン活動に対してドパミンとノルアドレナリンは主に抑制性に，アセチルコリンは促進性に作用する．これらドパミンとノルアドレナリンのニューロン活動に及ぼす作用は正の強化刺激に対する抑制応答と，アセチルコリンの作用は負の強化刺激に対する促進応答と一致する．

図4.13にはラット視床下部外側野の報酬刺激には抑制応答を，嫌悪刺激には促進応答をするニューロンの神経伝達物質に対する応答性を示してある（図4.8と同一ニューロン）．このニューロンの活動はドパミンやノルアドレナリンにより抑制され，この抑制作用はドパミン D2 受容体拮抗薬であるスピペロンにより遮断されるので，ドパミンの抑制作用は D2 受容体を介するものである．ノルアドレナリンの抑制作用は α 受容体拮抗薬であるフェノキシベンザミンでは遮断されない．この図には示していないが，このニューロンに対するノルアドレナリンの抑制作用は β 受容体拮抗薬であるプロプラノロールによって遮断されるので，β 受容体を介するものである．一方このニューロンの活動はアセチルコリンにより促進され，この促進作用はアトロピンによって遮断されるので，ムスカリン性受容

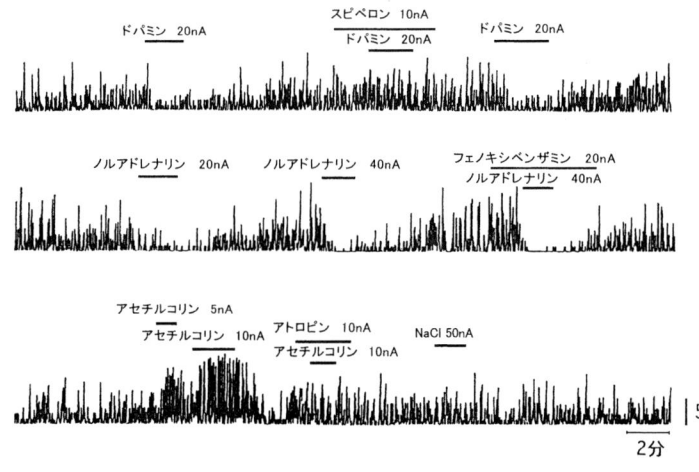

図 4.13 ラットが予告音と報酬または嫌悪刺激の連合課題を遂行している（学習，情動行動中）視床下部外側野ニューロンに対するノルアドレナリン，ドパミン，およびアセチルコリンの作用（すべて同一ニューロンからの記録）(Ono et al., 1992, 図4.7参照)
多連微小電極法により投与した薬物のニューロン活動に対する作用．ドパミンとノルアドレナリンにより抑制，アセチルコリンにより促進，スピペロンの前投与によるドパミンの抑制作用遮断，フェノキシベンザミンはノルアドレナリンの抑制作用に無効．アトロピンの前投与はアセチルコリンによるニューロン活動の促進作用を遮断．

体を介するものである．これらのことより視床下部外側野の報酬—嫌悪刺激識別ニューロンは複数の神経伝達物質に対して感受性を有し，ドパミンやノルアドレナリンは報酬刺激への抑制応答に，アセチルコリンは嫌悪刺激への促進応答に関与する神経伝達物質であると考えられる．

e. 視床下部室傍核ニューロン活動（インパルス放電頻度）と情動行動の表出

　視床下部の室傍核は，1) 主に下垂体後葉へ線維を投射し，抗利尿ホルモン (antidiuretic hormone：ADH，別名 vasopressin，バソプレシン) やオキシトシンの分泌に関与する大細胞部と，2) 背内側延髄（孤束核，迷走神経背側運動核），腹側延髄および脊髄中間質外側核に線維を直接に投射し，自律神経反応の調節に関与する小細胞部からなる (Ono et al., 1978；Hosoya and Matsusita, 1979)．また室傍核は扁桃体をはじめとする辺縁系，視床下部外側野や腹内側核から線維投射を受けている．このように室傍核は情動反応における情動表出（ホルモン分泌，自律神経反応）に関与する．筆者らは独自の実験システムを用いて多連微小電極法により音弁別報酬獲得（快情動）と嫌悪刺激回避学習（不快情動）行動下ラットの室傍核ニューロンの活動，血圧，心拍数および直腸温を同時記録し，室傍核ニューロン応答と自律神経反応との相関，ノルアドレナリンやノルアドレナリン拮抗薬の作用を調べた (Nakamura et al., 1992)．血圧と心拍数記録用のカテーテルは総頸動脈から挿入し，下行大動脈に留置した．

1) ラット視床下部室傍核ニューロンの応答性

　音弁別学習行動下ラットでは報酬と嫌悪刺激予告音の開始時点から徐々に血圧は上昇し，心拍数も増加し，いずれも報酬または嫌悪刺激時に最大値に達する（図 4.14 Aa，Ba，C，D）．血圧の最大値は 150-160 mmHg であり，予告音開始前の 130 mmHg よりも 20-40 mmHg ほど上昇する．30％の室傍核ニューロンは報酬または嫌悪刺激予告音の開始後から徐々に活動が上昇し，報酬獲得または嫌悪刺激回避時に最大となる促進応答を示し，血圧上昇反応と非常に高い正の相関がある．これら室傍核ニューロンは視床下部外側野の報酬—嫌悪刺激識別ニューロンとは異なり，報酬刺激にも嫌悪刺激にも同様の促進応答を示している．

　このような予告音への自律神経反応（血圧上昇反応）は感覚刺激（予告音）の単なる喚起（覚醒）効果による反応ではない．予告音と報酬刺激あるいは嫌悪刺激との関係を解消する消去学習を行うと，予告音を呈示しても血圧上昇反応は起

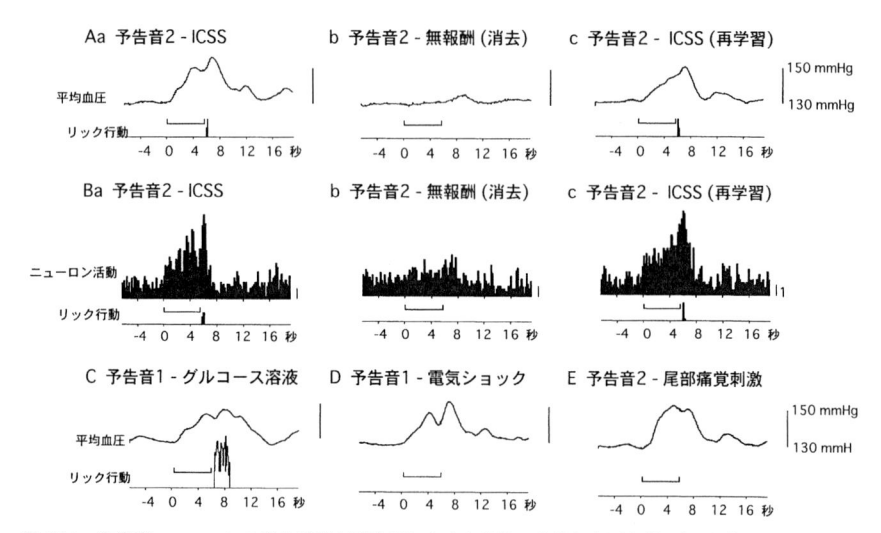

図 4.14 室傍核ニューロンの消去学習や再学習による応答性の変化と血圧変動の相関（Ono et al., 1992）
A, B：予告音 2-ICSS 連合課題．a：予告音に対する血圧上昇反応とニューロンの促進応答．b：予告音と ICSS の連合解消（消去）により予告音に対する血圧上昇反応，ニューロン促進応答，およびリック行動はいずれも消失．c：予告音と ICSS の再連合により，消去前（a）と同様の反応．
C：グルコース獲得，D：電気ショック回避，E：尾部痛覚刺激回避行動中の血圧上昇反応．

こらなくなる（図 4.14 Ab）．予告音への血圧上昇反応は，予告音がそれに続く刺激が快または不快を意味するときだけに起こる．このような自律神経反応は学習性情動反応（3.2 節を参照）の一種であるといえる．同様に室傍核ニューロンの予告音への応答も消去学習によって消失し，再連合学習により再び消去学習前と同様の促進応答を示すようになる．図 4.14 B には血圧上昇反応と高い正の相関を有する室傍核ニューロンの消去学習や再連合学習による応答性の変化を示してある．Ba の音弁別学習成立後では報酬（ICSS）予告音の開始時から始まり，報酬時に最大値に達するニューロンの促進応答と血圧上昇反応を示しているが，Bb の消去学習後ではこのようなニューロンの促進応答と血圧上昇反応はほとんど消失し，リック行動も停止する．Bc の再連合学習後ではニューロンの促進応答，血圧上昇反応およびリック行動は Ba の消去学習前のレベルに回復している．C, D, E には同時に記録した音弁別学習後のグルコース獲得と電気ショック，尾部痛覚刺激回避行動中の血圧上昇反応を示してある．この血圧上昇反応とそのときのニューロン応答は消去学習により消失し，再連合学習により回復する．

2) ラット視床下部室傍核ニューロンの神経伝達物質への応答性

　室傍核ニューロンは延髄の A1, A2, A6 のノルアドレナリン含有ニューロンから線維投射を受けている．視床下部外側野ではノルアドレナリンは報酬関連物質として作用するが，ノルアドレナリンや α 受容体作動薬の局所注入により血圧上昇反応が起こることから室傍核は情動発現時の自律神経反応と関連しているといえる．室傍核におけるノルアドレナリンの作用を調べるため前項の 4.2 節 d. 2) と同様の実験システムを用いて多連微小電極法によりノルアドレナリンとその拮抗薬を投与し，血圧上昇反応関連ニューロンに対する効果を明らかにしている (Nakamura et al., 1992)．この研究から室傍核ニューロンの 20% はノルアドレナリンに対して促進性に応答する．これらノルアドレナリン促進応答ニューロンの 75% は，報酬獲得と嫌悪刺激回避行動中の非特異的な血圧上昇反応に高い相関のある促進応答をする．図 4.15 にはノルアドレナリンに対して促進応答を示し，報酬獲得または嫌悪刺激回避行動中は血圧上昇関連応答をする室傍核ニューロンの例を示してある．このニューロンは予告音を報酬または嫌悪刺激と連合させると，いずれの予告音に対しても漸増する促進応答をしている (Ea, Fa, G, H)．この予告音期の促進応答は α1 受容体拮抗薬（プラゾシン）により消失（遮断）するが (Eb, Fb)，α2 受容体拮抗薬（ヨヒンビン：Ec）や β 受容体拮抗薬（プロプラノロール：Ed）では有意に変化しない．このニューロンのインパルス放電は典型的な群発型放電を示し (I)，ノルアドレナリンや Na イオンに促進性に応答する．このことはこれら血圧上昇関連ニューロンが抗利尿ホルモン分泌ニューロンである可能性を強く示唆する．この群発型放電を示すニューロンに対する促進応答はプラゾシンにより消失するが，ヨヒンビンやプロプラノロールは効果がない．

f. 視床下部ニューロン活動（インパルス放電頻度）とストレス
1) 視床下部のストレス反応発現における役割

　生理学的には個体生存の基本原則はホメオスタシス（個体を構成する各細胞を取り巻く内部環境の恒常性維持）にある．視床下部は下垂体を介して内分泌系を，下位脳幹を介して自律神経系や体性神経系を制御しており，特に自律神経系では上位中枢 (head ganglion) として全内臓の調節に関与し，生体のホメオスタシス維持に重要な役割を果している．一方様々なストレッサーはホメオスタシスを乱す外乱として位置づけることが可能であり，視床下部はストレッサーに対する生

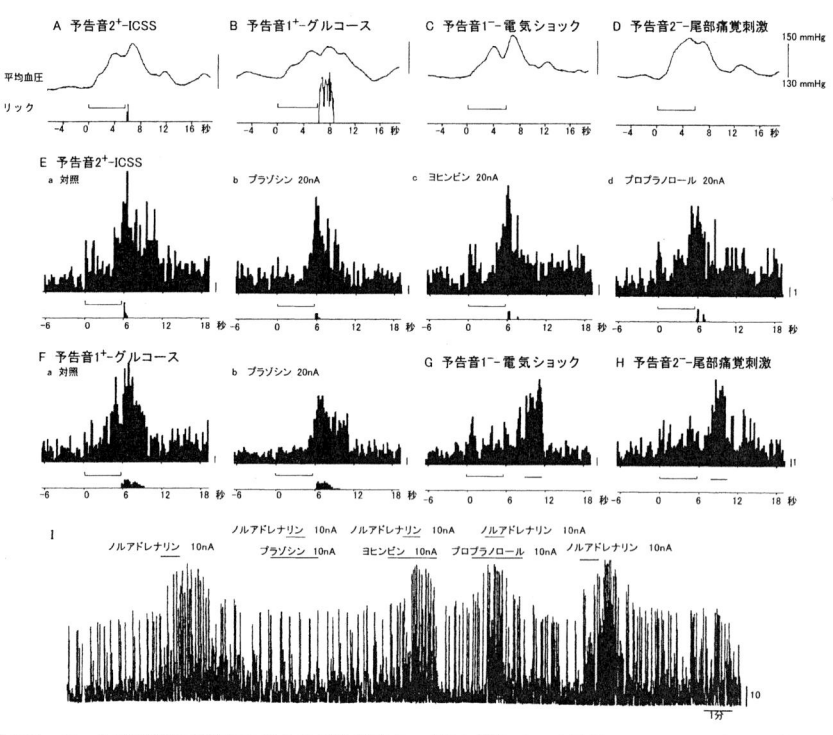

図 4.15 ラット音認知行動遂行に伴う自律神経反応の表出に関与する室傍核ニューロンの薬物感受性（すべて同一ニューロンから記録）(Nakamura et al., 1992)
A：ICSS獲得，B：グルコース獲得，C：電気ショック回避，D：尾部痛覚刺激回避行動中の血圧上昇反応．
E：予告音 2^+-ICSS 連合課題におけるニューロンの促進応答に対するアドレナリン拮抗薬の作用．a：薬物投与前の試行で予告音期と ICSS 期に促進応答．b：プラゾシン (20 nA) による予告音期の促進応答の遮断（消失）．c：ヨヒンビン (20 nA)，d：プロプラノロール (20 nA) は予告音期の応答に対して無効．
F：予告音 1^+-グルコース連合課題におけるニューロンの促進応答に対するノルアドレナリン拮抗薬の作用．a：薬物投与前の試行で予告音期とグルコース摂取期に促進応答．b：$\alpha 1$ 受容体拮抗薬であるプラゾシン (20 nA) により予告音期の促進応答の遮断．c：$\alpha 2$ 受容体拮抗薬であるヨヒンビン (20 nA) は予告音期の促進応答には無効．d：β 受容体拮抗薬であるプロプラノロール (20 nA) は予告音期の促進応答には無効．G：予告音 1^--電気ショック連合課題で予告音と電気ショックに促進応答．F：予告音 2^--尾部痛覚刺激連合課題における予告音期と尾部痛覚刺激期に促進応答．ヒストグラム上，ニューロン応答の加算；ヒストグラム下，リック信号の加算．時間軸上の 0，予告音の開始時点；ヒストグラム下の下線，予告音の呈示期間．
I：群発型インパルス放電へのノルアドレナリンとその拮抗薬の作用．ノルアドレナリン (10 nA) による群発型インパルス放電頻度の増加（促進応答）とプラゾシン (10 nA) によるノルアドレナリンに対する促進応答の消失．ヨヒンビン (10 nA) やプロプラノロール (10 nA) はノルアドレナリンに対する促進応答に無効．

体の反応（ストレス反応）形成に中心的な役割を果たしている．

　それでは生体は様々なストレッサーにどのように反応するのであろうか．最終的にはホメオスタシス維持に重要な視床下部がストレス反応形成に関与するが，ストレッサーの種類により視床下部への情報伝達経路が異なる．ひとつは身体的ストレスであり，空気中の酸素分圧低下や出血による血圧低下など呼吸循環系の異常を中心として生体のホメオスタシスに直接影響を与えるストレスである．このようなストレスに関する情報は下位脳幹を介して直接視床下部に伝達される．もうひとつは高次処理依存的ストレッサーと呼ばれ，それ自体はホメオスタシスに直接的な影響を与えないが，将来的に影響があることを予告するストレッサーである．ヒトや動物では猛獣の姿を見ただけで血圧上昇やホルモン分泌が起こり，ストレス反応が惹起される．すなわち視覚情報自体はホメオスタシスに影響を与えないが，将来的には猛獣に襲われて傷害を受ける可能性があるからである．このため，感覚情報自体だけでなく，認知や記憶など刺激に付随した様々な情報も合わせて連合的に処理する，より高度な情報処理が必要とされ，まず大脳新皮質や辺縁系（扁桃体）で処理され，ついでその処理結果が視床下部に伝達され，圧縮（単純化）されると考えられる．

　Cannon（1927, 1929）や Hess（1936）は情動と視床下部との対応関係を初めて明らかにした．Cannon は，1）視床下部—脳幹と新皮質，大脳基底核および視床との間で離断したイヌは非常に怒りやすくなり，些細な刺激でも怒り反応を誘発するが，2）視床下部とそれ以下の脳幹との間で離断すると，怒り反応が誘発されないことおよび，3）視床下部を電気刺激すると，怒り反応時に観察される交感神経系の興奮状態と同等の状態が誘発されることから，視床下部が情動表出の中枢であることを報告している．この怒り反応は怒り誘発の閾値が低く，相手構わず起こるので，"見せかけの怒り"と呼ばれた．一方 Hess（1936）もネコの視床下部の電気刺激により怒りや恐れの情動表出を伴う攻撃行動や防御行動が誘発されることを報告している．これらのことから視床下部にはストレス反応を含めて生存（ホメオスタシス維持）のための様々な情動表出プログラムが存在し，視床下部に辺縁系から指令が伝達されると，生存のための特定のプログラムが遂行されると考えられる（4.5 節参照）．

2) ラット視床下部ニューロン活動（インパルス放電頻度）のストレス負荷による変化

視床下部は感染時に末梢血の免疫物質（サイトカイン）が直接作用して起こる発熱の制御に中心的な役割を果たすなど脳―免疫相関の座として注目されている．筆者らは身体的ストレスをラットに負荷すると，免疫サイトカインが視床下部で最も高濃度に産生され，これら免疫サイトカインが中枢神経系でストレスメディエーターとして様々なストレス反応の形成に重要な役割を果たしている（Kondoh et al., 1996；Tanebe et al., 2000；Tamura et al., 2000）．身体的ストレッサーとして，ラットをタイマーによる自動温度管理が可能な特殊インキュベーター内で飼育し，明期は環境温を24℃から-3℃に周期的に変化させ（1周期，2時間；合計4サイクル），暗期は-3℃に維持する反復寒冷ストレスを与えた．このような反復寒冷ストレス負荷により，1）ラットの摂食量は増加するが，体重増加率は低下する（Kondoh et al., 1996），2）通常は飲まない苦い味のヒスチジン溶液を多量摂取するようになる（Kondoh et al., 1996），3）無排卵など雌ラットの性周期が乱れるなどのストレス反応が現れる（Tanebe et al., 2000）．

図4.16 Aにはストレス負荷後，直ちにラットの脳を摘出し，視床下部内の各領域，特に視床下部外側野と視床下部腹内側核および大脳皮質を切り出して，サイトカインの一種であるインターロイキン-1β（interleukin-1β：IL-1β）の mRNA 発現量を RT-PCR（reverse transcription polymerase chain reaction）法を用いて測定した結果を示してある（Tanebe et al., 2000）．IL-1βmRNA の発現は大脳新皮質に比較して視床下部で高レベルに認められ，ストレスにより視床下部腹内側核では IL-1βmRNA の産生が増加し，視床下部外側野では逆に減少する．図4.16 Bには同様のストレスを2週間以上負荷したときのラット視床下部外側野と腹内側核ニューロンのインパルス放電頻度を示してある（Tamura et al., 2000）．IL-1βmRNA の発現とは対照的に，視床下部外側野ニューロンの活動は上昇し（インパルス放電頻度の増加），腹内側核ニューロン活動は低下している（インパルス放電頻度の減少）．このことはストレスにより摂食中枢である視床下部外側野のニューロン活動が増加し，逆に満腹中枢である腹内側核のニューロン活動が低下したことを意味しており，ストレスによる摂食量の増加はこの視床下部における摂食調節機構の異常によるものであることを示している．近年，IL-1β は抑制的な神経調節物質であることが報告されており（Kuriyama et al., 1990；Plata-

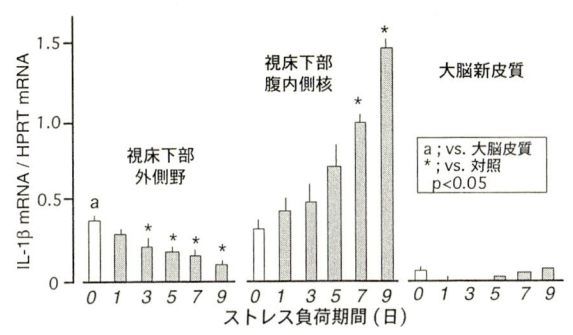

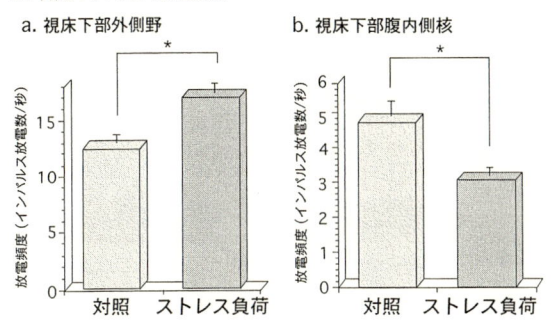

図 4.16 ストレスと IL-1βmRNA 発現量（Tanebe et al., 2000）
A：視床下部の外側野，腹内側核および大脳新皮質における IL-1βmRNA 産生量の変化．
B：視床下部外側野（a）と視床下部腹内側核（b）におけるインパルス放電頻度の変化（外側野：増加，腹内側核：減少）．

Salaman et al., 1988），視床下部外側野ニューロンの活動は IL-1β の減少により上昇し，視床下部内側核ニューロンの活動は IL-1β の増加により低下すると考えられる．これらのことは，反復寒冷ストレスによる摂食異常が視床下部におけるサイトカイン産生の変化によるものであることを示している．

さらにラットの反復寒冷ストレス負荷実験により，1) 内側視索前野における IL-1β 産生は性周期形成に中心的な役割を果たしている内側視索前野における性腺刺激ホルモン放出ホルモン（gonadotropin releasing hormone：GnRH）の産生と負の相関関係にある，2) 視床下部内側部における IL-1β 産生はバソプレシンや副腎皮質刺激ホルモン放出ホルモンの産生と関連していることなどが明らかにされている（Tanebe et al., 2000）．これらのことは身体的ストレスを負荷すると，下位脳幹からの入力だけでなく，末梢血からの直接入力や視床下部における免疫サ

イトカイン産生もストレス反応形成に重要な役割を果たすことを示している．

図 4.17 には同様の反復寒冷ストレスを 2 週間以上負荷したときのラット視床下部外側野ニューロンの報酬獲得課題に対する応答を示してある（Tamura et al., 2000）．A は，ストレスを負荷していない対照ラットの視床下部外側野ニューロンの応答で，予告音の呈示後，ラットは口直前に突き出されたチューブのリック行動によりうま味物質であるグルタミン酸溶液（monosodium-L-glutamate：MSG うま味溶液）を摂取している．この視床下部外側野ニューロンは予告音と MSG に同様の抑制応答を示している（a）．予告音だけを与えてうま味溶液を与えない消去学習を行うと，予告音に対する抑制応答が完全に消失し，リック行動もしなくなっている（b, c）．再び予告音の後にうま味溶液を与える再学習を行うと，再び予告音とリック行動によるうま味溶液の摂取期に抑制応答をしている（d）．B

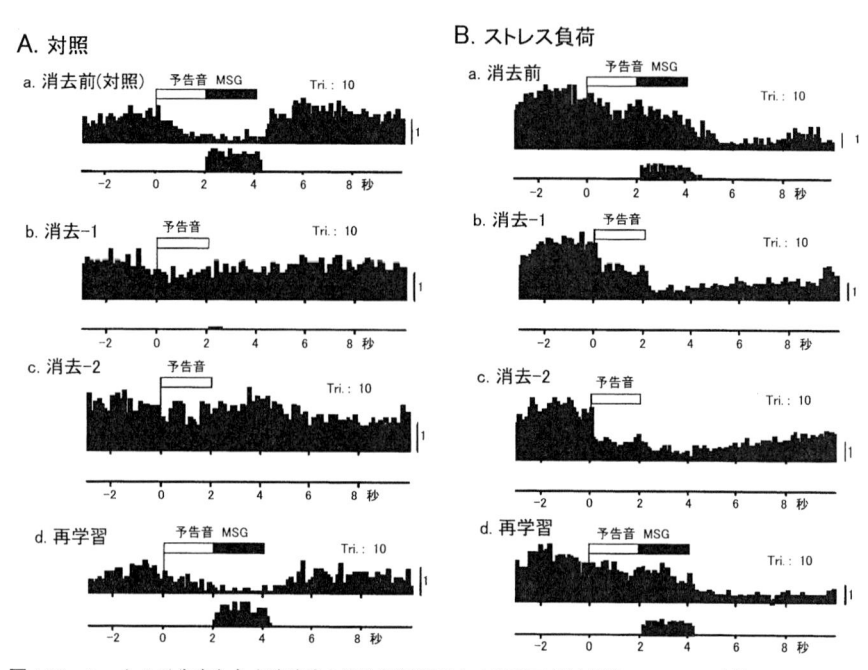

図 4.17 ラットの予告音とうま味溶液の連合課題遂行中の視床下部外側野ニューロン応答に及ぼすストレス負荷の影響（Tamura et al., 2000）
A：対照ラット視床下部外側野ニューロンの予告音とうま味溶液の連合，消去，および再学習時の応答の変化．
B：反復寒冷ストレス負荷ラット視床下部外側野ニューロンの予告音とうま味溶液の連合，消去，および再学習時の応答の変化．
MSG，グルタミン酸ナトリウム（うま味溶液）；Tri，試行回数．

は，ラットにストレス負荷を与えると，最初の消去学習前には正常ラットと同様に抑制応答をしている（a）．しかし消去学習を行っても抑制応答は消失せず，逆に増強している（b，c）．再び，予告音にうま味溶液を連合させる再学習を行うと，消去学習前の抑制応答が回復している（d）．このようにストレス負荷ラット視床下部外側野ニューロンは，対照ラットでは認められない異常応答をする．これらのことから，様々なストレスによる種々の異常行動は視床下部ニューロンの感覚刺激に対する応答性の変化により起こることが示唆される．

4.3　視床の役割

a.　視床感覚中継核
1)　感覚入力と意味情報

　外界の様々な感覚刺激は耳，目，皮膚などの末梢感覚器官から不断に入ってくるが，ヒトや動物はこれらの物理情報を一様に知覚，認知しているわけではない．意識的にも無意識的にも生物学的に意味のある情報を選択して行動する．そのような物理情報から意味情報への変換は，脳内のどこでどのように行われているのだろうか．これまで辺縁系の扁桃体が感覚刺激の生物学的価値評価や意味認知に基づき，快，不快情動を担っていることを述べてきた（Ono et al., 1995；Robbins and Everitt, 1996）．

　一般に感覚伝導路では，主経路と副経路が並列に走行しており，それぞれ新皮質の第一次と第二次感覚野へ投射している．視床でも主経路（特殊感覚中継核）と副経路（視床後外側核，内側膝状体帯部領域など）に関与する領域に分化しており，感覚副経路の視床諸核からは第二次感覚野だけでなく，扁桃体へも線維を投射している．筆者らは感覚副経路の視床諸核から扁桃体への直接経路（Bordi and LeDoux, 1994；Winer and Morest, 1983）の存在に着目して，感覚副経路の視床諸核における，物理情報から意味情報への変換の起源を探った（Komura et al., 2001）．

2)　ラット視床ニューロンの報酬獲得課題に対する応答性

　物理情報としては聴覚刺激と視覚刺激という2種類の感覚刺激を，意味情報としては報酬の有無という2種類の情報を組み合わせて，ラットに4種類の課題を識別するように学習させた．これらの課題を学習したラット視床ニューロンの各

課題に対する応答性を基本的には解析した．ラットは純音や光（豆電球の点灯）といった感覚刺激を2秒間呈示され，1秒後に口直前に突き出されたチューブのリック行動により報酬が得られる課題を遂行する．報酬には自然報酬としてショ糖溶液を，人工報酬としてICSSを用いた．このような感覚刺激と報酬の連合課題をラットが行っているときに聴覚や視覚情報を中継する視床領域からニューロン活動を記録した．

総数593個のニューロンのうち377個（63.6％）が応答した．これらニューロンは応答性により，大きく分けて2つのタイプに分類できた（図4.18）．第1のタイプは192個（32.4％）で，従来より報告されている物理情報を符号化するニューロンで，音または光のどちらか一方の感覚刺激の呈示期にだけ，特定の感覚種に特異的に応答し，報酬との連合の有無に影響されなかった（感覚型ニューロン）．Aにはこのタイプのニューロン応答例を示してあり，聴覚刺激には応答しているが（Aa），光刺激には応答していない（Ab）．聴覚刺激に関しては，報酬と連合し

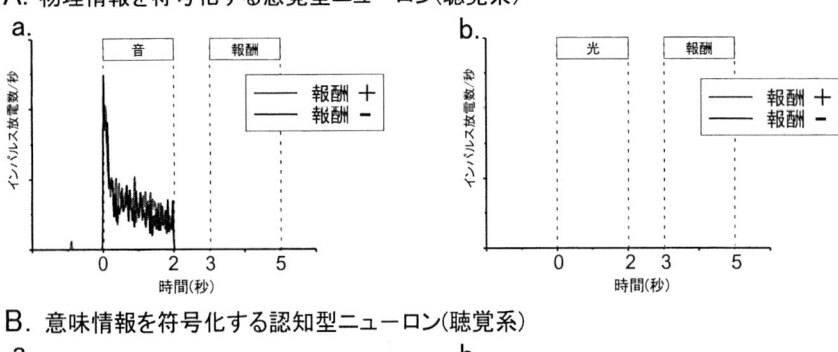

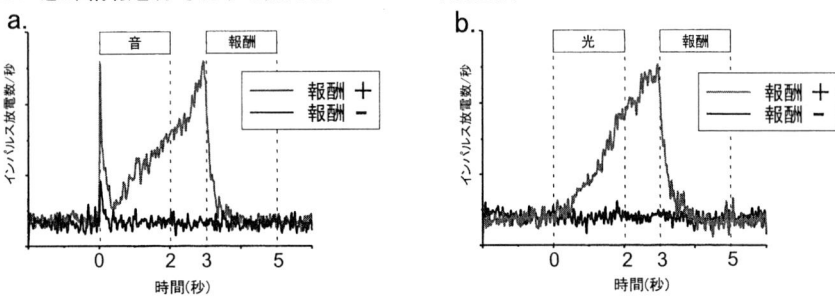

図4.18 ラットの聴覚系視床領域から記録された代表的なニューロン応答例（Komura et al., 2001）
上が感覚型ニューロンの応答例，下が認知型ニューロンの応答例．

た聴覚刺激と連合しない聴覚刺激に同様に応答する（Aa）．これらのニューロンは視床の主経路に相当する諸核（特殊感覚中継核）に存在していた．第2のタイプは185個（31.2％）で，報酬という意味情報を符号化（encoding）するニューロンであった．このニューロンは感覚刺激の呈示後，短潜時で出現する一過性の初期応答とそれに続く応答強度［インパルス放電頻度（インパルス数/秒）増加の度合］が徐々に増大して報酬の得られる直前でピークに達する後期応答の2相性応答をする（認知型ニューロン）．初期応答は視覚または聴覚特異的で，過去の学習経験により応答強度が変化する．後期応答は感覚種を問わず，報酬を得られるという状況のときだけみられる．Bにはこのタイプのニューロン応答例を示してある．このニューロンは報酬と連合した聴覚刺激に2相性に応答しているが（Ba），報酬と連合した光刺激には後期応答だけの1相性の応答をしている（Bb）．この初期応答から後期応答への移行は感覚種特異的な入力を報酬という意味で統一していく過程（transmodal process）を反映していると考えられる．これら第2のタイプのニューロンは副経路（視床後外側核，内側膝状体帯部領域など）に相当する視床領域に存在する．

3) **ラット視床ニューロンの報酬予測に対する前向きまたは後ろ向きの情報処理**

前項の4.3節a.2)で述べた2相性のニューロン応答がそれぞれどのような情報を担っているか詳細に調べるため，報酬のパラメーターを操作して応答性を解析した．まず感覚刺激と報酬の連合を解消（消去学習）あるいは再連合（再学習）

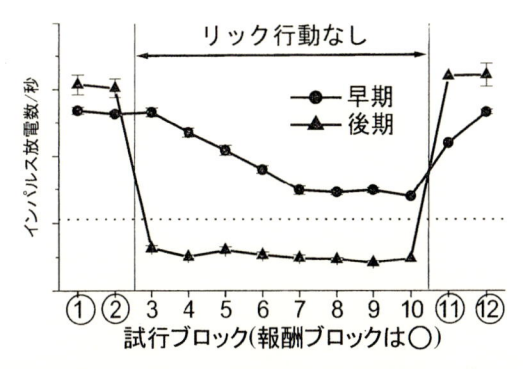

図4.19 ラットの聴覚系視床領域ニューロンの消去学習と再学習期間中の応答強度（インパルス放電数/秒）の変化（Komura et al., 2001）
報酬連合の変化に対する早期成分と後期成分の応答性が異なる．点線（‥‥）：連合学習をしていない無報酬のときの応答レベル，①，②：報酬連合学習後；3-10：消去学習の期間，⑪，⑫：再学習後．

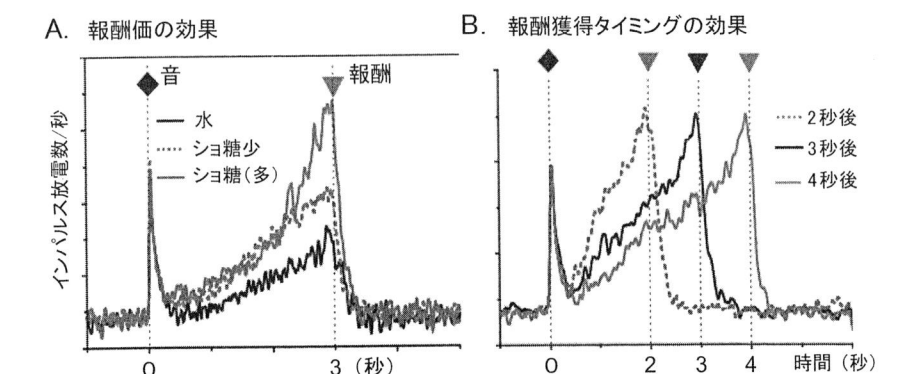

図 4.20 ラットの聴覚系視床領域ニューロンの早期成分の後，報酬呈示に向けて次第に活動が増大 (Komura et al., 2001)
報酬価（左）と報酬タイミング（右）により，後期成分のピークの高さと時点が変化．

したときに，これらニューロンの応答性がどのように変化するか分析した（図4.19）．初期応答は消去学習中に徐々に減弱していくが，完全に消失することはなく，無報酬の感覚刺激に対する応答レベル（点線）よりも有意に大きい．この応答は再学習により速やかに消去学習前の応答レベルに回復する．これらのことより初期応答は現在だけでなく，過去の報酬経験の記憶を担っていると考えられる（後ろ向きの情報処理 retrospective processing）．一方後期応答は報酬獲得行動に応じて速やかに変化し，消去学習により完全に消失する．

これら視床ニューロンの応答は水の代わりに 0.3 M ショ糖溶液およびその倍量のショ糖溶液を与えて報酬価を高くすると，後期応答だけ応答ピークが増大し（図4.20 A），報酬を獲得できるタイミングを感覚刺激呈示終了 1 秒後に与える状況から終了直後や 2 秒後に与える状況に変えると，後期応答のピークだけがそれに応じて報酬獲得時点まで遅延する（図 4.20 B）．また初期応答はこのような報酬価や報酬獲得のタイミングを操作しても変化しない．これらのことより後期応答は報酬がいつ，どのくらい得られるかという前向きの情報処理（prospective processing）を符号化していると考えられる．

4) 視床の感覚情報処理における意義

従来，系統発生学的に古い視床は単に現在の感覚情報を大脳新皮質へ中継する機能しかもたないとみなされてきた．しかし前項の 4.3 節 a. 3）で述べた視床ニューロンの応答性は感覚情報処理のより初期段階に位置する視床レベルのニューロンが現在の情報だけでなく，動物の生存に不可欠な過去の経験に基づく

未来の予測情報を反映していることを示している (Komura et al., 2001). ラットの古典的恐怖条件付けでも視床内副経路に相当する領域での短潜時のニューロン応答強度が, 過去の経験に応じて変化するという報告もある (LeDoux, 2000 ; Weinberger, 1993). これらのことから視床は報酬性であれ, 嫌悪性であれ, 生物学的に重要な感覚情報を選別して, 大脳新皮質領域に伝達するフィルターの役割を果たすと考えられる.

b. 視床背内側核
1) 視床背内側核損傷の情動発現, 学習および記憶への影響

視床背内側核は扁桃体, 視床下部外側野, 眼窩皮質, 前脳基底部など情動と関連の深い脳領域と密接な線維連絡をしている (Aggleton and Mishkin, 1984 ; Groenewegen, 1988). 視床背内側核の障害は慢性アルコール中毒患者の記憶障害, 失見当識 (disorientation：時間, 場所, 周囲の人物, 現在の状況を正しく認識できない), 作話 (confabulation：現実に存在しないことをあたかも存在しているかのように話す) を呈するコルサコフ症候群として知られている (Victor et al., 1971 ; Mair et al., 1979). このコルサコフ症候群はアルコール依存症による栄養不足やビタミン欠乏症 (ビタミン B_1 などの不足) によって発症し, 外転神経麻痺 (眼筋麻痺) や運動障害 (歩行困難), 眼球運動障害, 譫妄 (delirium：うわごと, 幻覚などを伴う一時的精神錯乱), 錯乱, 興奮などの意識障害, 意欲減退の抑うつ状態などを呈するウェルニッケ症候群の後に発症することが多く, まとめてウェルニッケ-コルサコフ症候群と呼ばれることもある.

一方これらコルサコフ症候群は種々の情動障害を伴っている (Schulman, 1957 ; Victor et al., 1971). ヒトやサルでは視床背内側核の障害により Klüver-Bucy 症候群によく似た症候がみられる (Schulman, 1957 ; Butter and Snyder, 1972 ; Waring and Means, 1976). サルでは視床背内側核の破壊により扁桃体と同様に刺激と報酬の連合学習課題が障害される (Gaffan et al., 1993). さらにヒトのうつ病患者では視床背内側核の前内側部で脳血流が増加している (Drevets, 1995). これらのことより情動発現における視床背内側核の機能は扁桃体と密接に関連していると考えられる.

2) ラット視床背内側核ニューロンの報酬連合学習に対する応答性

筆者らは視床背内側核の感覚刺激の認知と情動発現における役割をニューロン

レベルで明らかにするため，ラット視床背内側核の感覚刺激（条件刺激）-報酬または嫌悪刺激（非条件刺激）の連合に基づく報酬獲得または嫌悪刺激回避行動中のニューロン応答性を解析した (Oyoshi et al., 1996)．ラットはそれぞれ視覚，聴覚，体性感覚および嗅覚条件刺激の終了時に口直前に突き出されたチューブのリック行動により，ショ糖溶液やICSSのような報酬（快刺激）は獲得でき，電気ショックのような嫌悪刺激（不快刺激）は回避できる．その結果総数510個の視床背内側核ニューロンのうち97個（19％）が，1) 報酬と連合したすべての感覚条件刺激に応答する多種感覚応答型ニューロンであり，2) 条件刺激と報酬の連合を解消する消去学習および条件刺激と報酬を再び連合させる再学習課題に対して可塑的に応答することが明らかになった．図4.21には条件刺激関連応答ニューロンの例を示してある．このニューロンはショ糖溶液と連合した音1 (2,860 Hz：Aa)，ICSSと連合した光1（右眼直前の豆電球の点灯：Ba）に促進応答をするが，無報酬である音2 (530 Hz：Ab) と光2（左眼直前の豆電球の点灯：Bb）に対しては応答しない．さらにこのニューロンは，ショ糖溶液を意味する音2と光2の同時呈示による構成連合刺激 (Ca) には促進応答をするが，無報酬を意味する音1と光1の同時呈示による構成連合刺激 (Cb) には応答しない．このように視床背内側核ニューロンは感覚刺激の物理的性質に関係なく，報酬性を意味するすべての感覚刺激に応答する．また条件-非条件刺激間に遅延期を置く遅延連合課題をテストした視床背内側核ニューロンの多くは，遅延期間中にも応答する．一方少数ではあるが，報酬連合課題中の舌運動（リック行動）に関連して応答したニューロンも認められた（行動関連応答ニューロン）．

これら応答ニューロンは，行動関連ニューロンおよび条件刺激関連応答ニューロンに，さらに条件刺激関連応答ニューロンは各種連合課題に対する応答潜時［条件刺激呈示からニューロン応答（インパルス放電増加）の開始］が300ミリ秒より短いニューロンと300ミリ秒より長いニューロンの2群に分けられる．条件刺激関連応答ニューロンの多くは視床背内側核の吻側内側部に存在したが，特に300ミリ秒より短い応答潜時を有する条件刺激関連応答ニューロンは，感覚刺激の価値評価と意味認知に重要な扁桃体基底外側核から線維投射を受ける視床背内側核の内側部に局在し，その潜時も扁桃体基底外側核ニューロンの潜時よりも長い．これらのことは，視床背内側核は扁桃体から入力を受け，報酬と連合した感覚刺激の認知ならびに感覚刺激と報酬の連合学習に関与していることを示してい

4.3 視床の役割

A. 要素(聴覚)刺激

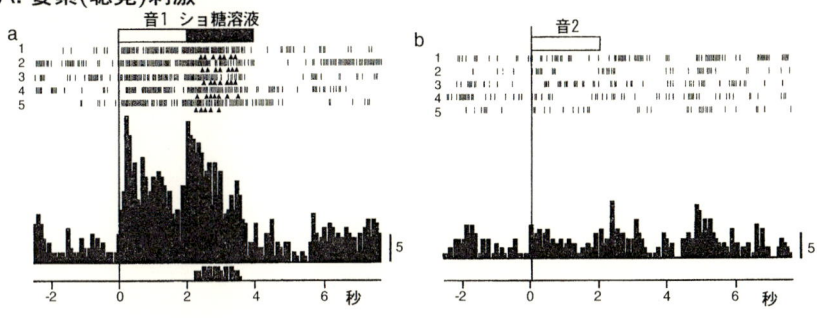

B. 要素(視覚)刺激

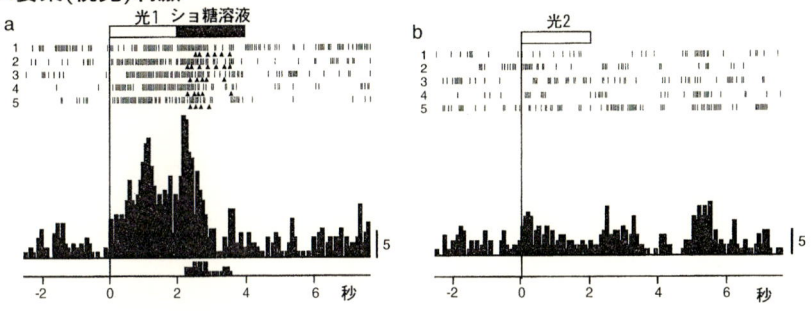

C. 構成連合刺激

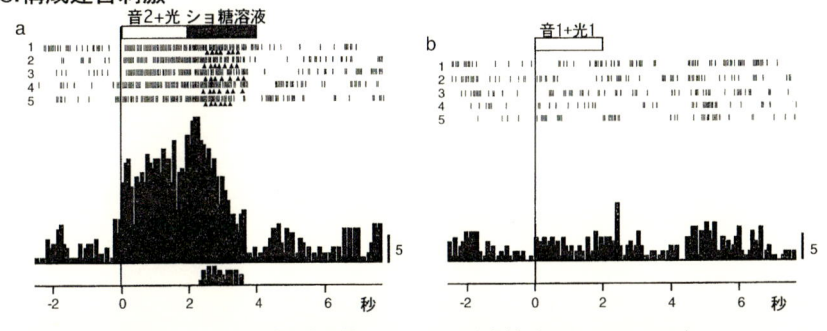

図 4.21 ラット視床背内側核ニューロンの応答性（Oyoshi et al., 1996）
A：要素（聴覚）刺激に対する応答，B：要素（視覚）刺激に対する応答，C：構成連合（視覚と聴覚の同時）刺激に対する応答．ラスター下の三角（▲），リック信号；ヒストグラム上，ニューロン応答（ラスター表示）加算ヒストグラム；下，リック信号の加算ヒストグラム；時間軸上のゼロ，条件刺激の開始時点．音 1-2，それぞれ 2,860，530 Hz の純音；光 1-2，それぞれ右および左眼の前に置いた豆電球の点灯．このニューロンは感覚条件刺激の物理的特性に関係なく，報酬性を意味する感覚条件刺激に応答．

る.一方300ミリ秒以上の長い応答潜時を有する条件刺激関連応答ニューロンは視床背内側核全体に広く分布していた.また行動関連ニューロンは主に視床背内側核の外側部に存在した.

3) 視床背内側核の位置づけ

背外側前頭皮質は作動記憶（working memory：ワーキングメモリ）に重要な役割を担うと考えられ，遅延期間中に応答するニューロンが存在する（Fuster, 1973；Fuster and Alexander, 1971；Kubota et al., 1974；Niki, 1974）．最近，サルを用いた神経生理学的研究により作動記憶においても前頭前皮質における機能的局在の存在が報告されている．サル前頭葉では頭頂葉から入力を受ける背外側前頭前皮質（主に9野）は空間的情報の作動記憶に，下側頭葉から入力を受ける腹側外側前頭前皮質（主に10野）は物体の物理的性状など非空間的情報の作動記憶に関与することが示唆されている（Wilson et al., 1993）．一方サル眼窩皮質には遅延期に応答するかどうかは確かめられていないが，報酬物体に応答するニューロンが存在する（Rolls and Baylis, 1994）．4.3節b.2) で述べた遅延期に応答する視床背内側核ニューロンはすべて多種感覚応答型識別的応答ニューロンであり，しかも光刺激の左右の位置に関係なく応答する．これらニューロンは報酬に関連した短期記憶情報の保持に関与することを示している．これらのことより解剖学的に密接な線維連絡を有し基底外側辺縁神経回路を構成する扁桃体基底外側核-視床背内側核内側部-眼窩皮質系は，刺激-報酬間の連合に関する短期記憶システムとしても機能していると考えられる．

4.4 大脳基底核の役割

a. 大脳基底核はどんな機能を営むか

大脳基底核の最も重要な機能は運動機能である．大脳基底核が運動機能に関係することは18世紀末から考えられていたが，半身不随，四肢の過度の伸展や屈曲，筋弛緩，不随意運動，姿勢維持不能などの各症状および大脳基底核の病理学的所見との関係が詳しく調べられるようになったのは19世紀後半から20世紀の初頭にかけてであり，臨床神経学の成果によることが大きい．

ウィルソン氏病（Kinnier Wilson, 1912）は代謝障害により肝臓と神経系，特にレンズ核（被殻・淡蒼球）に銅が沈着し，いろいろな運動症状が起こる．また

1918～25年には脳炎が大流行し，多くの脳炎後遺症（パーキンソン症候群）が発症し，病理学および臨床所見よりレンズ核，レンズ核ワナや黒質の病変と運動障害の関係が明らかとなった．動物実験でもサルで両側の淡蒼球を破壊すると，特異な屈曲姿勢をとること（Richter, 1945）や姿勢反射が障害されること（Denny-Brown, 1962）などが次々に明らかにされた．

近年，動物が行動しているときに脳内の各部位からニューロン活動を記録することが可能となり，尾状核，淡蒼球，黒質などのニューロン応答といろいろな運動との関係が詳しく調べられている（DeLong, 1971；Buser et al., 1974；Niki et al., 1972）．このように大脳基底核（尾状核，被殻，淡蒼球，黒質など）は錐体外路系の運動核として，運動の開始や遂行，筋緊張の調節，体位や姿勢制御などの運動機能と深く関係する．

b. 感覚と運動の統合

運動機能といっても，例えば呈示されたひとつの対象物に向かって手を伸ばす運動ひとつをとってみても運動の出力系だけで遂行することは不可能である．それには筋，関節，皮膚からの入力，前庭や内耳からの平衡感覚あるいは視覚系による調節などが重要となる．

大脳基底核への感覚入力については多くの研究があり，体性感覚，深部感覚（筋や関節などからの感覚），聴覚，視覚や嗅覚などの各感覚系からいろいろな感覚種が集合して入ってくる（Albe-Fessard et al., 1960）．大脳基底核に障害があると，前項4.4節aで述べたような錐体外路性運動症状をきたすが，このとき同時に一種の感覚障害（sensory neglect：感覚無視）が起こる．

このような意味から錐体外路性運動症状は感覚と運動の統合（senseorimotor integration）不全に基づくものである．パーキンソン病などでは足がすくんで第一歩が踏み出せず，介助なしでは歩行が困難なときでも，地面に適当な間隔で白線を引くとか，調子とりの音を聞かせるなどの適当な感覚性手がかりを与えると，いともたやすくスタスタと歩き出せるので，感覚入力が重要である．これらの感覚と運動の統合には，視床－線条体間に形成されるループが重要であるとの説が提唱されている（Krauthamer, 1979）．尾状核には大脳皮質や視床から広範な感覚入力が入ってくるため，この領域は外界情報の認知に関係することが示唆されている（Oberg and Divac, 1979）．Lidsky一派ら（Schnider and Lidsky, 1981）は，大

脳基底核は感覚入力，特に顔，口周囲あるいは口腔内からの体性感覚入力を多く受け，身体や顔の位置の調節あるいは口腔や咽頭の感覚と運動の統合に関与すると主張している．

c. 大脳辺縁系（辺縁系：情動脳）—大脳基底核間における情動情報の運動情報との統合

四肢の単純な運動ではなく，外界に対する合目的な一連の運動行為，すなわち「行動」と大脳基底核との関係についても多くの研究がある．動物で尾状核を破壊すると，遅延交代反応課題（ある一定の遅延時間の後に与えられた手がかり刺激とは別のもうひとつの手がかり刺激を交互に選択すると，報酬を得られる課題）の学習速度が遅くなり，手がかり刺激の逆転に対する適応性（柔軟性）も低下する（Rosvold et al., 1958）．一方食物のような動物にとって意味のある報酬性物体を見たときに，尾状核ニューロンが応答すること（Buser et al., 1974；Rolls et al., 1979；Nishino et al., 1981）や餌の探索，餌の把握あるいは咀嚼時からなる一連の食物摂食（報酬獲得）や飲水行動中に淡蒼球ニューロンが特異的に応答する（Travis et al., 1968）．

動物が周囲の環境により積極的に働きかけていくためには，前項の4.4節bで述べた種々の感覚入力の統合だけでなく，種々の内的欲求や喜び，悲しみ，怒りの情動とそれに伴う動機づけの運動系への反映が重要となる．同じ接近行動を行う場合でも好きな異性や美味しい食物を獲得しようとするときの行動とそうでないときの行動はおのずから異なる．辺縁系（情動脳）から運動系へ送られる情報は行動をより躍動的に支えている．Nauta（1974, 1982）は辺縁系—大脳基底核間の詳しい相互の線維連絡様式を報告しており，辺縁系—大脳基底核間で情動情報が運動情報に取り入れられると考えている．

1） 尾状核ニューロンの応答性

i） 食物と非食物識別ニューロンの応答特性　筆者らはサル視床下部外側野の項（4.2節c.2）で述べた独自の実験システムを用いて尾状核ニューロンの食物と非食物識別応答性を調べた．総数351個のニューロンのうち108個（31％）が応答した．この課題は，① 対照期，② 食物と非食物の認知期，③ 食物獲得のためのレバー押し期および，④ 実際に食物を食べる摂食期に分けられる．図4.22Aには尾状核ニューロンのいろいろな対象物（大豆，ミカン，パン，クッキー，ニ

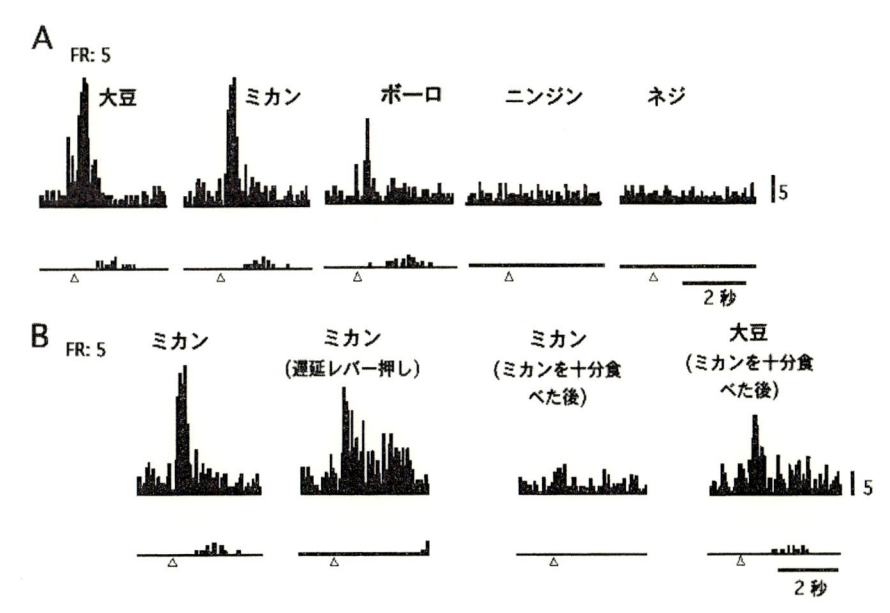

図 4.22 サル尾状核のいろいろな対象物を見たときのニューロン応答性（Nishino et al., 1981）
A：好物の大豆とミカンを見ると強い促進応答，パンやクッキーでは中程度の促進応答．嫌いなニンジンや非食物のネジを見ても無応答．促進応答が強いほどレバー押しは早く起こる．B：左端はミカンを見せたときの促進応答，ミカンを見せるが，レバー押しを3秒間させないようにする（遅延レバー押し）と，促進応答は持続的（左2番目）．ミカンを十分食べた後ではミカンを見ても無応答（右2番目）．このときでも大豆を見ると中程度の促進応答（右端）．ヒストグラム上，各ニューロン応答の5回加算；下，レバー押し信号の加算．ビン幅，100ミリ秒；△，W1開放時点．

ンジンおよびネジ）を見たときの応答例を示してある．このニューロンは大豆，ミカンを見たときの促進応答が最も大きく，パン，クッキーを見たときは中程度の促進応答をする．しかしニンジンやネジを見てもまったく応答しない．さらにニューロンの促進応答が大きいとき（大豆とミカン）はレバー押し運動の開始が早く起こり，小さいパンとクッキーでは遅くなっている．そしてニューロン応答がないとき（ニンジンとネジ）はレバー押し運動をしていない．尾状核ニューロンは，1）いろいろな食物や非食物を見たときに促進応答をし，その応答性は対象物によって異なる，2）ニューロンの促進応答が大きいほどレバー押し運動の開始が早い．このようにこのニューロンの促進応答の変化はレバー押し運動の開始に関係している．

図 4.22 B の左端の図には通常の条件でミカンを呈示したときのニューロンの促進応答とレバー押し運動を示してある．左から2番目の図はミカンを呈示して

いるが，レバーに覆いの板を被せてサルがレバーを押せないようにしてある．ついで3秒後に覆いを取り去ると，サルはレバー押しを行い，第2シャッターを開けてミカンを食べている．このような条件下でミカンを呈示してレバー押し行動の開始までの期間（3秒），サルは待機しているが，ニューロンの促進応答は増強し，レバー押し運動がなくてもニューロンの促進応答は持続している．このことはこのニューロンの促進応答はレバー押し運動に直接結びついた単純な運動性応答ではないことを示している．

図4.22 Bの右端の2つの図にはミカンを十分に摂取した後のミカンと大豆に対するニューロン応答の変化とレバー押し運動を示してある．サルは満腹しているので，このニューロンはミカンを見てもほとんど促進応答をせずレバー押しもしない．しかし大豆では空腹時（A列左端）ほど強くはないが，ニューロンは中程度の促進応答を示し，レバー押しも行い，同じミカンという視覚刺激でも空腹状態下と満腹状態下ではニューロン応答が異なる．実験に用いた大豆と卵ボーロは形，大きさ，色がほぼ類似しているのに両者に対するニューロン応答はかなり異なること（A）と考え合わせると，これらのニューロン応答は単純な感覚応答ではなく，感覚入力と動機（快情動）的側面が統合されて運動出力に変換される中間的な過程を反映していることを示している．

ii) 尾状核ニューロン応答への前頭葉冷却の影響とドパミン性入力　　尾状核へは大脳新皮質，視床，黒質あるいは辺縁系などからの様々な入力がある．そこで尾状核の前部（頭部）からニューロン活動を記録した電極を通して西洋ワサビ過酸化酵素（horseradish peroxydase：HRP）を注入し，入力線維を調べると，新皮質の非常に広範な部位から線維投射があり，特に背外側前頭前皮質の弓状窩と主溝周辺部からの入力が多い．これらのことは背外側前頭前皮質のこれらの部位が尾状核に強い影響を与えていることを示している．

両側の背外側前頭前皮質を冷却して機能を一過性に低下させたときの尾状核ニューロンの応答性を解析した（小野，1982；Nishino et al., 1984）．図4.23には3つのタイプのニューロン応答（a, b, c）に対する両側の背外側前頭前皮質冷却の影響を示してある（Aa, b, c：冷却前，Ba, b, c：冷却中）．Aaのニューロンは各期（干しブドウを見たとき，レバー押し期と干しブドウを取るための手の伸展時▽）にわたり促進応答をする．Abのニューロンはレバー押し期に個々のレバー押し運動とは関係しないが，持続的な促進応答をする．Acのニューロンは摂

尾状核

A. 対照（冷却前）

干しブドウ
FR: 10   a
FR: 5   b
FR: 5   c

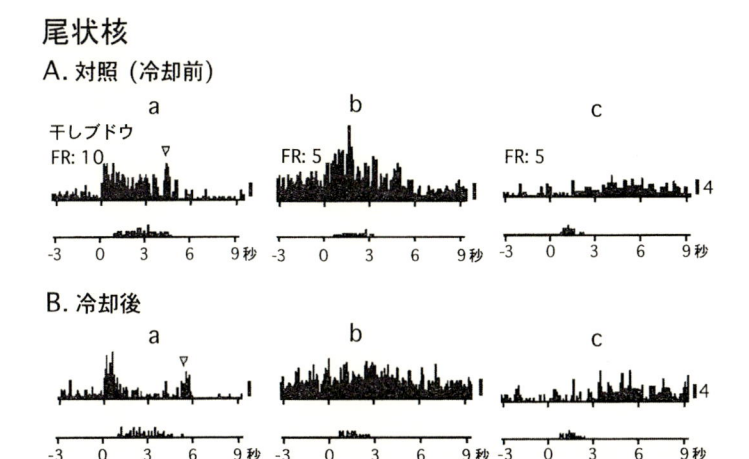

B. 冷却後

a   b   c

図 4.23 尾状核のニューロン活動に対する背外側前頭前皮質冷却の影響（Nishino et al., 1984；小野, 1982）背外側前頭前皮質（9野）を冷却し，一時的に機能を停止させたときの，尾状核ニューロン応答（a, b, c の3つのタイプ）の変化．A：冷却前の応答，B：冷却後の応答．各列においてヒストグラム上，ニューロン促進応答の3回加算；下（時間軸上），レバー押し信号の加算．ビン幅，100ミリ秒；時間軸0，W1の開放時点．ヒストグラムの作成は以下の図においても同様．
識別期の応答（Ba），摂食期の応答（Bc）および手の伸展時の応答（a の▽）は背外側前頭前皮質を冷却しても変化しないが，レバー押し期の応答（Ba, b）は消失．

食期（干しブドウを食べている間）に促進応答をしている．両側の背外側前頭前皮質を冷却すると，食物を見たときの促進応答（Ba）や摂食中の促進応答（Bc）あるいは手の伸展時の促進応答（Bb の▽）は変化しない．しかしレバー押し中の持続的な促進応答は低下している（Ba と b）．このことは背外側前頭前皮質からの入力がレバー押しという持続的な運動の遂行という意欲の持続に関係することを示している．

黒質からのドパミン性入力が障害されると，パーキンソン病になることはよく知られており，黒質―線条体系だけでなく，背外側前頭前皮質―尾状核系も重要な役割を果たしていると考えられる．図4.24には尾状核ニューロンへの微少量投与ドパミンの効果を調べた結果を示してある．Aにはニューロンのインパルス放電頻度曲線，Bにはレバー押し課題におけるニューロン応答の加算ヒストグラムを示してある．このニューロンは手の動き（伸展）(A)，レバー押し運動および摂食に対応して促進応答をしている．次に前もって電気的に微少量のドパミンをニューロン膜に投与し，レバー押し課題を行わせると，促進応答が抑制される．逆にドパミンの拮抗薬であるスピロペリドールを同様に投与しておくと，レバー

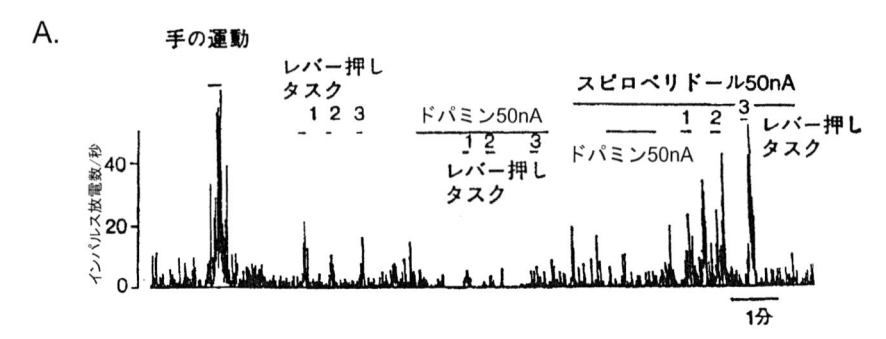

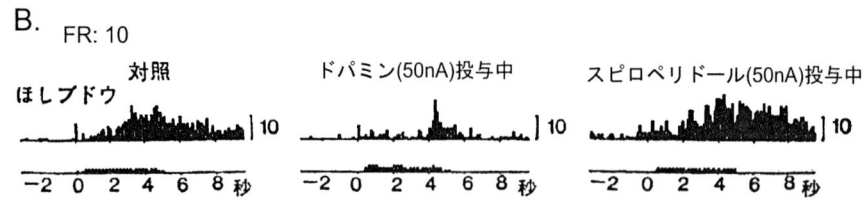

図4.24 尾状核ニューロン応答に対するドパミンの効果（Nishino et al., 1984；小野，1982）
A：インパルス放電頻度曲線，B：レバー押しタスク時のインパルス放電頻度ヒストグラム．A：手の動きやレバー押しタスク時に促進応答．多連微小電極を用いてドパミンを電気泳動的に投与する（横線期間中，50 nA）と，インパルス放電頻度の減少，レバー押しタスクを行っても，ほとんど増加しない．ドパミン拮抗薬（スピロペリドール）の投与中（横線期間中，50 nA）にはドパミンの抑制作用を遮断，レバー押しタスクによる促進応答の増強．縦軸：インパルス放電数/秒，横軸：時間（分）．B：通常のレバー押しタスク，ドパミン投与下およびスピロペリドール投与によるレバー押しタスク時のニューロンの応答の変化．

押し課題に伴うニューロンの促進応答はより増強する．これらのことはドパミンレベル（黒質からのドパミン入力の活動度）の違いにより尾状核ニューロンの応答性がかなり修飾されることを示している．

尾状核内には食物と非食物認知レバー押し摂食行動課題に応答するニューロンと応答しないニューロンが存在する．さらに応答ニューロンは，A) 認知期，B) レバー押し期，C) 摂食期および，D) 認知，レバー押し，摂取期のうち2つ以上の時期に応答するニューロンに分けられる．これら応答するニューロンは全体的にみて尾状核の中心部に少なく，周辺部に多く存在し，実際の摂食期に応答するニューロンは腹内側部に多い傾向が認められた．

2) サル淡蒼球と黒質ニューロンの応答性

i) 運動に関係する応答　　尾状核は新皮質の広範な部位から入力を受け，出力は淡蒼球に収束し，一部は黒質に投射する．そこで淡蒼球または黒質ニューロンのレバー押し摂食行動に対する応答性を調べた．図4.25 A には淡蒼球のいろいろな運動要素に対して応答する6個のニューロンの応答例を示してある．Aa, b

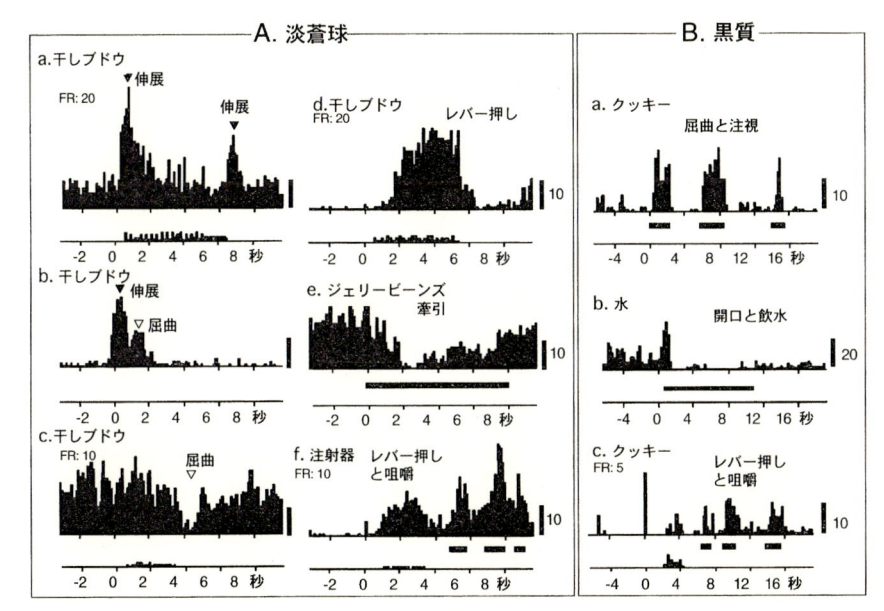

図4.25 サル淡蒼球と黒質の個々の運動に応答したニューロン（Nishino et al., 1984；小野, 1982）
A：淡蒼球ニューロンの応答．a：レバー押しと食物獲得のための手の伸展（▼）時に促進応答．b：干しブドウを取るための手の伸展（▼）と屈曲（▽）時の抑制応答．c：干しブドウをとるための手の屈曲時の抑制応答．d：レバー押し運動時に促進応答．e：サルが口に入れて嚙もうとするときにジェリービーンズの一端を強くひっぱるとき（ヒストグラム下の実線），抑制応答（時間軸0：ジェリービーンズを握った時点）．f：レバー押しと咀嚼運動（ヒストグラム下の実線）時に促進応答．
B：黒質ニューロン応答．a：クッキーを手に取って口元にもっていき見つめるとき（ヒストグラム下の実線），促進応答（時間軸0：手に取った時点）．b：飲水用パイプをくわえるために口を開けたとき，一過性の促進応答，水を飲む期間（ヒストグラム下の実線）とそれ以後の抑制応答（時間軸0：パイプが口に触れた時点）．c：レバー押しと咀嚼時（ヒストグラム下の実線）に促進応答．

およびcのニューロンは手の伸展（▼）あるいは屈曲（▽）に対応して促進または抑制応答をしている，Adのニューロンはレバー押し運動に対応して促進応答をしている，Aeのニューロンは，サルがジェリービーンズを口に入れて嚙もうとするときにジェリービーンズの一端を実験者が手で引っ張るのに対応して抑制応答をしている，Afのニューロンはレバー押し運動と咀嚼運動に対応して促進応答をしている．図4.25 B には黒質の3個のニューロンの応答例が示してある．Ba のニューロンは手を屈曲して食物を口にもっていき，見つめるときに促進応答をしている．Bb のニューロンは口を開けるときに一過性の促進応答を示し，水を飲む期間（ヒストグラム下の実線）に抑制応答をしている．Bc のニューロンはレバー押しと咀嚼時に促進応答を示している．このように淡蒼球と黒質ニューロンの約

半数は摂食行動時のいろいろな運動要素に対応して応答し,運動に直結する応答であった.このことは,淡蒼球と黒質が尾状核に比べ運動の出力系により近い位置にあることを示している.

ii) 淡蒼球と黒質ニューロンの運動の準備と遂行時の応答性　淡蒼球ニューロンと黒質ニューロンはいずれも運動時によく促進応答をするが,淡蒼球ニューロンは主に手の伸展,屈曲やレバー押し運動時に応答する.黒質ニューロンは手の運動時にも応答するが口の開閉や咀嚼運動,目の動きなどにも対応して応答する.

淡蒼球と黒質の運動の開始および遂行とニューロン応答の時間関係を比較すると,いずれもレバー押し運動に対応して応答する.しかし淡蒼球ニューロンの25%ではその応答が緩徐に変化し(図4.26 Aa),黒質のほとんどすべてのニューロンは速やかに一定の応答をする(図4.26 Ba).図4.26 Ab,Bbには図4.22 Bと同様に,食物は呈示するが,レバーを覆って一定時間レバー押しを遅らせた(遅延レバー押し)ときの淡蒼球と黒質ニューロンの応答を示してある.淡蒼球ニュー

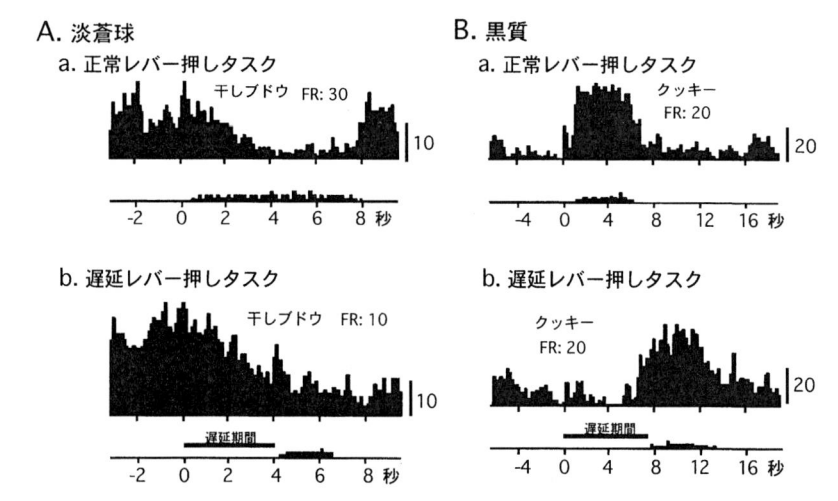

図4.26　正常および遅延レバー押しタスク時の淡蒼球(A)と黒質(B)ニューロンの応答(Nishino et al., 1984；小野, 1982)

正常タスク(a)では,レバー押しを始めると淡蒼球ニューロン活動は徐々に減少し,4-5秒後に最大変化を示す抑制応答.黒質ニューロンのインパルス放電頻度は,レバー押し運動の開始直後から起こる一定の促進応答.遅延レバー押しタスク(b)では,淡蒼球ニューロンは待ち時間(第1番目のシャッター開放から,レバーの覆いが外されてレバー押しを始めるまでの4-5秒)中から始まる抑制応答.黒質ニューロンは待ち時間中にはまったくインパルス放電頻度の変化がなく,レバー押しの開始とともに起こる一定の促進応答.

ロンはレバー押し運動を始めていないのに徐々に抑制応答をしている（図 4.26 Ab）．一方黒質ニューロンはまったく応答しない．遅延時間の後（4秒）に覆いを取り除き，サルがレバー押しを行うと，黒質ニューロンは初めて促進応答をしている（図 4.26 Bb）．淡蒼球ニューロンは運動の始まる以前から応答し（準備応答），黒質ニューロンは運動開始と同時に応答する（遂行活動）のが特徴である．

iii) **淡蒼球ニューロンの応答性および食物と非食物に対するレバー押し運動**

図 4.27 には食物（干しブドウ）に対するレバー押し期と摂食期の両期にわたり抑制応答をする淡蒼球ニューロンの例を示してある（A）．サルは非食物（針つきの注射器）を呈示したときはレバー押しを行い，第2番目の透明なシャッター W2 を開けて（図 4.9 Aab 参照）対象物体を手で払いのける行動を行う．このとき同

淡蒼球

A. 干しブドウ FR: 20

B. 針付き注射器 FR: 10

C. 強制摂食
　干しブドウ

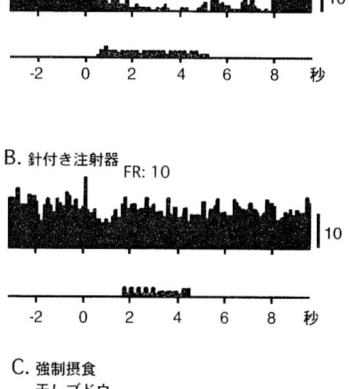

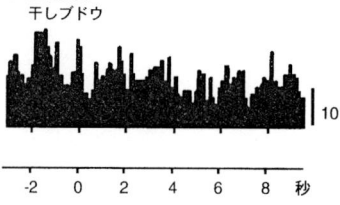

図 4.27 食物および非食物に対するレバー押し摂食および強制摂食に対する淡蒼球ニューロン応答
（Nishino et al., 1984；小野，1982）
A：対象物が食物（干しブドウ）のときはレバー押し運動とともに始まって摂食中も続く抑制応答．B：非食物のときは，通常はレバー押しをしないが，対象物（針つき注射器）によっては，レバー押し運動を行って第2シャッターを開放させ，その対象物を払いのけることがある．このような同様のレバー押し運動しても無応答．C：実験者が干しブドウをサルの口の中に押し入れて食べさせ（強制摂食）ても無応答．

じレバー押し運動を行っているが,ニューロンは応答しない(B).さらにサルの口の中に干しブドウを実験者が押し入れる(強制摂食)条件下では干しブドウを咀嚼するという同じ運動を行ってもニューロン応答が認められない(C).これらのことより淡蒼球ニューロンは単に運動に関係するだけでなく,運動時の状況あるいは運動を支える背景などを反映した応答を示すと考えられる.

iv) 黒質ニューロンの感覚刺激と血糖値上昇に対する応答性　図4.28には

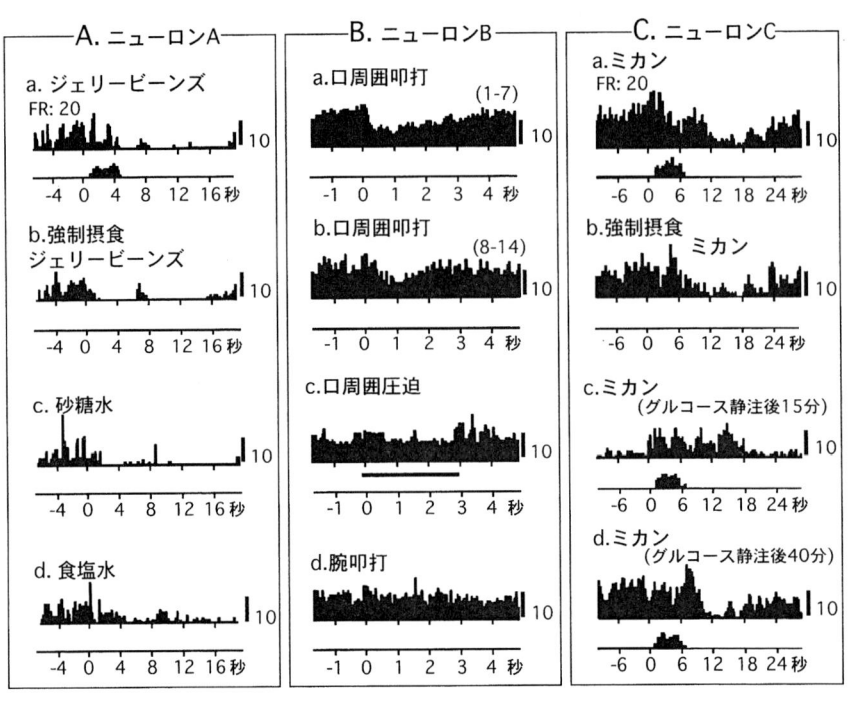

図4.28 サル黒質の3個のニューロンの口腔内または口周囲の感覚刺激に対する応答(A, B, C)とその変化 (Nishino et al., 1984；小野, 1982)
A：レバー押しタスク後の摂食(a),強制摂食(b),砂糖水を飲むとき(c)および食塩水を飲むとき(d)に抑制応答.b, c, dのヒストグラムはそれぞれジェリービーンズ,砂糖水,食塩水が口に入った時点を起点(時間軸0)として加算.
B：口の周囲の軽い叩打に対する抑制応答(a, 1回目-7回目の加算).連続して叩打し続けると抑制応答の減弱(b, 8回目-14回目の加算).しかし同部位に持続的な圧迫(ヒストグラム下の実線)(c)あるいは他部位(腕)に叩打を加えても(d),無応答.a—dのヒストグラムは,刺激の加えられた時点を起点(時間軸0)として加算.
C：Aのニューロンと同様の抑制応答をし,食物が口に入った実際の摂食期に抑制応答の減弱(a, b).血糖を上昇させると,インパルス放電が減少するとともに,摂食期の抑制応答の消失(c, グルコース静注15分後の高血糖時).血糖の回復とともに,インパルス放電頻度と摂食期の抑制応答の回復(d, グルコース静注40分後).

3例の黒質ニューロン応答を示してある（ニューロンA，B，C）．ニューロンAはレバー押し課題により獲得したジェリービーンズを自分で口に入れて食べるとき（a），あるいは実験者が口の中に挿入したジェリービーンズを食べるとき（強制摂食）（b），あるいは砂糖水や食塩水を飲んでいるときのいずれにおいても（c, d）食物あるいは液体が口の中に入っているときに持続的な抑制応答をしている．

ニューロンBは口唇の周囲を実験者が指先で軽く叩打したとき，初期（1回目から7回目）は強い抑制応答をするが（a），連続して叩打し続けると抑制応答が減弱する（b）．しかし同じ部位を強く圧迫し続けても抑制応答に変化がなく（c），腕を軽く叩打しても応答しない（d）．これらのことより口唇周囲の順応の早い触覚入力を受けていると考えられる．

ニューロンCはニューロンAと同様な抑制応答を示し，食物が口に入った後の実際の摂食中に抑制応答をする（a, b）．このときグルコースを静脈内に注射して血糖値を上げると（90→180 mg％），ニューロンの活動が低下（インパルス放電頻度の減少）し，摂食期にも抑制応答を示さず，逆に促進応答が現れる（c，グルコース静注15分後）．しかしグルコース静注後40分後には血糖値はほぼグルコース注射前のレベルに戻り，インパルス放電頻度，摂食期の抑制応答のいずれも回復する（d）．このような血糖値変化に伴うニューロン応答性の変化は肝臓のグルコース受容細胞からの迷走神経を介した影響や視床下部のグルコース応答ニューロンを介する影響を反映していると考えられる．また黒質ニューロン自身が血中や脳脊髄液中のグルコース濃度の変化を感知し，インパルス放電頻度と課題応答性が変化している可能性も考えられる．今後の詳しい検討が必要であろう．黒質の前外側部および後方の内側部にはそれぞれ腕の伸展，屈曲およびレバー押し時に応答する運動関連ニューロンおよび摂食期に応答するニューロンが局在していた．

v）腹側被蓋野ニューロンの動機づけ行動に対する応答性　　腹側被蓋野（ventral tegmental area：VTA）は黒質内側部に位置し，A10と呼ばれる部位にはドパミン作動性ニューロンが多く存在する．腹側被蓋野領域の動機づけ行動における役割を調べるため，サル腹側被蓋野ニューロンのレバー押し摂食行動課題に対する応答性を解析した（Nishino et al., 1987）．その結果，総数275個のニューロンのうち124個（45％）がレバー押し期に，91個（33％）が摂食期に応答した．これら腹側被蓋野ニューロンの多くはレバー押し期に促進応答をするだけでなく，サルの発声時にも促進応答を示したが，摂食期や鼠径部の体性感覚刺激には

抑制性応答を示した.図4.29には非選択的ドパミン受容体刺激薬であるアポモルヒネの静注と発声に対する応答性を解析したドパミンニューロンの応答例が示してある.Cにはこのニューロンの細胞外活動電位（インパルス）の波形を示してあり,約3ミリ秒と持続時間が長いことからドパミンニューロンであると推測される.このニューロンのインパルス放電頻度は対照時には8インパルス/秒であったが（Aa），アポモルヒネ（40 μg/kg）の静注により顕著に減少する（Ab）.静注15分後にはインパルス放電頻度は低下したままであるが,サルの発声を伴う口唇

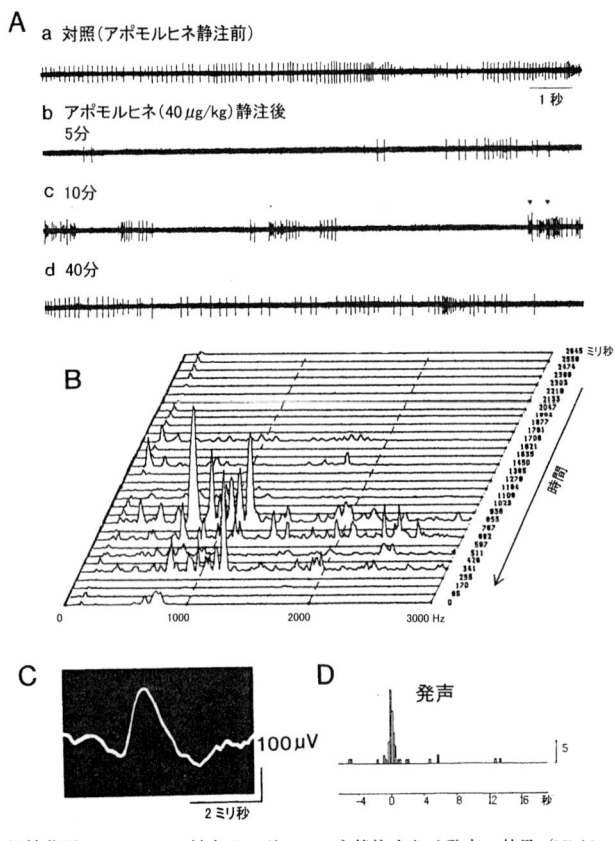

図4.29 腹側被蓋野ニューロンに対するアポモルヒネ静注または発声の効果（Nishino et al., 1987）
A：対照（アポモルヒネ静注前）(a)，アポモルヒネ静注後5分 (b)，10分 (c)，および40分 (d) における腹側被蓋野ニューロンのインパルス放電頻度．▼,不随運動を伴う発声時のニューロンの促進応答．
B：アポモルヒネ静注15分後における発声のFFT解析．
C：腹側被蓋野ニューロンのインパルスの生波形．
D：ニューロン活動の加算ヒストグラム．発声時（横軸のゼロ）にニューロンの促進応答．

舐めや四肢の回旋などの不随運動がしばしば認められ，同時にニューロンのインパルス放電頻度も増加する（Ac）．Bはこのときの発声の音声記録データを高速フーリエ変換（fast fourier translform：FFT）により解析したもので，主に600～1,400 Hzの周波数が認められる．Dにはサルの発声に対する同ニューロンの応答を示してあり，発声とともにニューロンのインパルス放電頻度が増加する促進応答を示している．以上よりドパミンニューロンは報酬獲得のための行動発現時には促進応答を，実際の報酬摂取時には抑制応答を示し，動機づけ行動に重要な役割を果たしていると考えられる．

3) サル尾状核，淡蒼球および黒質ニューロンの応答特性

表4.2には摂食行動の認知期，レバー押し期および摂食期における尾状核，淡蒼球および黒質ニューロン応答の特色を比較して示してある．認知期に応答するニューロンは尾状核では351個のうち57個（16%），淡蒼球と黒質では少数でそれぞれ358および261個のうち21（6%）および16（6%）個だった．尾状核では食物と非食物に対して識別的に応答する食物選択的応答ニューロンが認知期に応答した45個のうち18個（40%）も存在するが，淡蒼球と黒質では6-8%だった．

一方尾状核にはレバー押し期に応答するニューロンは少なく（351個のうち35個，10%），淡蒼球（358個のうち174個，49%）と黒質（261個のうち102個，39%）には多かった．これらニューロンのうち，個々のレバー押し運動に直接関連して応答するニューロンは，尾状核では少なく（2%），淡蒼球（60%）と黒質（65%）では多かった．また黒質ではほとんどのニューロンが対象物の如何に関わらずレバー押し期にほぼ一定の応答を示すが，淡蒼球ではレバー押し期に応答する38個のニューロンのうち25個（66%）がそのような一定の応答を示し，残り

表4.2 尾状核，淡蒼球および黒質の記録ニューロンの数，摂食行動の各期に応答するニューロンの割合（%），および予想される機能

	記録ニューロン数	認知期（食物選択的応答）	レバー押し期（運動関連）	摂食期	予想される機能
尾状核	351	18 (40)	10 (2)	18	感覚-運動統合 (sensory-motor integration)
淡蒼球	358	7 (6)	45 (60)	30	動機的運動 (motivated motor)
黒質	261	7 (8)	38 (65)	37	摂取運動 (ingestion motor)

（ ）の数字はそれぞれ，食物に対する選択的応答および運動関係応答の割合．

13個（34％）は食物と非食物に対するレバー押し運動時に異なった応答をする．摂食期には各部位ニューロンの多くが応答し，特に黒質では多くのニューロンが口の動きや咀嚼など実際の摂食運動行為に対して応答する．

4) 大脳基底核の各部位ニューロンの役割

現在までに得られたデータに基づいて，尾状核，淡蒼球および黒質の3部位の運動発現における役割について考察する．尾状核は新皮質，視床，黒質などの広範な部位から多種の感覚入力を受け，それらを運動系に統合していくのに重要な役割を果たしている．淡蒼球は運動機能に直結しているが，運動に先立つ準備に関係するとともに辺縁系や視床下部などの情動脳からの情報と運動の統合過程に重要な役割を果たしている．一方黒質は運動の遂行に関係し，摂食行動においては口腔内や口周辺部から豊富な感覚入力を受けて咀嚼，嚥下運動などに関係する．図4.30には解剖学的なデータに以上の実験結果を加え，運動の発現における尾状核，淡蒼球および黒質とその関連部位間の情報の流れを模式化して示してある．

5) ノックアウト動物を用いた研究

前項の4.1節 a.3)，ii) で述べたようにドパミン受容体にはD1-D5の5種類のサブタイプがあるが，特定のサブタイプだけに選択的な作動薬や拮抗薬がほとん

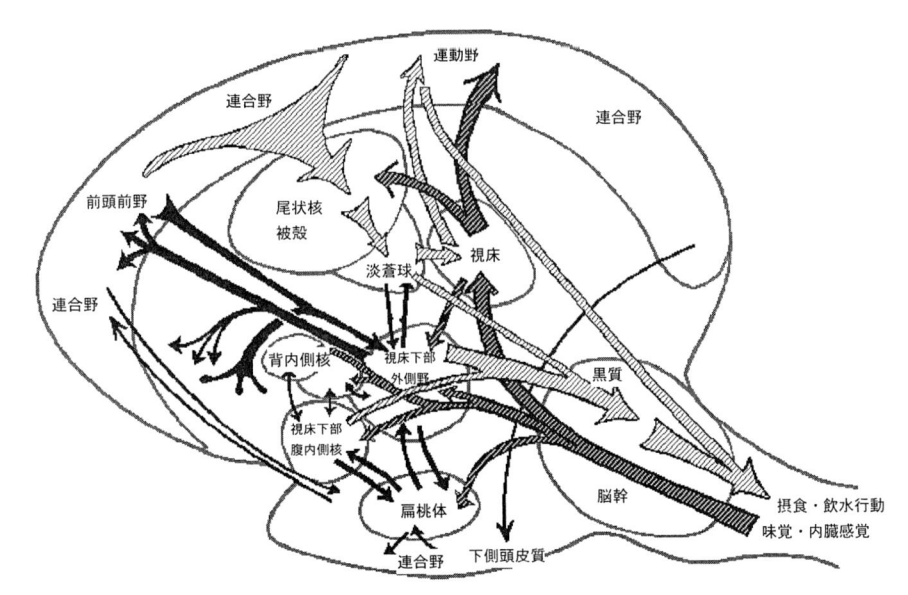

図4.30 尾状核，淡蒼球，黒質および関連中枢間の運動の発現における情報の流れの模式図（小野，1981, 1984；西野，1981）

どないため，各サブタイプがどのように情動に関与するかはほとんど調べられていなかった．しかし近年の遺伝子操作技術の進歩に伴い，各サブタイプの遺伝子だけをノックアウト（knockout：KO）したマウスが作製され，問題解決への道が開かれた（Yamaguchi et al., 1996）．筆者らは勝木らとの共同研究によりドパミンD1受容体とD2受容体のKOマウスを用い，ICSS行動，オープンフィールド内での行動量，ICSS報酬獲得場所課題行動下で側坐核，扁桃体，海馬体のニューロン応答性を解析した．これらの研究により側坐核，扁桃体，海馬体の情動・記憶機能における役割を調べた．

i) **報酬獲得行動とドパミン受容体**　ICSS行動はスキナーボックス内でマウスが小さな穴に鼻部を突っ込む（ノーズポーク）とセンサーが作動し，前もって内側前脳束に埋め込んだ刺激電極に通電することにより行わせた（図4.31 A）．図4.31 Bにはマウスの ICSS行動に対する D1受容体 KO または D2受容体ノックアウトの影響を示してある．D1受容体 KO マウスでは最適電流強度が高く，刺激ー周波数反応曲線が右にシフトしている．D2受容体 KO マウスではほとんど影響がなかったので，ICSS行動時の快感（快情動）の誘起にはドパミン D1受容体が主要な役割を果たすことが明らかとなった．

　研究には筆者らが独自に開発したオープンフィールド内でのマウスの行動量と場所学習能をテストするための実験システムを用いた（Kobayashi et al., 1997）（図4.67 A 参照）．この実験システムではオープンフィールド内の天井中央部にマウスの位置追跡用の特殊カメラが設置してあり，動物の居場所をモニターする．オープンフィールド内の任意の位置に報酬場所を設定し，マウスがその場所に入るとICSS報酬を与える．図4.32にはこの研究で用いた行動課題の概要を示してある（Tran et al., 2003, 2005）．まず訓練初日には課題訓練の開始前にマウスをオープンフィールドに入れ，10分間の累積移動距離を算出し，新規環境下での自発運動量を測定した．次の移動距離課題ではマウスが前もって設定された一定の距離（距離基準, distance criteria）を歩いたら ICSS 報酬を与えた（A）．1回の ICSS 報酬獲得に要する距離基準は 30 cm から開始し，1 セッション 10 分以内に 50 回の報酬を獲得できるようになったらその距離を漸増し，最終的に距離基準が 80 cm 以上に達するまで訓練した．さらに任意の場所探索課題ではオープンフィールド内に直径 30 cm の円形の報酬場所を任意の時間間隔で無作為に設定し，マウスがオープンフィールド内を自由探索中にこの場所に入ると，ICSS 報酬を与えた．報

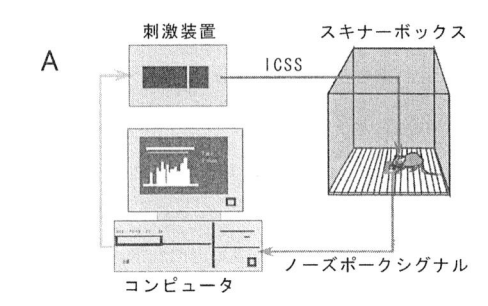

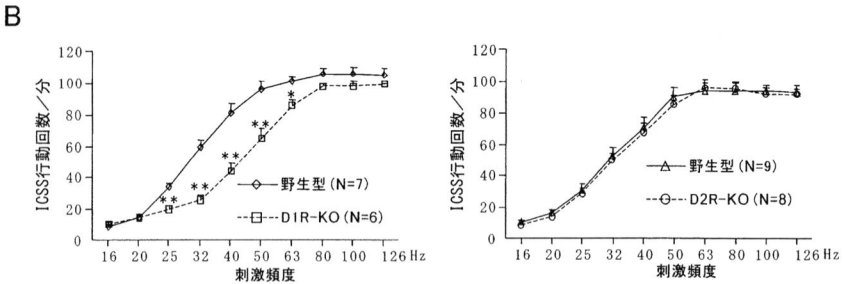

図 4.31 マウスの ICSS 行動用実験装置および ICSS 行動へのドパミン受容体サブタイプ（D1 または D2）ノックアウト（knockout：KO）の影響（Tran et al., 2002, 2005 を一部改変）
A：ICSS 行動用実験装置の模式図．マウスがスキナーボックスの中央にある小さな穴に鼻部を突っ込む（nose poke：ノーズポーク，ICSS 行動）とセンサーが作動し内側前脳束に電気刺激が与えられる．
B：ICSS 行動へのドパミン受容体サブタイプ（D1 または D2）ノックアウトの影響．横軸，ICSS 行動の刺激頻度；縦軸，マウスの 1 分当たりのノーズポーク（ICSS 行動）回数．*, $P<0.05$；**, $P<0.01$.

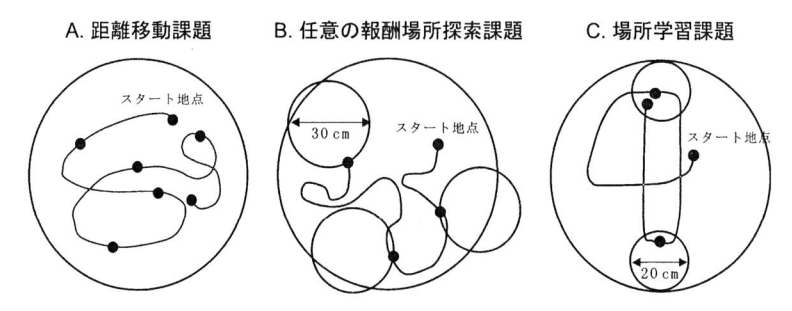

図 4.32 マウスの空間行動課題（Tran et al., 2002, 2005）
A：距離移動課題．マウスが予め設定された一定の距離（distance criteria）を移動したら ICSS 報酬．距離基準（distance criteria）は 30 cm から始め，80 cm 以上に達するまで訓練．B：任意の場所探索課題．オープンフィールド内に直径 30 cm の円形報酬場所を一定の時間間隔で無作為に設定．マウスがオープンフィールド内を探索中にこの場所に入ると，ICSS 報酬．C：場所学習課題．オープンフィールド内に直径 20 cm の円，中心間距離 60 cm の報酬場所を 2 カ所に設定，マウスが交互にこれら 2 カ所の報酬場所に入り，それぞれの場所で 1 秒間待つと，ICSS 報酬．

酬場所の位置設定は無作為に行うので，この課題を訓練することによりマウスはオープンフィールド内をほぼ均一に探索するようになる (B)．場所学習課題ではオープンフィールド内の2カ所に直径20 cmの円形で中心間距離60 cmの報酬場所を設定し，マウスがこれら2カ所の報酬場所に交互に入ると，それぞれの場所で ICSS 報酬を与えた (C)．このときマウスが自己の居場所を認識していることを確認するため，報酬場所に入った後1秒の遅延時間を置いて ICSS 報酬を与えた．任意の報酬場所探索課題と場所学習課題では1セッションを10分間または50回の ICSS 報酬を獲得するまでとし，10分間以内に50回の報酬を獲得できない場合は10分間でセッションを終了とした．

　図4.33には野生型と D1 または D2 受容体 KO マウスの行動に関する結果を示してある (Tran et al., 2003, 2005)．自発行動量は野生型に比べて D1 受容体 KO マウスでは顕著に，D2 受容体 KO マウスでは中程度に減少している (Aa, b)．距離移動課題では，D1 受容体 KO マウスはすべての ICSS（報酬）獲得の距離基準で，D2 受容体 KO マウスは30 cm 以上の距離基準で所要時間が有意に増加している (Ba, b, c)．図には示していないが，D1 受容体 KO マウスの運動量低下は4日間の任意の報酬場所探索課題訓練期間中にも継続して観察され，1セッション当たりの報酬獲得回数も野生型マウスに比べて有意に少ない．D2 受容体 KO マウスでも課題訓練期間中の運動量低下が観察されるが，1セッション当たりの報酬獲得数には訓練開始4日目までを除いて有意な差はない．これらのことよりドパミン D1 受容体および D2 受容体を介するシグナルは動物の行動量に対して，それぞれ高度または中程度の促進的作用を有することが明らかになった．図4.34には場所学習能に関する結果を示してある．野生型マウスでは場所学習の開始2日目で短時間に50回の報酬を獲得し，報酬場所間を効率よく直線的に移動するようになる (A, Ba)．D1 受容体 KO マウスでは場所学習が著しく遅れ，課題訓練を継続しても野生型マウスのレベルまで到達することはなく，移動様式も効率的な報酬獲得パターンである報酬場所間の直線的往復移動は見られない (Bb)．D2 受容体 KO マウスは場所学習訓練開始4日目までは報酬獲得回数が有意に少なく，報酬場所間の効率的な直線的往復移動の出現も遅れるが，訓練の継続により報酬獲得回数は増加して野生型マウスとほぼ同じレベルまで達し，比較的直線的な移動様式を示すようになる (Bc)．これらのことより場所学習には D1 と D2 受容体の両受容体系が関わるが，D1 の寄与が大きいと考えられる．

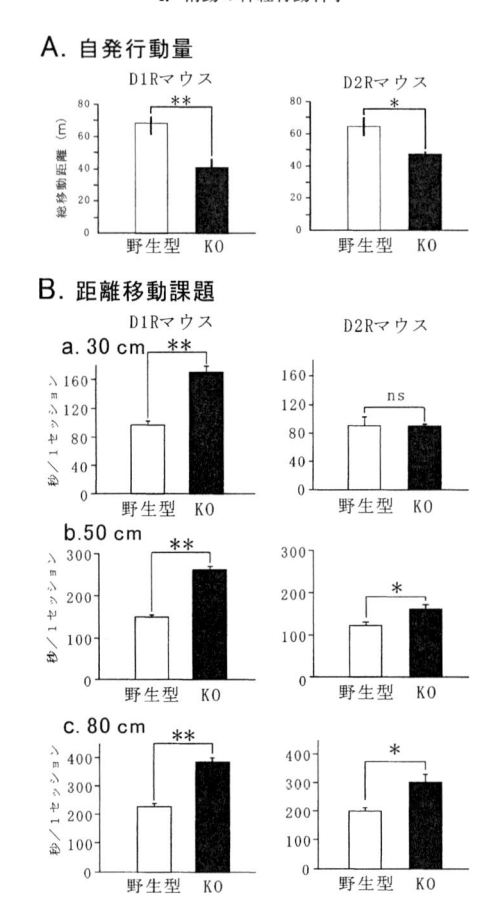

図 4.33 マウスの行動量へのドパミン受容体サブタイプ（D1 または D2）ノックアウト（KO）の影響 (Tran et al., 2002, 2005 の一部改変)
A：自発行動量への影響．
B：距離移動課題への影響．距離基準は 30 cm（a），50 cm（b）および 80 cm（c）．距離移動課題では，行動量が大きいほど時間当たりの移動距離は長いので，criteria の距離を動くのに要する時間が短い（すなわち，1 セッション当たりに要する時間が短いほど行動量は大きい）．
白抜きおよび塗りつぶしの棒グラフ：それぞれ，野生型および KO マウスのデータ．$*$, $P<0.05$；$**$, $P<0.001$

ii) 側坐核ニューロンの ICSS 行動に対する応答性 筆者らはこれらドパミン受容体サブタイプのニューロン活動への影響を検討するため，場所学習課題遂行中の野生型と D1 または D2 受容体 KO マウス側坐核ニューロンの応答性を比較解析した（Tran et al., 2003, 2005）．マウスでもラットと同様に場所学習課題を長期間訓練していくと，報酬場所がどこにあるかを学習し，D1 または D2 受容体

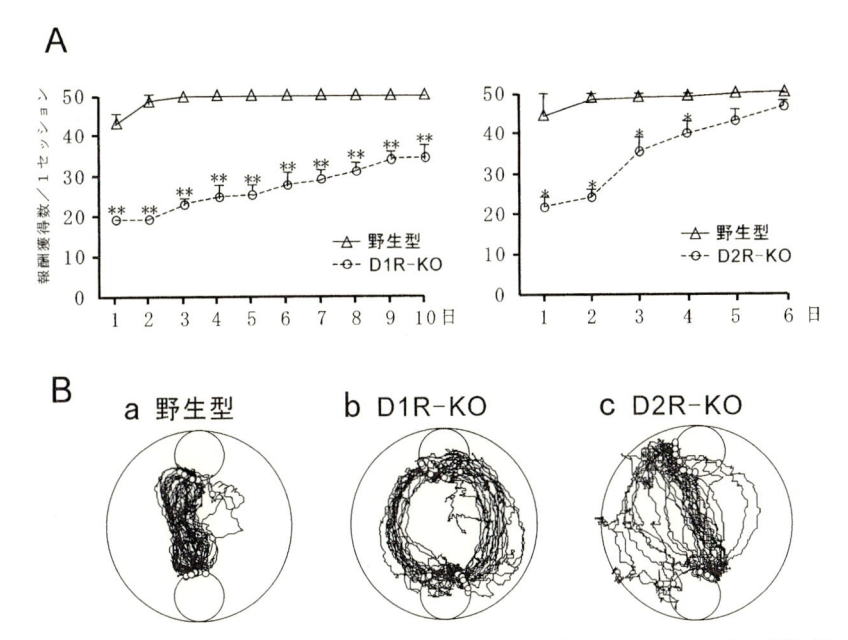

図 4.34 場所学習課題へのドパミン受容体サブタイプ（D1 または D2）ノックアウト（KO）の影響（Tran et al., 2002, 2005 の一部改変）
A：報酬獲得回数への影響．2 カ所の報酬場所の位置を学習すると，その間を速やかに移動するようになるので，1 セッション当たりに獲得する報酬数は最大獲得回数（50 回）に近づく．*, $P<0.05$；**, $P<0.001$.
B：野生型（a），D1R-KO（b）または D2R-KO のマウス（c）の典型的な移動軌跡の例．その他の説明は図 4.32 を参照．

KO マウスでも往復運動するようになり，報酬場所に入ると，その場所で ICSS 報酬を獲得するまで立ち止まるようになるので，報酬場所に入る直前から報酬を獲得するまでの期間，報酬の予測をしていると考えられる．図 4.35 には，野生型，D1 または D2 受容体 KO マウス側坐核ニューロンの報酬予測応答の変化を示してある．本研究で記録した総数 150 個の側坐核ニューロンのうち 51 個（34％）が ICSS 報酬に対する応答性から抑制応答型と促進応答型ニューロンに大別された（Aa，b）．これら抑制応答型および促進応答型ニューロンの 10％ は報酬獲得直前約 2 秒間にも同方向のそれぞれ抑制および促進応答を示した．D1 受容体 KO マウスの側坐核では報酬予測応答を示すニューロンのうち，抑制応答型は野生型マウスと同じ割合で存在したが（Ba），促進応答型は 1 個も記録されなかった（Bb，c）．対照的に D2 受容体 KO マウスの側坐核では報酬予測応答を示すニューロンのうち，抑制応答型は 1 個も記録されなかったが，促進応答型は野生型マウスと

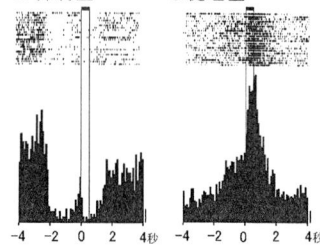

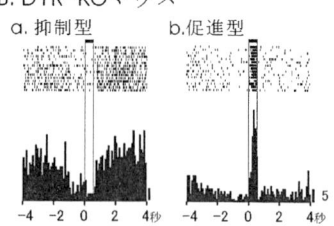

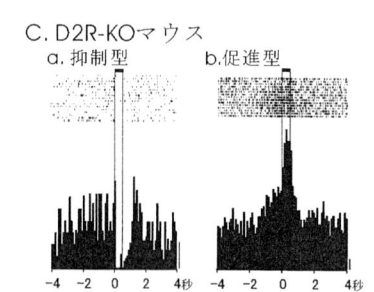

図 4.35 マウス側坐核ニューロンの報酬予測応答に対するドパミン D1 または D2 受容体ノックアウトの影響（Tran et al., 2002, 2005 の一部改変）

A-C：野生型（A），ドパミン D1 ノックアウト（D1R-KO；B）およびドパミン D2 受容体ノックアウト（D2R-KO；C）の各マウスの側坐核から記録した抑制型（a）および促進型（b）ニューロン応答をラスターおよびヒストグラムで表示．野生型マウスでは，報酬予測期（−2-0 秒）に，抑制型および促進型ともに，それぞれ抑制応答および促進応答（Aa, b）．D1R-KO マウスでは，抑制型は報酬予測期にも抑制応答，促進型は無応答（Bb）．D2R-KO マウスでは，抑制型は報酬予測期にも無応答，促進型は促進応答．これらのラスターと加算ヒストグラムはマウスが報酬場所 1 で報酬獲得したときのニューロンのインパルス放電頻度を示してあるが，報酬場所 2 でもニューロンの応答性は基本的に同じ．横軸 0-0.5 秒各ラスター上の（太い実線），報酬場所 1 における ICSS 期間；−，ICSS 報酬開始前；+，ICSS 報酬開始後；ビン幅，100 ミリ秒．

同じ割合で存在した（Ca, b）．これらのことより腹側被蓋野からのドパミン性入力は，D1 受容体を介しては促進性，D2 受容体を介しては抑制性の報酬予測応答を形成する．これら両受容体は報酬予測に対して相補的な役割を果たしていると考えられる．

4.5 扁桃体の役割

a. 扁桃体と情動発現
1) 扁桃体の刺激と破壊

　扁桃体は情動と情動行動に重要な役割を果たしている．この見解は主に脳の破壊や刺激によって起こる行動の変化やヒトの患者の臨床病理学的所見に基づいたものである．ここでは主にこれらの歴史的な実験に基づいた所見について述べる．扁桃体の電気刺激により視床下部性情動反応（4.1節2) ii) 参照）によく似た情動反応が起こる．ネコで外側核吻側の刺激により，逃避行動が起こり，中心核やそれに近接した外側核後部や基底外側核の刺激により攻撃行動が起こる（Kaada, 1972）．ヒトでは扁桃体の電気刺激により怒りや恐れの感情が起こる（Chapman et al., 1954；Heath et al., 1955）．

　1937年KlüverとBucyは両側の扁桃体を含む側頭葉の破壊により，1) 精神盲：食物と非食物の区別など周囲にある物体の意味がわからなくなる，2) 口唇傾向：周囲にあるものを手あたりしだいに口にもっていき，舐めたり，噛んだりする，3) 性行動の亢進：手術後しばらくして出現する症状で雌，雄ともに性行動の異常な亢進が起こり，同性異性を問わず異種の動物に対しても交尾行動を行う（Schreiner and Kling, 1953），4) 情動反応の低下：手術前には強い恐れ反応を示したヘビなどを見せてもまったく恐れ反応を示さなくなるなどの症状からなるKlüver-Bucy症候群が起こることを報告した（Klüver and Bucy, 1939）．また敵に対しても何の反応もなく近づいていき，攻撃され傷つけられる．このような動物を群の中に放つと，群の一員として振る舞うことができず集団生活ができなくなる．このKlüver-Bucy症候群は側頭葉だけでなく，扁桃体，海馬体，鉤など広範囲の障害によるものであった．その後もいろいろな動物を用いて多くの研究が行われ，扁桃体の部分破壊ではなく，両側の扁桃体全体だけを破壊してもこの症状が現れることが明らかとなった（Gloor, 1960；Goddard, 1964）．

　1994年にNHKライフサイエンス・スペシャル番組で驚異の小宇宙・人体Ⅱ脳と心・4回目で人はなぜ愛するか［感情］を行った．このとき，この番組の担当者から筆者にテーマがむずかしく番組を製作できそうにない，どうしたらよいだろうかとの相談を受けた．筆者は上述のKlüver-Bucyのサル両側扁桃体を含む側

頭葉を切除したサルの症状などについて説明した．その後，直ちに担当者らがKlüverとBucyの研究室を訪れて映画のフィルムを見せてもらったが，何もみえなかったそうである．そこで筆者らにサルの両側扁桃体の破壊をして起こる症状を再現してほしいとの依頼があった．図4.36にはその研究の一端を示してあり，正常のサルはヘビやクモのモデルを見ると飛び上がって恐れて逃げるが（A），両

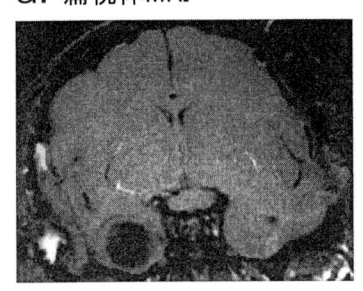

図4.36 扁桃体を破壊したサルの異常行動
A：正常なサルのヘビのモデル（a）およびクモのモデル（b）に対する反応．
B：両側の扁桃体を破壊して3カ月後のサル頭部のMRI写真（a）およびこのサルにヘビのモデルを呈示したときの異常行動（b）．健常なサルでは逃避行動を起こすが，このサルは，ヘビのモデルを口の中に入れて噛んでいる．

側の扁桃体を破壊しているサルは逃げるどころかヘビを頭から嚙んで食べようとしている(B).

情動の変化は化学刺激によっても起こる.アセチルコリンかカルバコールの結晶を扁桃体の背内側部位に注入すると,ネコは攻撃的となり,他のネコや実験者を攻撃する.この攻撃性の亢進は5カ月も持続し,手なづけようとしても馴れない(Girgis, 1972).扁桃体内では基底外側核のアセチルコリンエステラーゼ活性が最も高く,注入したアセチルコリンはこの核に作用したものと考えられる.しかしその作用が5カ月も持続することを説明できる基礎的研究はまだない.

2) 情動発現と感覚情報処理

1937年のKlüver-Bucy症候群の報告とPapezによる情動回路の提唱は扁桃体の機能を明らかにするうえで特記すべきことであったことはすでに述べた.Klüver-Bucy症候群は感覚情報処理の観点からみると,離断症候群(disconnection syndrome)として捉えることができる.その後Klüver-Bucy症候群は扁桃体を破壊しなくても側頭葉から扁桃体にいたる視覚経路の切断により,種々の視覚認知異常や情動の変化など特有の症状を示すようになることが明らかになった(Horel et al., 1975 ; Iwai et al., 1986 ; Sunshine and Mishkin, 1975).この場合,動物は視覚以外の感覚刺激には正常に反応する(Horel et al., 1975).Downer(1961)は分離脳を用い,扁桃体における視覚情報処理が情動発現に重要であることを報告した.彼はサルの脳の視神経交叉,脳梁および前交連を切断して左右の脳を分離し(split brain:分離脳),一側の扁桃体を破壊した.この分離脳サルは扁桃体の正常な大脳半球へ送られる視覚刺激には正常な攻撃行動を起こすが,扁桃体の破壊されている大脳半球への視覚刺激にはほとんど反応しなかった.一側の扁桃体は正常であるが,その視覚入力が完全に遮断されたとき異常行動が現れるのである.下側頭皮質から入ってきた視覚情報は扁桃体で快または不快の情動と結びつけられ,その視覚情報の意味づけ(感覚刺激の生物学的価値評価と意味認知)が行われる.この間の情報伝達が障害されると,種々の外界刺激の情動的意味づけができなくなり,各種情動行動の異常となって現れるのである.

一方視床の内側膝状体や大脳新皮質聴覚野を破壊して扁桃体への聴覚入力を完全に遮断すると,聴覚刺激に反応することができなくなる(Romanski and LeDoux, 1992).扁桃体から視床下部を含む脳幹への出力経路を破壊しても同様の異常行動が現れる(Hilton and Zbrozyna, 1963).以上を総合すると,Klüver-Bucy

症候群は扁桃体への感覚入力あるいは扁桃体から脳幹への出力のいずれかが遮断されたときに発現する．扁桃体に入力する経路の遮断が特定の感覚種の処理経路であれば情動行動の障害はその感覚種だけに限定される．破壊が扁桃体を含めてそれ以後の経路に及ぶとすべての感覚種において情動行動の障害が現れる．

3) ラットとサルの扁桃体―視床下部間のシナプス結合の神経生理学的解析

1960年当時，ラット，ネコ，サルおよびヒトの解剖学，破壊や刺激による行動学，ニューロン活動を記録する神経生理学的研究により，扁桃体は視床下部外側野へ抑制入力を送っていることが報告されていた（Egger, 1967）．筆者らは視床下部外側野ニューロンのインパルス放電の細胞外記録や細胞内電位記録を行い，扁桃体と視床下部の機能的連絡を調べた．図4.37は麻酔下ラットと行動下サルの実験結果を示してある（Oomura et al., 1967；小野，1969；Oomura et al., 1970；Ono et al., 1976；Oomura and Ono, 1982）．ラットでは扁桃体の刺激により潜時約10ミリ秒の誘発インパルス放電に続く約100ミリ秒のインパルス放電の抑制がみられる（Aa）．さらにこの扁桃体―視床下部外側野間のシナプス応答を直接解析するため，麻酔下ラット視床下部外側野ニューロンの細胞内電位記録を行いながら扁桃体を電気刺激した（B）．その結果，興奮性シナプス後電位（excitatory post-synaptic potential：EPSP）に続く100ミリ秒ほど持続する抑制性シナプス後電位（inhibitory post-synaptic potential：IPSP）(Ba) あるいはIPSPのみ（Bb）が記録された．また行動下サル視床下部外側野ニューロンでも扁桃体または眼窩皮質の刺激により，麻酔下ラットと同様の誘発インパルス放電に続く抑制が観察された（Ab）．これらの結果は，扁桃体は視床下部外側野に一過性の興奮性入力とそれに続く持続性の抑制入力を送っていることを示すものであり，サル扁桃体の局所冷却やラット扁桃体へのプロカイン注入による視床下部外側野ニューロンのインパルス放電頻度の増加はこの抑制入力（IPSP）の消失による脱抑制によるものと考えられる（4.5節b.3）；c.2）参照）．

b. サル扁桃体のニューロン応答性，生物学的な価値評価および意味概念認知（意味認知）による情動表出

筆者らはサルやラット扁桃体からニューロン活動を記録し，種々の食物や非食物，報酬または嫌悪刺激（罰）と関連する種々の感覚刺激呈示とそれに基づく学習（情動）行動への応答様式を調べる研究を行っている（Ono et al., 1980, 1981,

4.5 扁桃体の役割

A. ラットとサル視床下部外側野ニューロン活動の細胞外記録実験

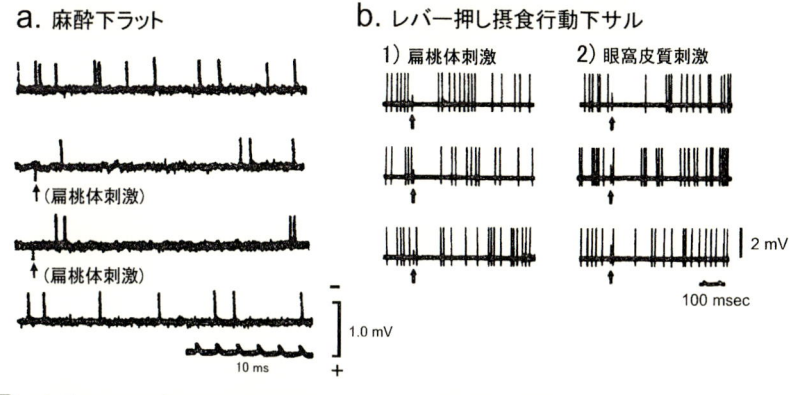

a. 麻酔下ラット

↑(扁桃体刺激)

↑(扁桃体刺激)

1.0 mV
10 ms

b. レバー押し摂食行動下サル

1) 扁桃体刺激   2) 眼窩皮質刺激

2 mV
100 msec

B. 麻酔下ラット視床下部外側野ニューロンの細胞内電位記録実験

a. EPSP-IPSP

扁桃体刺激

b. IPSP

扁桃体刺激

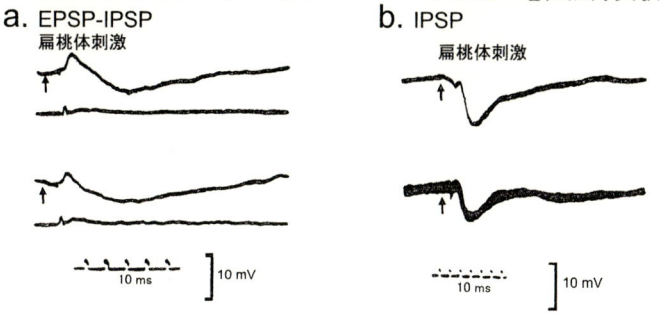

10 ms   ]10 mV   10 ms]10 mV

図4.37 視床下部外側野ニューロンの扁桃体または眼窩皮質の電気刺激に対する応答 (Oomura et al., 1967, 1970；Ono et al., 1976)
A：麻酔下ラット (a) とレバー押し摂食行動下サル (b) 視床下部外側野ニューロン活動の細胞外記録．視床下部外側野ニューロンの扁桃体 [a, b1)] または眼窩皮質 [b2)] の電気刺激による潜時約10ミリ秒での誘発インパルス放電とそれに続く100ミリ秒間のインパルス放電の抑制．矢印，刺激開始時点．
B：麻酔下ラット視床下部外側野の4個のニューロンからの細胞内電位記録．扁桃体刺激によるEPSPとそれに続く100ミリ秒程度のIPSP (a上) と上の記録直後の細胞外電位記録 (a下)；先行するEPSPを伴わないIPSP (b).

1983, 1988, 1992；Nishijo et al., 1988a, b；Uwano et al., 1995)．ここでは，筆者らのニューロンから行動レベルの研究により明らかになった学習・記憶に基づく感覚刺激の生物学的価値評価と意味認知および感覚と情動の連合における扁桃体の役割について述べる．

1) 研究方法

筆者らがサルの視床下部と大脳基底核のニューロン応答性を解析するために独自に開発したサル用の実験システムについてはすでに述べた．しかしここで紹介

するサル扁桃体の研究ではこの実験システムを改良したので，その実験システムについても述べる．

サルには3種類の学習行動を習得させ，様々な感覚刺激に対する扁桃体ニューロンの応答性を解析した（図4.38）．この学習課題は次のように要約される．1）視覚認知レバー押し摂食行動（B）：実験者が任意の時間に不透明なシャッター（W1）を開けて，サルに透明なシャッター（W2）を通して後方にある回転台上に載せたいろいろな物体を呈示する．また実験の後半ではハーフミラー製の不透明なシャッター（W1）だけにして（W2は省く），W1の後の電球を点灯して物体を呈示した．しかしこの呈示方法を用いても結果に相違はなかった．呈示物体が見

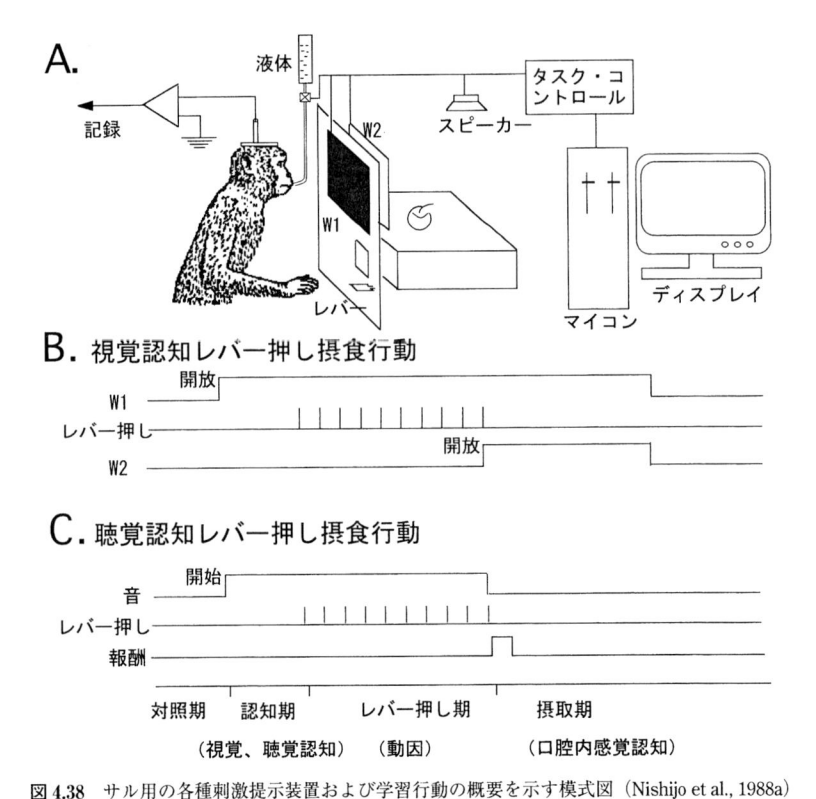

図4.38 サル用の各種刺激提示装置および学習行動の概要を示す模式図（Nishijo et al., 1988a）
A：サルを慢性実験用脳定位固定装置に固定し，4個のランプ，2枚のシャッター（W1：不透明，W2：透明）を備えた窓およびレバー付きパネルの前に置く．水またはジュースはサルの口角付近に設置したチューブから与える．電気ショック（嫌悪刺激）は両耳介部に置いた電極間に通電して与える．
B，C：視覚認知（B）と聴覚認知（C）レバー押し行動のi）認知期，ii）レバー押し期およびiii）報酬獲得（摂取）または電気ショック回避期の各期を示す模式図．

慣れた食物（クッキー，干しブドウ，リンゴ，スイカなど）であれば前もってセットされた回数（FR：1-30）だけレバーを押すと，最後のレバー押しによりW2またはハーフミラー製W1が開き，サルはその食物を取って食べることができる．呈示物体が見慣れた非食物（テープ，チョークなど）であればサルはレバーを押さない．呈示物体が赤，白および茶色の円柱のときにはそれぞれ1滴の水，ジュースおよび電気ショックを意味することを学習させる．サルは前もってセットされた回数だけレバーを押せば，最後のレバー押しによりW1の閉鎖と同時にそれぞれ1滴の水またはジュースを飲むことができる．呈示物体が茶色円柱のときにはレバーを押せば電気ショックを回避できるが，押さなければ電気ショックを受ける．2）聴覚認知レバー押し行動（C）：W1を開けないで（呈示物体を見せない）ブザー音または800 Hzの手掛かり音刺激のときには前もってセットされた回数だけレバーを押せば，ブザー音のときにはW1とW2が同時に開いて食物を食べることができ，800 Hzの音のときにはチューブから1滴のジュース報酬を獲得することを学習させる．これらの感覚認知課題は，1）対照期（感覚刺激呈示前），2）感覚刺激（視覚，聴覚）の認知期（感覚刺激呈示開始から最初のレバー押しまでの期間），3）レバー押し期および，4）報酬摂取期または電気ショック回避期（最後のレバー押し以後）に分けられる（B，C）．

2) 扁桃体ニューロンの応答性

扁桃体の総数585個のニューロンのうち312個（53％）が感覚刺激に何らかの応答を示し，大多数は促進応答を示した．これら応答ニューロンは応答様式により，1）主に1種類の感覚刺激に応答する単一種感覚応答型，2）4種類の感覚に応答する多種感覚応答型および，3）特定の報酬または嫌悪物体や音だけに応答する選択応答型の3型に分類された（Nishijo et al., 1988a, b）．

単一種感覚応答型ニューロンは視覚（7％），聴覚（3％）および摂取（口腔内感覚：味覚）（6％）の3型からなる．図4.39Aには視覚応答型ニューロンの応答例を示してある．このニューロンはオレンジ（a），電気ショックと連合した茶色円柱（b）または新奇な物体（図には示していない）を見たときには応答するが，熟知で無意味なテープ（c）を見ても応答しない．すなわちこのニューロンは報酬性であれ，嫌悪性であれ，視覚刺激に新奇性も含めて生物学的に意味があれば応答する．これらのニューロン応答は視覚刺激に特異的であり，他の感覚種には応答せず，オレンジを口に入れた時点で終了し（a：矢印），食物摂取期には応答しな

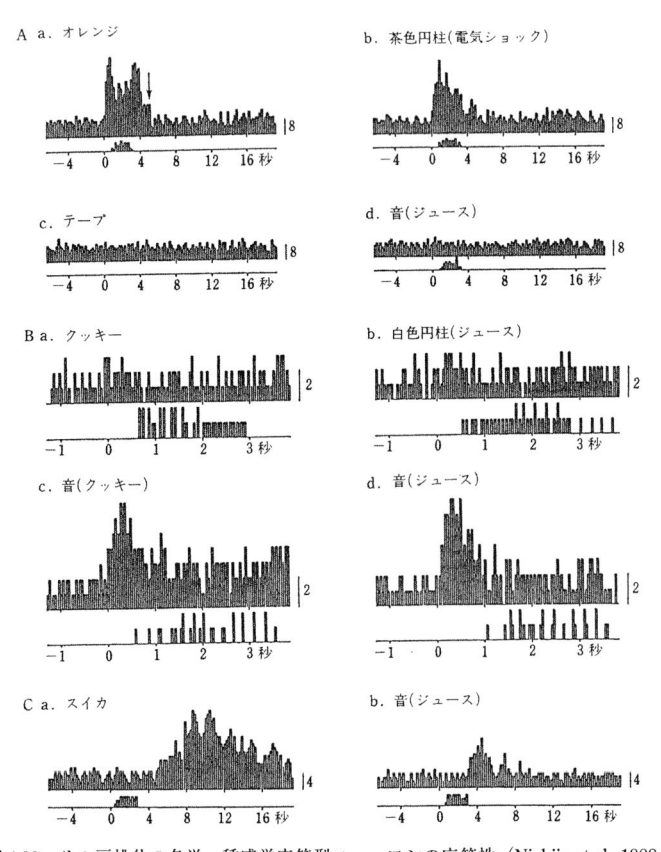

図 4.39 サル扁桃体の各単一種感覚応答型ニューロンの応答性（Nishijo et al., 1988a）
A：単一種視覚応答型ニューロン．オレンジ (a) または電気ショックを予告する茶色円柱 (b) を見たとき，促進応答．無意味なテープ (c) を見たときまたはジュースを意味する音 (d) を聞いたとき，無応答．矢印 (a) はオレンジを口に入れた時点．
B：単一種聴覚応答型ニューロン．クッキー (a) またはジュースを予告する白色円柱 (b) を見ても無応答．食物クッキー (c) またはジュースを予告する音 (d) を聞かせたとき，促進応答．
C：単一種口腔内感覚応答型ニューロン．スイカ (a) またはジュース (b) 摂取時に促進応答．ヒストグラム上：ニューロン応答の4回加算．縦軸，インパルス放電数/ビン．ビン幅：A：200ミリ秒，B：40ミリ秒，C：200ミリ秒．ヒストグラム下：レバー押し信号の4回加算．縦軸，レバー押し信号数/ビン．横軸：時間（秒）；0，刺激呈示時点；−，刺激呈示前；+，刺激呈示後．

い．サルは聴覚認知課題でレバー押し行動を行っているが，このニューロンはジュースと連合した音刺激にもジュースの摂取時にも (d) 応答しない．

　図 4.39 B には聴覚応答型ニューロンの応答例を示してあり，クッキー (a) やジュースと連合した白い円柱 (b) を見ても摂取期にも応答しないが，クッキー (c) やジュース (d) と連合した音には応答する．これらは視覚応答型と同様に，

4.5 扁桃体の役割

聴覚刺激に生物学的意味があればよく応答するが，無意味な音には応答しない．新奇な音刺激への応答も意味がなければ数回の連続刺激により消失または顕著に減弱する．図 4.39 C には摂取（味覚）応答型ニューロンの応答例を示してあり，

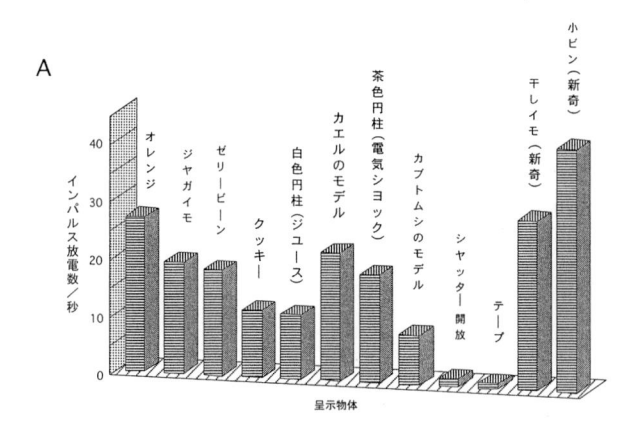

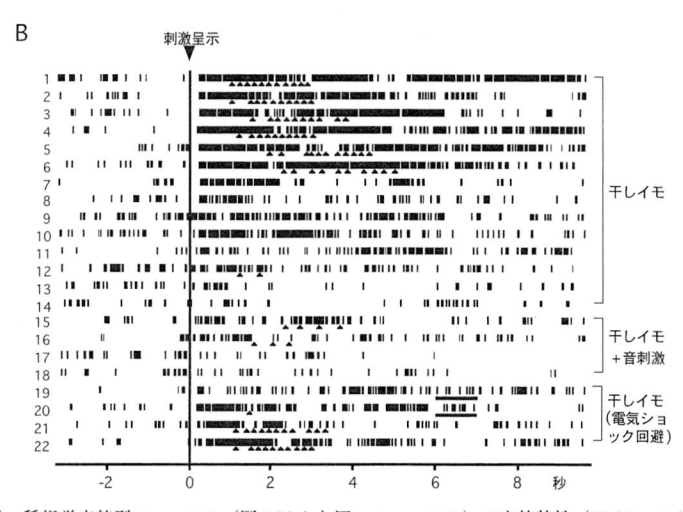

図 4.40 単一種視覚応答型ニューロン（図 4.39 A と同一ニューロン）の応答特性（Nishijo et al., 1988a,b）
A：種々の報酬性および嫌悪性物体への視覚応答性．報酬，および嫌悪物体は，それぞれ報酬性および嫌悪性の度合（好き嫌いの度合）の大きいものを左から右へ順に並べてある．ニューロン応答の大小は好き嫌いの度合と正の相関．ヒストグラム，各物体に対する視覚応答（各物体呈示後 5 秒間の平均応答強度：各呈示物体に対する平均インパルス放電頻度から平均自発インパルス放電頻度を差し引いた値）．
B：学習過程におけるニューロン応答性の変化．試行 1-14，干しイモ（新奇な物体）を連続呈示したときの視覚応答の減弱（慣れ：habituation）；試行 19-22，新たに嫌悪刺激（電気ショック）と連合したときの視覚応答の出現．ニューロンのインパルス放電頻度はラスターで表示（各 1 本の縦線が各インパルスに相当）．横軸，時間（秒）；0, 刺激呈示時点；−，刺激呈示前；＋，刺激呈示後．

レバー押しを終了して食物を摂取したり (a), ジュースを飲んでいる期間だけ (b) に応答する. これら単一種感覚応答型ニューロンの感覚刺激への応答の大小は刺激の報酬または嫌悪性の度合の大小と正の相関がある. 好きな食物や嫌いなカエルのモデルや電気ショックを意味する茶色円柱には強く応答する (図 4.40 A). 図 4.40 A には単一種視覚応答型ニューロンの各種の報酬 (右), 嫌悪 (中央) および新奇物体 (左) への応答強度 (物体呈示後 500 ミリ秒間のインパルス放電頻度) を示してある. 各種物体は右から左へ報酬, 嫌悪の度合が大きいものから小さいものの順に示してある. 新奇刺激への応答は刺激に意味がなければ数回の試行で消失し (慣れ：habituation, 図 4.40 B, 1-14), 刺激に生物学的 (情動的) 意味を与えると (刺激と報酬または嫌悪刺激の連合), 速やかに刺激に対する条件づけ応答を示すようになる (図 4.40 B, 19-20). これらのニューロンは特定の図形パター

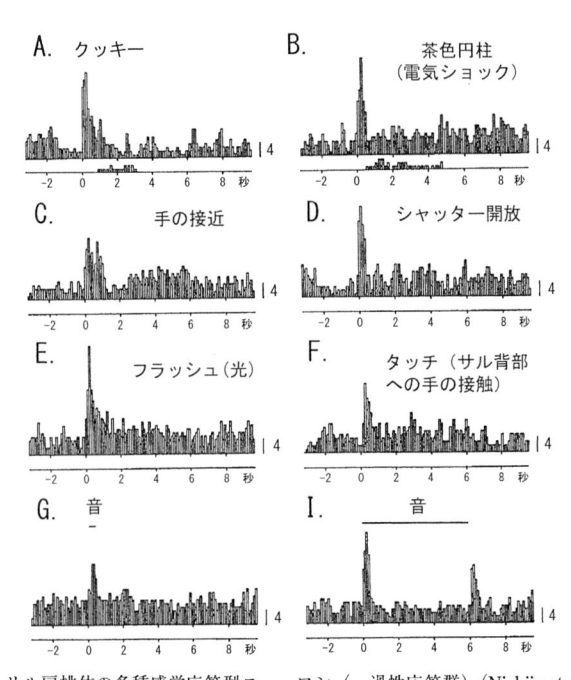

図 4.41 サル扁桃体の多種感覚応答型ニューロン (一過性応答群) (Nishijo et al., 1988a)
A-I：刺激の生物学的意味に関係なく, 視覚刺激 (A-E), 体性感覚刺激 (F) および聴覚刺激 (G, I) に対して一過性応答.
ヒストグラム上：ニューロン応答の 4 回加算. 縦軸, インパルス放電数/ビン. ビン幅：A, 100 ミリ秒.
ヒストグラム下：レバー押し信号の 4 回加算. 縦軸, レバー押し信号数/ビン. 横軸, 時間 (秒)；0, 刺激呈示時点；−, 刺激呈示前；+, 刺激呈示後.

ン（円や四角形など）や物体の物理学的性状（外形，色，材質など）に応答しているのではなく，物体の生物学的意味の大小に比例して応答しているのである．このことから物体の報酬性または嫌悪性の度合（生物学的価値）はインパルス放電頻度の大小にコードされると考えられる．

多種感覚応答型ニューロンは一過性応答群（33%）と持続応答群（67%）に大別される．そのうち一過性応答群は視覚（A-E），聴覚（G, I），体性感覚（F）など感覚種や生物学的意味に無関係に多種の感覚刺激に非特異的に一過性に応答する（図4.41）．このようなニューロンは新皮質には少なく，古皮質の辺縁系に多いのが特徴である．これらニューロンは新皮質の賦活や覚醒機能に関与すると考えられる．一方図4.42には持続応答群のニューロン応答例を示してあり，生物学的に意味があれば感覚の種に関係なく，多種の感覚刺激に持続的に応答し（A：報酬性の視覚と味覚に応答，B：報酬性の聴覚と味覚に応答，C：嫌悪性の体性感覚に応答），熟知の生物学的に無意味なテープには応答しない（D）．

選択応答型ニューロンでは特定の報酬物体（スイカ，干しブドウ，クッキー，

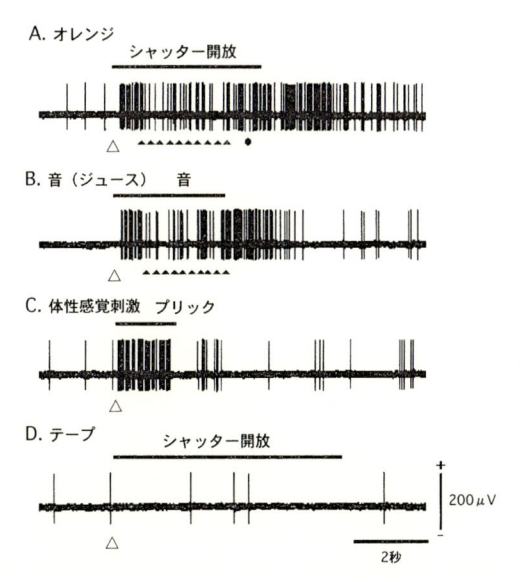

図4.42 サル扁桃体の多種感覚応答型ニューロン（持続応答群）（Nishijo et al., 1988a）
オレンジの視覚認知期から摂取期（A），ジュースを予告する音の認知期から摂取期（B），およびサルの背中への接触（背中に鉛筆を当てる）期間（C）における持続性の促進応答．しかし無意味なテープの呈示（D）に対しては無応答．△，刺激呈示時点；▲，各レバー押し時点：●，食物が口に入った時点．

ジュースと連合した白色円柱，水と連合した赤色円柱）または嫌悪物体（クモのモデル，注射器，手袋，細い棒）の1つだけに応答し，無意味な物体には応答しない．図 4.43 にはスイカ選択応答型ニューロンの応答例を示してある．このニューロンは総数 30 種類の感覚刺激を呈示したが，スイカだけに認知期，レバー押し期および摂取期にかけて選択的に応答する（A）．このニューロンは干しブドウやリンゴなど他の食物の認知期から摂取期にかけてはスイカと同じように見て，レバー押しをしてとって食べているが，応答しない（A）．したがってスイカ

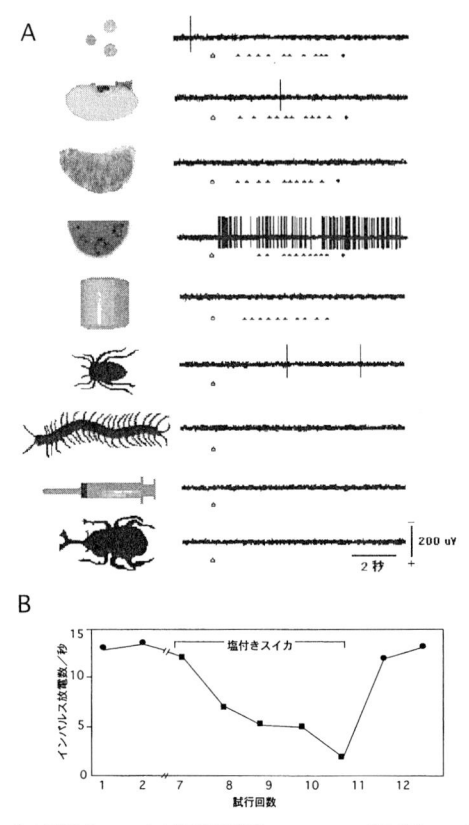

図 4.43 サル扁桃体のスイカ選択応答型ニューロン（Nishijo et al., 1988b）
A：種々の報酬および嫌悪物体の中でスイカに選択的に促進応答．▲，各レバー押し時点；●，食物を口に入れた時点．
B：逆転学習における可塑的応答．試行 1-2，通常のスイカに対する促進応答；試行 7-11，スイカの外観を変えずに後面に塩をつけると，促進応答が次第に消失；試行 12-13，通常のスイカに戻すと再び促進応答．縦軸，物体呈示後 5 秒間の平均応答強度；横軸，試行回数．

4.5 扁桃体の役割

のレバー押し期の応答はレバー押しによるものではない．スイカの認知期とレバー押し期の応答はスイカに視覚特異的なものであり，摂取期の応答はスイカの味覚に特異的なものである．さらにスイカの外観を変えず後面に塩をつけてスイカの意味を報酬性から嫌悪性に逆転させると，視覚応答は数回の試行で消失する（B，7-11）．スイカの味を報酬性の甘味から嫌悪性の塩味に変えて味覚入力の情動的特性を変えると，視覚応答が消失することを意味する．このことは扁桃体ニューロンのスイカ選択応答は個々の感覚応答の単なる総和によるのではなく，視覚—味覚間の感覚連合（このニューロンではスイカに関する視覚入力—報酬性味覚入力間の連合）に基づく情動的意味（報酬性）の認知に関連していることを示している．簡単にいえばこのニューロンはスイカが報酬性である時だけに応答するニューロンである．このようなニューロンにより，サルはスイカを見ただけで他の物体や食物とは異なり，水っぽく甘い味がする食物であると認知することが可能になるのであろう．このニューロンは視覚—味覚間の連合によるスイカの認知と快情動の発現に関与しているのである．これらのことを要約すると，1）各単一感覚［視，聴，口腔内感覚（味覚）応答型］および多種感覚応答型ニューロンの応答は感覚刺激の報酬性や嫌悪性が大きいほど強いので，環境内の事物や事象の生物学的な価値評価に関与すると考えられる．2）選択応答ニューロンは環境内の事物や事象の生物学的な意味概念の認知に関与すると考えられる．

ヒトや動物はこのような扁桃体ニューロン群とこれらニューロンにより形成される神経システムにより環境状況に応じた臨機応変の適応行動ができるのであり，植物やロボットとは違う由縁である．

図 4.44 には扁桃体内の各応答型ニューロンの局在を示してある．特に単一種感覚応答型ニューロンの局在は大脳皮質の各種感覚連合野—扁桃体間の線維投射様式とよく一致している．単一種視覚応答型ニューロンは下側頭皮質の視覚連合野から線維投射を受ける基底外側核群の前外側部に，聴覚応答型ニューロンは上側頭回の聴覚連合野から線維投射を受ける基底外側核群の後部に，口腔内感覚応答型ニューロンは島皮質の味覚連合野から線維投射を受ける基底外側核と基底内側核の内側部と皮質内側核群に局在していた（C）．多種感覚応答型ニューロンは扁桃体のほぼ全域に，選択応答型ニューロンは基底内側と基底外側核に分布していた（D）．

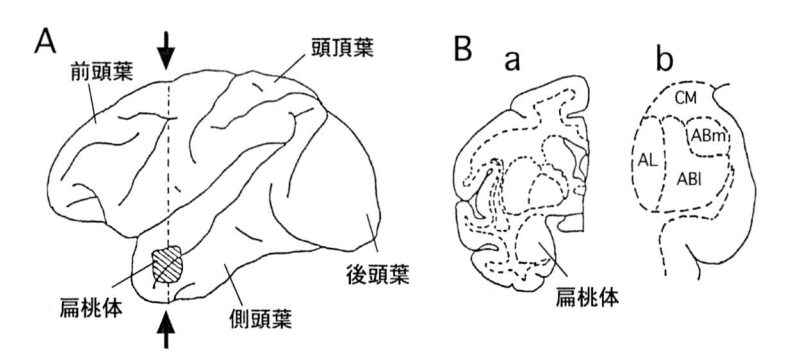

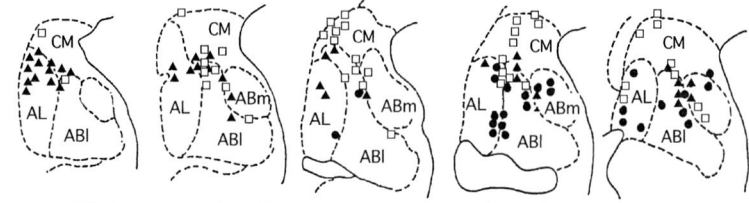

図4.44 サルの扁桃体における各種応答型ニューロンの局在 (Nishijo et al., 1988b)
A：サルの左大脳半球における扁桃体の位置 (斜線部).
B：Aの矢印間 (点線部) の前額断面. a：扁桃体を含む左大脳半球の前額断面. b：aの前額断面の扁桃体部位の拡大図. CM：皮質内側核群, ABl, 基底外側核, ABm：基底内側核, AL：外側核.
C：各単一種感覚応答型 (▲, 視覚応答；●, 聴覚応答；□, 口腔内感覚応答) ニューロンの分布.
D：多種感覚応答型 (○, 一過性応答群；△, 持続性応答群) および選択応答型 (■) ニューロンの分布

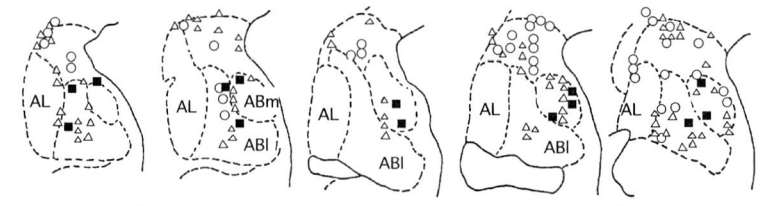

3) 下側頭皮質―扁桃体―視床下部間の機能相関

　サルの脳内で報酬物体である食物情報がどのような経路で処理されているか検討するため，扁桃体と視床下部外側野ニューロンの食物の視覚と味覚応答に対するそれぞれ左右の下側頭皮質または扁桃体の局所冷却の影響を調べた．下側頭皮質の冷却のため，新皮質の表面を冷却用プローブで覆い，扁桃体の冷却のため，

冷却用プローブを扁桃体内に埋め込み，それぞれ$-20\,°\mathrm{C}$の冷却用アルコール液でプローブ内を灌流した．この方法によりプローブ周囲の局所温度をシナプス伝達が障害される$20\,°\mathrm{C}$以下にした．図4.45Aには食物（リンゴ）の視覚認知期（2本の実線で示された2秒間）と味覚認知期（レバー押し終了以後）に応答した扁

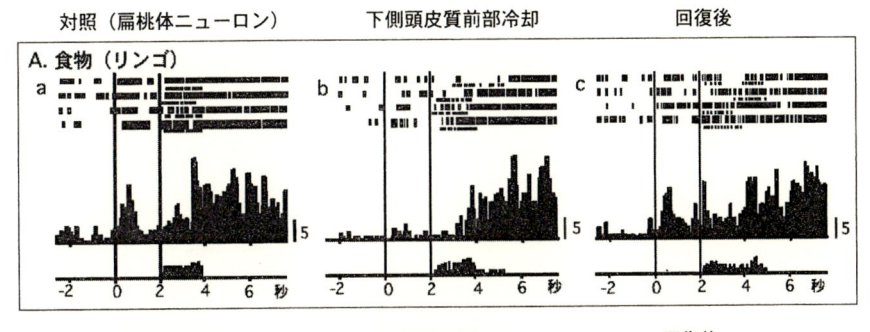

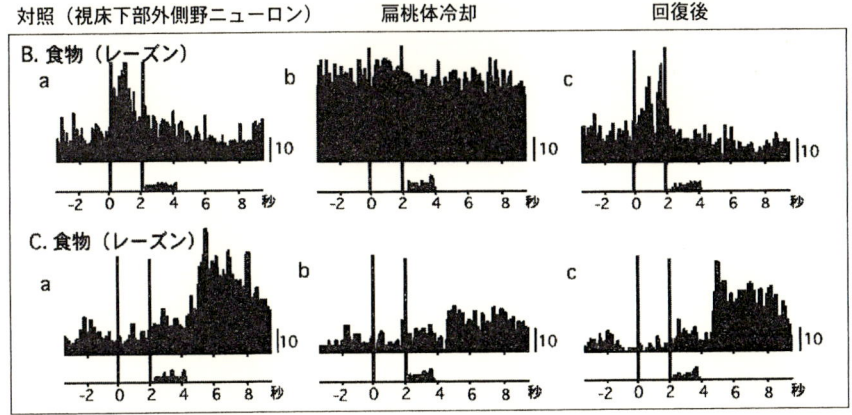

図4.45 サルの扁桃体または視床下部外側野ニューロンの食物関連応答に対するそれぞれ下側頭皮質前部および扁桃体の局所冷却の影響（Fukuda et al., 1987）
A：下側頭皮質冷却による扁桃体の食物視覚応答型ニューロンの応答性の変化．a：冷却前のリンゴの視覚認知期（0-2秒間）と摂取期（レバー押し以後）の促進応答．b：冷却中により視覚認知期の促進応答は消失するが，摂取期の促進応答は変化しない．c：冷却中止後の視覚認知期の促進応答の回復．ラスター表示，各試行におけるニューロン応答；ラスター下の黒丸，各レバー押し時点；ヒストグラム上，ラスター表示のニューロン応答の4回加算；ヒストグラム下，レバー押し信号の4回加算．
B：扁桃体冷却による視床下部外側野の食物視覚応答型ニューロンの応答性の変化．a：冷却前の干しブドウの視覚認知期（0-2秒間）の促進応答．b：冷却中のインパルス放電頻度の顕著な増加．干しブドウの視覚認知期の促進応答の消失．c：冷却中止後のインパルス放電頻度と視覚認知期の促進応答の冷却前のレベルへの回復．
C：扁桃体冷却による視床下部外側野の食物摂取応答型ニューロンの応答性の変化．a：冷却前，干しブドウ摂取期の促進応答．b：冷却中の摂取期の促進応答の減弱．c：冷却中止後の促進応答の冷却前のレベルへの回復．

桃体ニューロンの例を示してある（Aa）．このニューロンでは視覚の連合野である両側の下側頭皮質前部の局所冷却によりリンゴに対する視覚認知応答は消失するが，味覚認知期の応答は変化しない（Ab）．この局所冷却により消失した視覚認知期の応答は冷却停止により回復する（Ac）．これらのことは扁桃体ニューロンの食物と非食物の視覚認知期の応答は下側頭皮質を通る神経経路を介するシナプス入力によって起こることを示している．味覚認知応答には影響しないので，味覚入力は下側頭皮質前部を介さない神経経路を通ってこの食物視覚認知ニューロンにシナプス結合（収束）していることを示している．図 4.45 Ba と Ca には視床下部外側野のそれぞれ視覚と味覚認知期に応答するニューロンの例を示してある．これら視床下部外側野ニューロンの視覚認知期（Bb）または味覚認知期の応答は，扁桃体冷却により消失または減弱している（Cb）．Bb ではインパルス放電頻度も顕著に増加している．このインパルス放電の増加は 4.5 節 a. 3) で述べたラット，サルの扁桃体基底外側核刺激による視床下部外側野ニューロンの抑制がなくなったこと（脱抑制）により起こったのであると考えられる．これら応答の消失または減弱やインパルス放電頻度の増加は，冷却中止により回復する．これらのことはこれら視床下部外側野ニューロンの食物への視覚と味覚認知応答は扁桃体を介する神経路からのシナプス入力によって起こることを示している．これらの知見や解剖学的および行動神経科学的研究結果から，食物の視覚や味覚情報は下側頭皮質（図形または物体に関する視覚的イメージの形成）や各種感覚連合野—扁桃体（海馬体の記憶との照合により異種感覚間連合および特定の感覚刺激と情動との連合による食物の好き嫌いなど生物学的価値評価と特定の食物の意味認知）⇒視床下部外側野（食物と非食物の認知）の順で統合されていくと考えられる．特に視覚情報統合の神経経路はニューロンの視覚刺激への応答潜時が下側頭皮質（150-200 ミリ秒）（視覚刺激の範疇化）→扁桃体（200-250 ミリ秒）（価値評価と意味認知）→視床下部外側野（250-300 ミリ秒）（行動表出）の順で大きくなることや食物呈示から 300-500 ミリ秒でレバー押し行動を開始することからも想定される．

c. ラット扁桃体ニューロンの応答性，情動記憶および情動表出
1) 扁桃体における情動記憶の貯蔵
扁桃体を含む側頭葉を破壊した動物では破壊前は恐れていた動物やヒトなどに

対して何の恐れもなく接近したり，食物と非食物の識別ができなくなる（Klüver and Bucy, 1937, 1939）．このいわゆる Klüver-Bucy 症候群における情動性の低下は扁桃体に貯蔵されていた長期記憶が失われたことによると考えられる．この可能性を検討するため，Kim らは聴覚条件刺激を用いた恐怖増強驚愕反応を長期間（30 日間）訓練し，条件づけが完全に成立して条件づけに関する記憶が長期記憶に移行した段階で扁桃体を破壊している（Kim and Davis, 1993a, b）．彼らは，訓練開始 30 日後に扁桃体を破壊しても恐怖増強驚愕反応が障害されることから条件づけに関する長期記憶が扁桃体に貯蔵される可能性を示唆している．また長期訓練により記憶が長期記憶に移行してからは NMDA 受容体の拮抗薬を扁桃体内に注入しても恐怖増強驚愕反応は障害されないが（Miserendino et al., 1990；Campeau et al., 1992；Kim and McGaugh, 1992），AMPA 受容体の拮抗薬を扁桃体あるいは扁桃体と海馬体に注入すると，恐怖増強驚愕反応の障害が起こる（Kim and Davis, 1993b；Bianchin et al., 1993）．さらに長期増強（LTP）の誘導とその維持にはそれぞれ NMDA と AMPA 受容体が関与していることから（Muller et al., 1992），長期記憶は扁桃体内の AMPA 受容体により保持されると推測される．

筆者らは長期記憶が扁桃体で貯蔵されている可能性を神経生理学的に検討するため，感覚条件刺激（聴覚刺激，視覚刺激，体性感覚刺激）―強化刺激間の連合学習を訓練したラットならびに感覚条件刺激と強化刺激を互いに関係なく任意に呈示したラットから扁桃体ニューロン活動を記録し，それぞれの感覚条件刺激に対する応答性を比較解析した（Uwano et al., 1995）．実際にはラットを 3 グループ（実験 I-III）に分け，図 4.46 A に示した組み合わせでそれぞれの感覚条件刺激と強化刺激間の連合学習訓練を行った．図 4.46 B には条件刺激―強化刺激間の連合学習を訓練した実験 II 群のラット扁桃体から記録した聴覚条件刺激応答ニューロンの例を示してある．このニューロンはショ糖溶液と連合した音 1（1,200 Hz）または ICSS 報酬と連合した音 2（4,300 Hz）に応答しているが（a, b），ICSS 報酬と連合した光（豆電球の点灯：視覚刺激）やエアパフ（顔面に空気を吹きつける：体性感覚刺激）には応答していない（c, d）．図 4.46 C には各実験グループで各感覚条件刺激に応答したニューロンの割合を比較して示してある．この実験によりいずれの感覚条件刺激でも連合学習の訓練を行った実験群で有意に応答ニューロンの割合が増加していることが明らかになった．これらのことは連合学習訓練により扁桃体ニューロンの応答性が変化し，訓練後もその応答性が維持さ

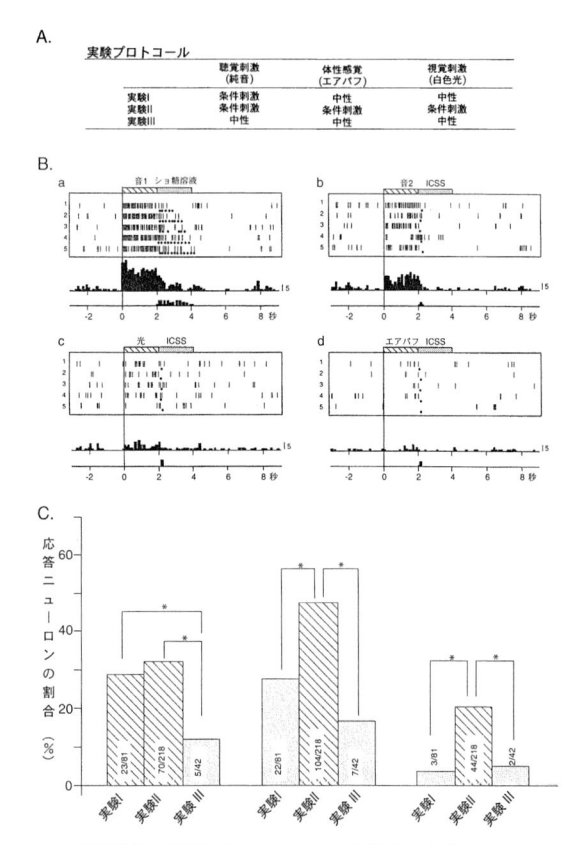

図 4.46 ラット扁桃体の学習によるニューロン応答性の変化 (Uwano et al., 1995)

A：感覚刺激（聴覚，視覚，および体性感覚）―強化刺激（ICSS，または尾部痛覚刺激）間の連合学習の組み合わせ．実験 I，聴覚刺激だけを連合学習；実験 II，すべての感覚刺激を連合学習；実験 III，すべての感覚刺激を強化刺激とは無関係に呈示．条件刺激，強化刺激と連合した感覚刺激；中性刺激，強化刺激とは無関係に呈示された感覚刺激．

B：実験 II における各種条件刺激に対するニューロン応答のラスター表示とその加算ヒストグラム (a-d は同一ニューロンからの記録)．a, 音 1 (1,200 Hz)-ショ糖溶液の連合；b, 音 2 (4,300 Hz)-ICSS の連合；c, 光（豆電球の点灯：視覚刺激）-ICSS の連合；d, エアパフ（顔面に空気を吹きつける：体性感覚刺激）-ICSS. 報酬（ショ糖溶液または ICSS）と連合した聴条件刺激に促進応答．ラスター下のドット，ラットのリック行動；ヒストグラム上，ニューロン応答の 5 回加算；下，リック信号の 5 回加算；ビン幅，100 ミリ秒；時間軸上のゼロ，条件刺激の開始時点．

C：学習前後における扁桃体ニューロンの感覚刺激に対する応答性の変化．すべての感覚刺激において，連合学習した実験では有意にその感覚刺激への応答ニューロン数の増加．縦軸，応答ニューロンの割合；*，2 つの実験間で応答ニューロン数の割合に有意な変化が認められる (<0.05).

れていることを意味し，感覚条件刺激―強化刺激間の連合記憶（情動記憶）が扁桃体に長期記憶として貯蔵されていることを強く示唆する．

2) 扁桃体—視床下部間の機能連関

前項の 4.5 節 c.1) で述べたように，扁桃体には感覚条件刺激—強化刺激間の連合記憶が貯蔵されており，この記憶情報により扁桃体へ入力された感覚刺激の価値評価が行われ，この情報はさらに視床下部へ伝達される．図 4.47 にはラットにおける扁桃体—視床下部間の機能連関を解析したときの実験方法の概略を示してある．視床下部外側野からニューロン活動を記録し，視床下部外側野後部（内側前脳束）ニューロンの電気刺激 (ICSS)，扁桃体または腹側被蓋野へプロカイン注入したときの応答性を解析した (A)．B には脳地図上にこれらニューロン活動の記録部位，電気刺激 (ICSS) 部位および薬液注入部位が示されている．C, D

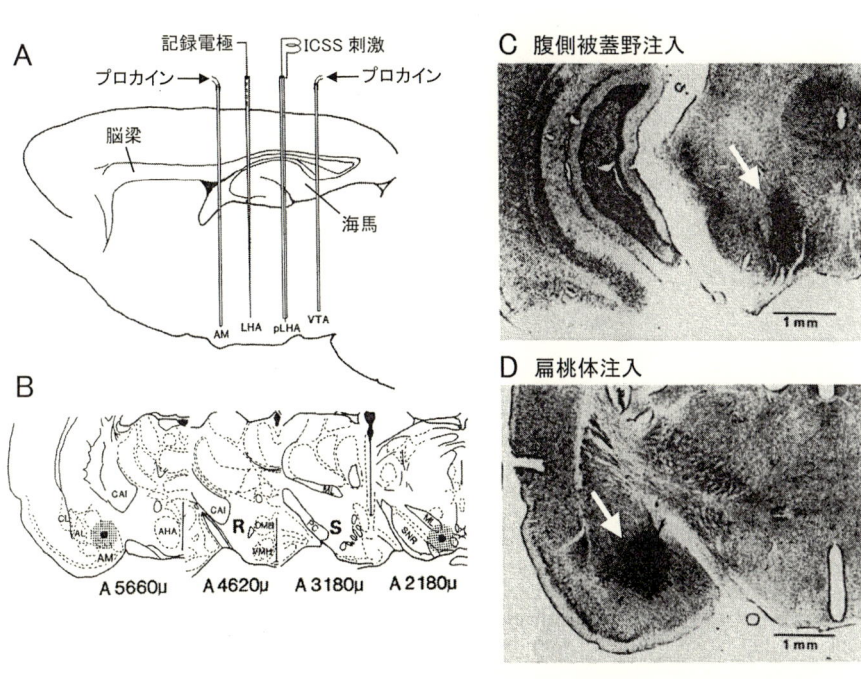

図 4.47 プロカイン局所注入による扁桃体および腹側被蓋野の機能遮断がラット視床下部外側野ニューロンのインパルス放電頻度に及ぼす効果を解析した実験方法の概略 (Nakamura et al., 1987)
A：薬液注入用カニューレ，ICSS 用刺激電極，および記録電極の埋め込みの概略図．AM, 扁桃体；LHA, 視床下部外側野；pLHA, 視床下部外側野後部；VTA, 腹側被蓋野．
B：A で示された脳領域の脳地図（冠状断面）上の位置．図左より順に，扁桃体，視床下部外側野，視床下部外側野後部および腹側被蓋野．CL, 前障；AL, 扁桃体外側核；AM, 扁桃体；CAI, 内包；AHA, 前視床下部野；DMH, 視床下部背内側核；VMH, 視床下部腹内側核；PC, 大脳脚；SNR, 黒質網様部；ML, 内側毛帯；R, ニューロン活動記録部位；S, 電気刺激 (ICSS) 部位．
C：腹側被蓋野へトルイジンブルーを注入したときの脳薄切切片の顕微鏡写真．
D：扁桃体へトルイジンブルーを注入したときの脳薄切切片の顕微鏡写真．

には薬液の拡散の程度を調べるため，薬液の代わりにトルイジンブルー（青色染料）を腹側被蓋野と扁桃体に注入した組織標本の顕微鏡写真が示されており，青色染料は腹側被蓋野または扁桃体内にほぼ限局されて注入されていることがわかる．これらの方法により扁桃体に局所麻酔薬であるプロカインを注入すると，グルコースリック行動は数分間停止し，視床下部外側野ニューロンのインパルス放電頻度は持続的に増加してグルコース予告音にも応答しなくなる（図 4.48）(Nakamura et al., 1987)．図には示していないが，ICSS リック行動は停止せず，ICSS 予告音と ICSS には応答する．これは ICSS 電極が腹側被蓋野吻側の視床下部外側野後部にあり，扁桃体の局所麻酔により視床下部外側野と腹側被蓋野ニューロンは影響を受けないからであろう．一方腹側被蓋野にプロカインを注入すると，グルコースリック行動は停止しないが，ICSS リック行動は停止する．このとき視床下部外側野ニューロンはグルコース予告音にも ICSS 予告音にも応答しなくなる．しかしリック行動に伴うグルコース摂取には応答する．

　解剖学的に延髄孤束核や橋味覚野から扁桃体の中心核と視床下部外側野へは，直接または視床と大脳新皮質を経由する味覚入力が多く投射するが，腹側被蓋野へはあまり投射しない (Norgren, 1976)．これらのことより視床下部外側野ニューロンのグルコースと ICSS の予告音への聴覚応答は腹側被蓋野内ニューロンの軸索または通過線維の直接投射によるが，音の意味の弁別学習は扁桃体と視床下部外側野ニューロン間の密接な相互連絡により起こることを示唆する (Nakamura et al., 1987)．

d. 扁桃体と非言語的（顔の向き，表情，視線，ジェスチャー，その他）コミュニケーション

1) 扁桃体の霊長類における進化

　身体の大きさと比例関係にある延髄と新皮質の体積を比較した研究によると，延髄に対する大脳新皮質の比率は食虫目（モグラなど），原猿亜目，真猿亜目の順で増大し，霊長類（原猿亜目，真猿亜目）では新皮質が発達している (Barton and Aggleton, 2000)．扁桃体の基底外側部（外側核，基底内側核，基底外側核）は大脳新皮質連合野と，扁桃体の中心内側部（中心核，内側核）は視床下部や下位脳幹部と密接な解剖学的線維連絡を有している（図 2.9 B, 2.10 B）．このように扁桃体を 2 分割して同様の解析を行うと，扁桃体の皮質内側部では有意差はなかった

4.5 扁桃体の役割

A CTS1⁺ーグルコース試行

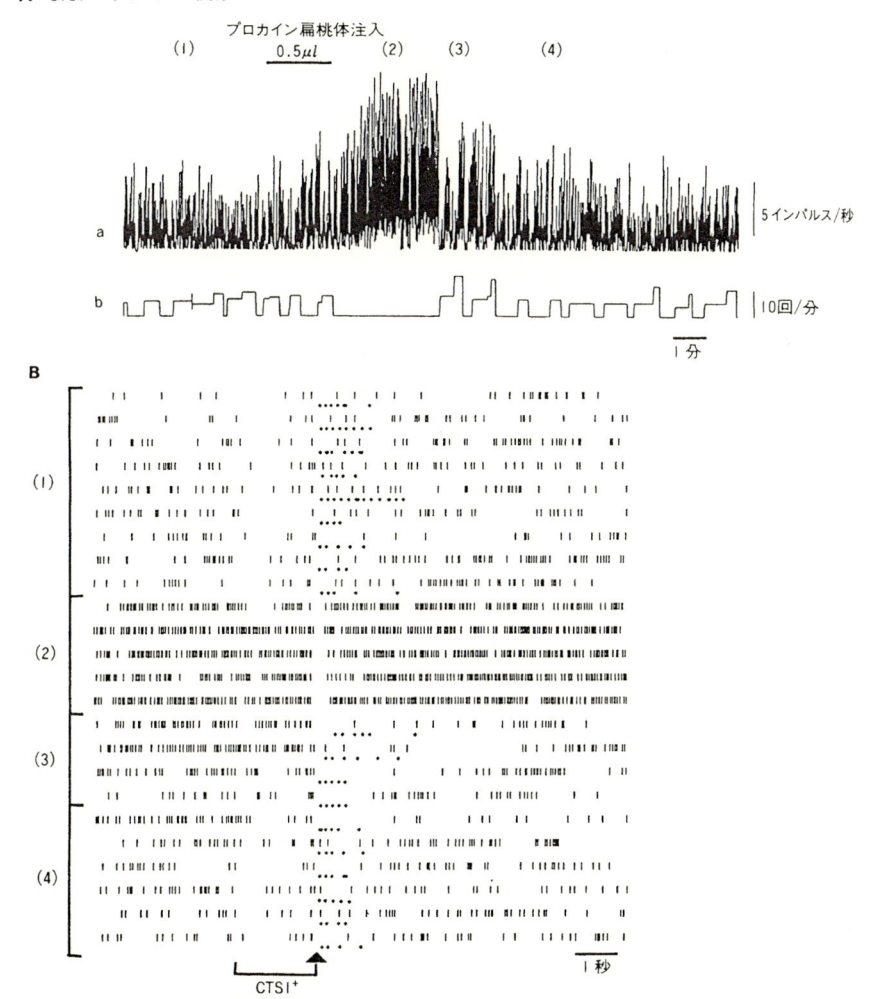

図4.48 ラット扁桃体局所麻酔の視床下部外側野における音弁別学習ニューロン応答とグルコースリック行動に及ぼす影響（Nakamura et al., 1987）
A：扁桃体への局所麻酔薬（プロカイン，5%，0.5 μl）の注入による視床下部外側野ニューロン活動の上昇 (a)，グルコースリック行動の停止 (b)．a：インパルス放電頻度ヒストグラム（インパルス放電数/秒），b：リック行動（回数/分）．
B：(1) 対照のインパルス放電頻度とグルコースとその予告音（CTS1⁺）への抑制応答，(2) 扁桃体の局所麻酔によるインパルス放電頻度の増加，リック行動の停止．(3)，(4) グルコースとその予告音への応答とグルコースリック行動の対照レベルへの回復．B の (1)-(4) はそれぞれ A の (1)-(4) の時期に対応．ラスター表示，ニューロン応答；ラスター下の黒丸，リック時点；└──┘，予告音の呈示期間；▲，チューブを口直前に近づけた時点．

が，基底外側部の延髄に対する比率は食虫目に対して原猿亜目，真猿亜目で増大し，霊長類では扁桃体基底外側部が非常に発達している（Barton and Aggleton, 2000）．

　霊長類の扁桃体基底外側部の増大は何を意味しているのだろうか．同様の動物種を用いて各領域間の関連性を解析すると，霊長類（原猿亜目，真猿亜目）では扁桃体の中心内側部の体積は体重と，基底外側部の体積は大脳新皮質の体積と有意に相関していた．食虫目では扁桃体の中心内側部と基底外側部のいずれの体積も新皮質の体積と有意に相関していた．また外側膝状体は機能的に主に側頭皮質へ情報を送る小細胞系（物体認知情報処理系）と頭頂皮質へ情報を送る大細胞系（空間情報処理系）に分かれるが，霊長類の外側膝状体と扁桃体各部の大きさの関係を解析すると，扁桃体中心内側部は外側膝状体のいずれの系とも相関はなかったが，扁桃体基底外側部は小細胞系の体積と有意に相関していた．さらに霊長類の集団の大きさと扁桃体各部の大きさの関係を解析すると，扁桃体中心内側部とは相関がなかったが，扁桃体基底外側部と社会集団の大きさには有意の相関があった．これらのことは霊長類における社会生活の複雑さや同種個体間の生存競争が脳の進化（大脳化と扁桃体体積の増大）の大きな要因であり，網膜から外側膝状体小細胞系と側頭皮質を介して扁桃体基底外側部に至る視覚情報処理系が表情やジェスチャーなどの複雑な社会的刺激を処理する視覚情報処理システムとして進化してきたことを示唆する．

2) 扁桃体の情動発現と社会的認知機能

　Darwin（1859, 1872）が想定した共通の神経系とはどのようなものであろうか．2.1 節 d；4.5 節 b. 2）で述べたように，扁桃体は視床あるいは大脳新皮質感覚連合野からすべての感覚種の入力を受け（感覚刺激の受容），過去の体験や記憶に基づき，これら感覚刺激が自分にとってどのような意味をもつのか，報酬（有益＝快情動）か嫌悪刺激（有害＝不快情動）かなどを学習し，生物学的価値評価を行っている（図 4.49 A）．情動反応は毒ヘビ，トラやクマなどヒト以外の危険物に対する情動発現である．これらの危険物は状況に関係なく，避けた方が生存していくために都合がよい．ヒトを含む霊長類は群れを形成して集団生活を行っているので，集団内における個体間の相互関係（言語的および非言語的コミュニケーション）が生存に重要になってくる．状況により相手に友好的な行動を示すこともあれば，逆に相手が攻撃行動などの敵対的行動を企てたときには自分も攻撃または防御行動を起こす必要がある．これら個体間の相互関係における相手の表情

4.5 扁桃体の役割

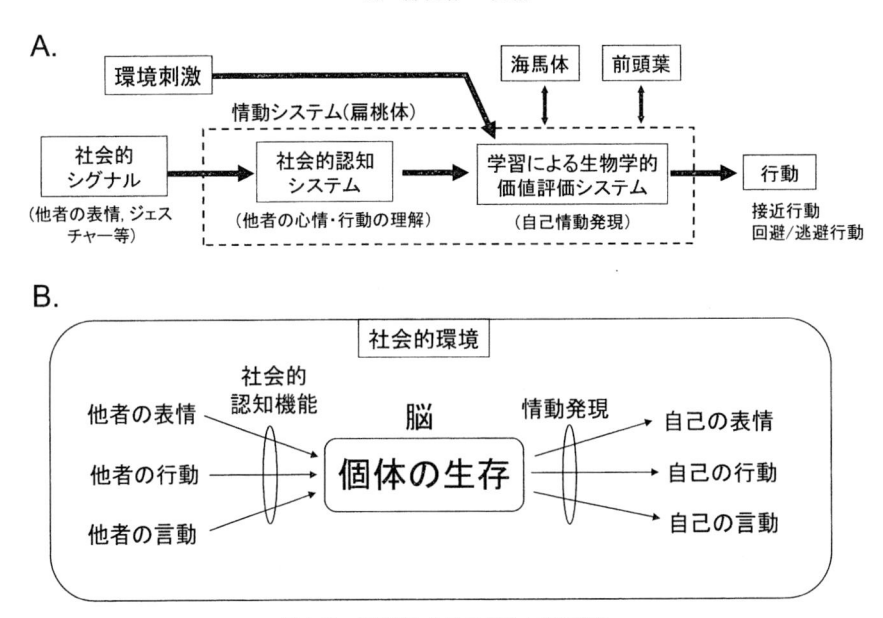

図 4.49 霊長類における情動の発現機構
A：扁桃体における生物学的価値評価．霊長類では，社会的シグナルの認知システムが発達している．
B：社会的認知機能と情動発現との関係を示す模式図．

やジェスチャーならびに言動などから相手の情動（感情），意図や思考を理解し，将来起こりうる行動を予測する認知機能は，社会的認知機能（social cognition）と呼ばれ（Brothers, 1990），扁桃体，前頭葉，側頭皮質などが重要な役割を果たすことが示唆されている．筆者らは生存に重要な情動機能との関連性を念頭に社会的認知機能を「集団生活（社会生活）で生存していくために必要な認知機能の総称」と定義している．社会的認知機能と情動発現はどちらも個体の生存が基本原理であり，他者の表情，行動，言動など社会生活で得られる情報から自己の生存にとって有用な情報を認知，評価する脳の働きが社会的認知機能であり，これら社会的認知機能に基づいて自己の生存のために自己の表情，行動，言動などの反応を起こす脳内過程が情動発現であると考えられる（図 4.49 B）．このように社会的認知機能と情動発現は表裏一体の機能であり，後述するようにどちらも扁桃体が重要な役割を担うことが示唆されている．

3) 扁桃体の社会的認知機能における役割

社会的認知機能において，自己と他者が相互の目を直接同時に見ることは（目

を合わせる：アイコンタクト eyecontact），特に重要な役割を果たしている．扁桃体に選択的な損傷のある患者 SM の視線を分析した結果が報告されている（Spezio et al., 2007）．患者 SM または健常被験者に対して，俳優とのインタビュー中に被験者が相手（俳優）の顔のどこを見ているか解析した．インタビューは俳優本人が直接被験者と対面するか，あるいはライブビデオ装置によりビデオ画像と音声を呈示して間接的に行った．いずれの場合も健常人は相手の目を見るが，患者 SM は相手の目を見ずに口を見る．この患者 SM は恐れなどの表情認知が障害され，表情認知障害は患者に目を見るように訓練すると改善される（Adolphs et al., 2005）．

顔認知障害を呈する自閉症児ではアイコンタクトが嫌悪刺激になっているため（Corden et al., 2008），アイコンタクトに扁桃体が過剰に反応し（Dalton et al., 2005），アイコンタクトが減少するので，ヒトの顔学習が障害されると推測されている．健常幼児ではサルの顔よりもヒトの顔を用いた方がうまく識別できるが，自閉症児ではヒトの顔の優位性が失われ顔学習過程が障害されている（Chawarska and Volkmar, 2007）．さらに扁桃体が重要な役割を果たしているアイコンタクトにより共有注意過程が働き，知能指数（IQ）や言語機能を含めた高次脳機能全般の発達が促進されると考えられる．ラットでは生後早期に扁桃体を破壊すると，成長してから大脳新皮質の活動性が変化する．このように乳幼児の脳機能の発達は扁桃体系により誘導されると推察される．

健常成人の非侵襲的，神経心理学研究によると，健常者の扁桃体はすべての顔表情や（Fitzgerald et al., 2006），無意識下に呈示された情動的刺激に応答する（Morris et al., 1998b；Whalen et al., 1998）．これら無意識下の視覚情報は網膜→上丘→視床枕→扁桃体の経路（外側膝状体外視覚系）を介して扁桃体に到達し，この線維投射系による視覚情報は網膜→外側膝状体→大脳新皮質視覚野の神経経路（外側膝状体視覚系）と比較して質的に粗いが，早い潜時で扁桃体に到達する（図 4.50）（Liddell et al., 2005）．神経解剖学的にも扁桃体から大脳新皮質へ広範な線維投射があることなどが明らかにされている（Young et al., 1994）．これらのことより顔表情も含めて社会的認知機能に重要な視覚情報は，まず外側膝状体外投射系から扁桃体を介して大脳新皮質の社会的認知機能関連領域に前もって送られ，遅い潜時で新皮質に到達する外側膝状体投射系の感覚情報処理を活性化すると考えられる．この仮説を支持する所見として，1) 扁桃体の活動と大脳新皮質

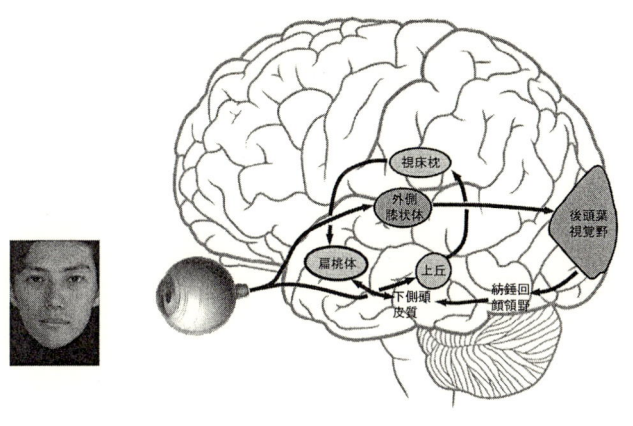

図 4.50 2つの視覚神経経路
▨ 外側膝状体外視覚系；■ 外側膝状体視覚系

の社会的認知機能関連領域（紡錘状回，上側頭溝など）の活動が相関している（Morris et al., 1998a；Das et al., 2005），2）健常者では扁桃体の活動が高まると，恐れや怒りの表情の検出閾値が低下する（Suslow et al., 2006），3）扁桃体損傷患者では情動的刺激の検出閾値が上昇する（Anderson and Phelps, 2001），4）紡錘状回は一般に中性表情よりも恐れなどの表情に強く応答するが，扁桃体損傷患者では恐れの表情に対する活動増大が起こらない（Vuilleumier et al., 2004）．

　筆者らはこれら扁桃体における社会的認知機能を明らかにするため，サル扁桃体ニューロンの顔刺激に対する応答性を解析している．図 4.51 A, B にはそれぞれ各顔と視線の向きに対する扁桃体ニューロンの応答性を示してある．このニューロンは正面を向いた顔で視線が左右（a, c）および正面（b）を向いている顔写真にはあまり応答していないが，頭部が向かって左を向き視線がサルに向いている顔写真に対して強い促進応答を示している（d）．単純な図形には応答していない（f, g）．図 4.51 C にはこれらの刺激に対する扁桃体ニューロンの応答強度（インパルス放電頻度増加の度合）をまとめて示してある．このように扁桃体には前部上側頭溝と同様に，特定の顔や視線の向きあるいはアイコンタクトの有無に応答するニューロンが存在していた．図 4.52 にはサルにヒトの様々な顔表情の写真を呈示したときの扁桃体ニューロンの応答性を示してある．このニューロンは3人の人物の顔表情の中で特定の人物（MO3：日常サルの世話をする人物）の幸せな感情を示す笑顔表情にだけ，初期の抑制応答を示している．この笑顔表情に

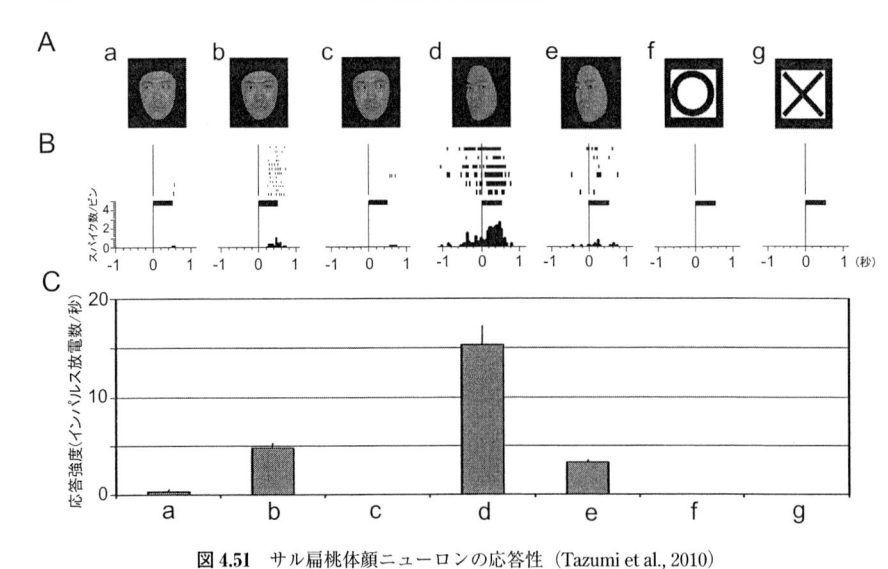

図 4.51 サル扁桃体顔ニューロンの応答性 (Tazumi et al., 2010)
A：正面向きの顔で左斜め向きの視線 (a)，正面向きの顔で正面向き視線 (b)，正面向きの顔で右斜め向きの視線 (c)，左斜め向きの顔で正面向き視線 (d)，左斜め向きの顔で左斜め向き視線 (e)，図形 (f, g) の各視覚刺激.
B：各刺激呈示に対する顔ニューロン応答のラスター表示と加算ヒストグラム．ラスター表示上の太線は，刺激呈示期間．ラスター下のヒストグラムは，インパルス放電（ラスター表示）の加算ヒストグラム．
C：ニューロン応答の要約：各刺激 (a-g) 呈示に対する平均応答強度（インパルス放電頻度）．この顔ニューロンは正面向きの視線を有する斜め向きの顔に選択的に強く促進応答．

選択的に応答するニューロンはNakamuraら (1992) が報告した笑顔に応答するニューロンに相当するものかもしれない．相手の情動や意図を推察する社会的認知機能にとって顔表情は重要な情報源であり，特に目の領域は表情認知に最も重要な情報を含んでいる．このように扁桃体にはアイコンタクト，視線方向，顔表情などに識別的に応答するニューロンが存在し，これらのニューロンが目の領域など情動的に重要な刺激に注意を向けさせ，大脳新皮質の社会的認知機能を高めていると考えられる．扁桃体損傷患者ではこれらニューロンの機能障害により自閉症患者と同様に目の領域に対する固視が減少し（相手の目を見ない），表情識別が障害されている (Adolphs et al., 2005)．これらのことから扁桃体は少なくとも成人における顔表情の認知には必須ではなく，むしろ新皮質を含む他の脳領域が重要な役割を果たしており，扁桃体の機能的意義はそれらの脳領域へ適切な入力を導くことにあると推察される．

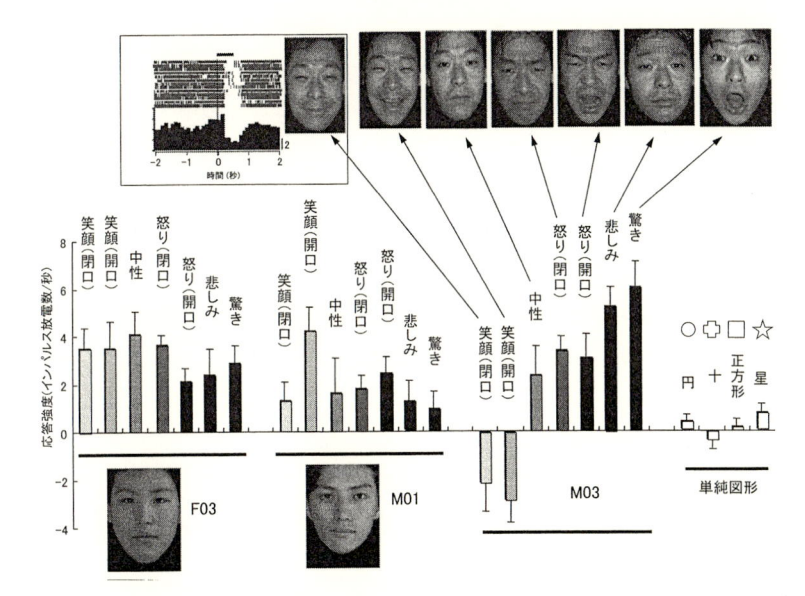

図 4.52 サル扁桃体の喜怒哀楽や驚きの顔表情に対するニューロン応答性（Nishijo et al., 2003）
特定人物（M03：日常サルの世話をしている人物）の幸せな感情を示す顔表情である笑顔に早期の抑制応答に続く促進応答．同一の人物でも怒りや悲しみ，驚きには早期の抑制応答がなく促進応答しか示さない．未知の人物（M01, F03）に対しては早期の抑制応答はなく促進応答しか示さない．縦軸，各刺激呈示に対する平均応答強度：インパルス放電頻度．

4.6 情動を支える記憶

海馬体と記憶

ヒトも含め動物では海馬体やその周囲皮質領域の損傷や破壊により健忘症が起こるので，これら脳領域は記憶形成の首座と考えられている．しかし海馬体を破壊しても，扁桃体と比較して情動の表出に変化が見られない．さらにサルを用いて刺激―報酬間連合に基づく学習課題をテストすると，扁桃体の破壊により障害されるが，海馬体を破壊しても障害されない（Jones and Mishkin, 1972）．むしろサルでは海馬体の破壊により空間の認知や記憶障害などの高度な精神機能が障害される（Squire et al., 1988；Gaffan and Harrison, 1989ab；Jarrard, 1986；Parkinson et al., 1988）．これらのことから海馬体は扁桃体のように直接情動と関係するのではなく，高度な認知機能を通して情報を扁桃体に送ることにより情動行動に関与すると考えられる．筆者らは20年以上にわたり，こうした観点から海馬体ニュー

ロンによる情報処理様式について調べてきたが，ここではその研究成果の一端を紹介する．

1) サル海馬体ニューロンの生物学的意味を有する感覚刺激呈示に対する応答性

筆者らは前項の4.2節c, 2), 4.5節b, 1) で述べたサル視床下部や扁桃体ニューロンの応答性の解析に用いたのとほぼ同じ実験装置を用いて，サルの海馬体とその周囲領域から総数837個のニューロンの活動を記録し (Tamura et al., 1991, 1992a)，そのうち155個 (19%) が視覚認知期に応答した．これらニューロンは各呈示物体に対する視覚応答に有意差のない非選択応答型ニューロン (73個：21%) と有意差のある選択応答型ニューロン (82個：53%) に大別される．選択応答型ニューロンはさらに次の4型に分類される．

(1) 報酬または嫌悪物体優位応答型ニューロン (34個：22%) は，報酬物体または嫌悪物体のいずれか一方に強く応答し，他の一方には応答しないか，応答しても弱い．図4.53には報酬物体 (A)，嫌悪物体 (B) 優位応答型ニューロンの応答例を示してある．Aでは報酬物体 (リンゴ，干しブドウ，クッキーおよびジュースと連合した赤色円柱) には応答するが，嫌悪物体 (注射器，ムカデのモデル，クモのモデル，電気ショックと連合した白色円柱) や新奇物体 (自動車のモデル，クリップ) には応答しない．このニューロンの報酬物体に対する応答の強さ (リンゴ＞クッキー＞干しブドウ) とサルの実際の嗜好性の度合い (リンゴ＞干しブドウ＞クッキー) の順は一致しない．逆にBのニューロンは注射器，クモのモデル，ムカデのモデルなどの嫌悪物体に強く応答する．これら報酬または嫌悪物体優位応答型ニューロンのうち11個に対して，レバーを押してもリンゴやジュース (報酬) を獲得できない消去や白色円柱の意味を電気ショック (嫌悪刺激) からジュースに変える逆転学習を行った．その結果，テストした海馬体ニューロンの多く (9/11) は消去や逆転学習の成立後もその物体に対する応答が保たれる．図4.54，図4.55にはそれぞれ報酬物体 (リンゴ) と嫌悪物体 (電気ショックと連合した白色円柱) に有意に強く応答したニューロン (図4.55と図4.53Aは同じニューロンからの記録) の消去や逆転学習時の応答例を示してあるが，リンゴ，白色円柱に対する視覚応答は学習成立後 (第6ブロック) もほとんど変わらないか (図4.54)，わずかに減少する程度である (図4.55)．これら海馬体ニューロンの応答性は報酬物体の意味をなくしても (図4.54) 嫌悪刺激から報酬刺激に変え

A. 報酬物体優位応答型ニューロン

B. 嫌悪物体優位応答型ニューロン

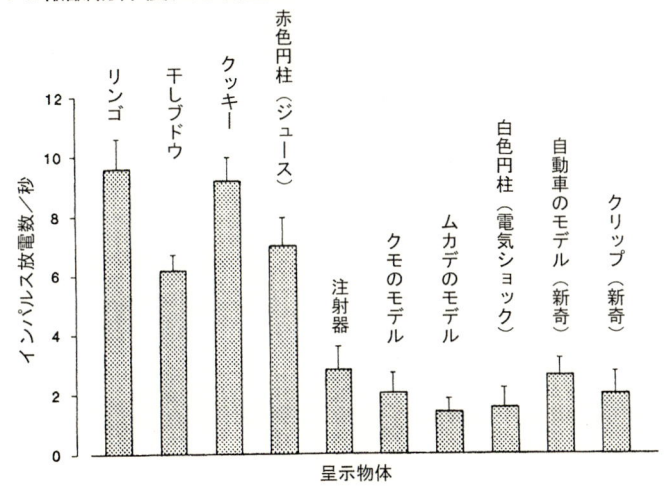

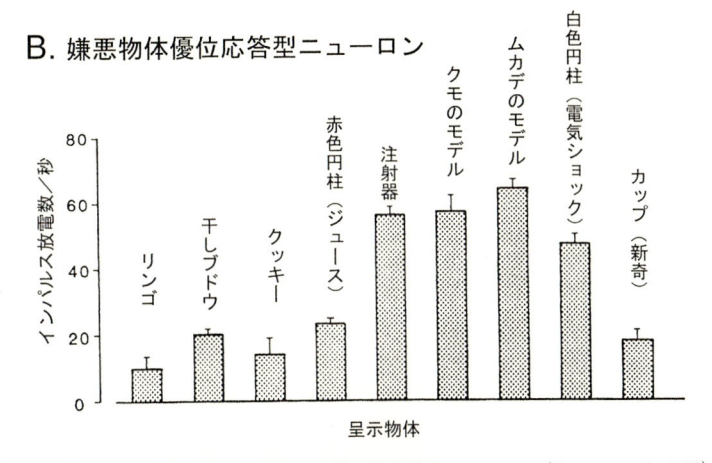

図 4.53 サル海馬体の報酬および嫌悪物体優位応答型ニューロン（Tamura et al., 1992）
A：報酬物体優位応答型ニューロン．報酬物体（リンゴ，干しブドウ，クッキー，ジュースを意味する赤色円柱）に強く促進応答．
B：嫌悪物体優位応答型ニューロン．嫌悪物体（注射器，クモのモデル，ムカデのモデル，電気ショックを意味する白色円柱）に強く促進応答．
ヒストグラムは，各刺激に対する平均インパルス放電頻度から平均自発インパルス放電頻度を差し引いた値（平均値±標準誤差）．

てもあまり変化しない（図 4.55）．海馬体ニューロンの応答性はこの点で扁桃体ニューロンの応答性と大きく異なり，海馬体ニューロンは感覚刺激—報酬または嫌悪刺激間の連合，すなわち情動（感覚刺激の生物学的評価または意味づけ）に

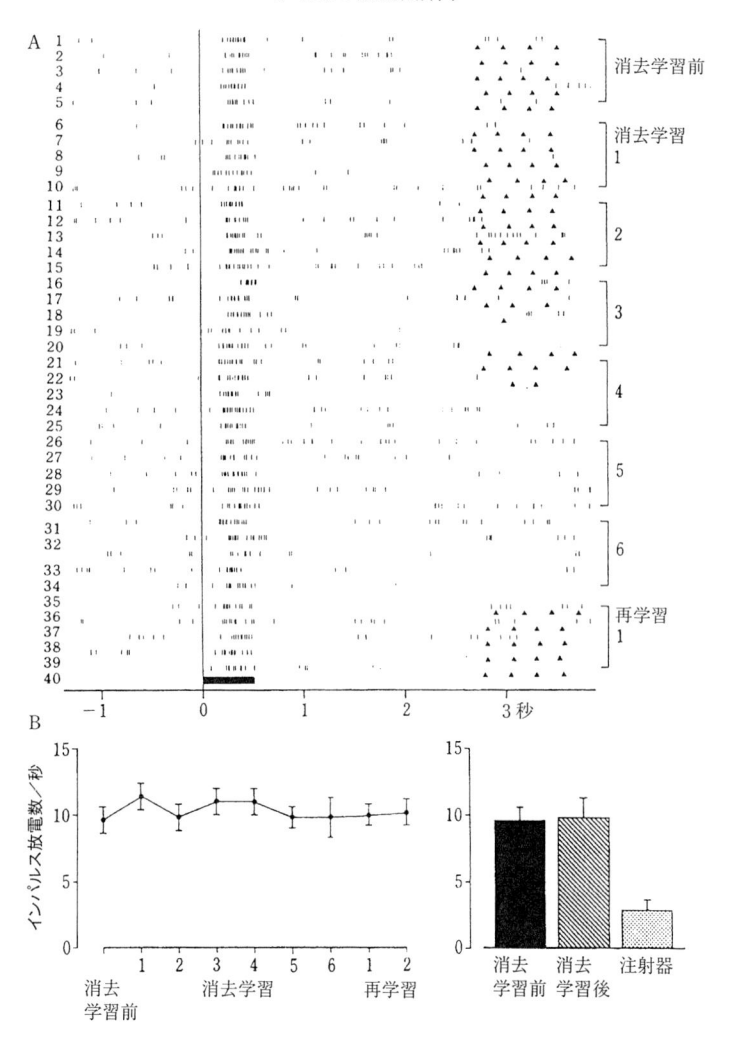

図 4.54 報酬物体優位応答型ニューロンの応答への消去学習の影響（Tamura et al., 1992）
A：レバー押しをしてもリンゴを獲得できない状況下でリンゴを連続して呈示したとき（消去学習）のニューロン応答のラスター表示．消去学習によりレバー押し行動は停止（第3-4ブロック）するが，このニューロンは依然としてリンゴに応答．太い実線，刺激呈示期間（0.5秒）；ラスター下の▲，各レバー押し時点；横軸，時間（秒）．
B：消去学習成立前と後のリンゴに対するニューロン応答．消去学習の成立後でもニューロン応答はほとんど変化しない（第5, 6ブロック）．おのおののブロックはAにおける各ブロックに相当．縦軸，1ブロック5試行における平均応答強度（インパルス放電頻度）；横軸，各ブロックの回数．
C：消去学習成立前と後のリンゴに対するニューロン応答と嫌悪物体（注射器）に対する応答の比較．消去学習後の応答は嫌悪物体の中で最も大きな応答をした注射器と比較しても有意に大きい．ヒストグラムは，消去学習前と後（A, Bの第6ブロック）のリンゴと注射器に対する平均応答強度（インパルス放電頻度）．

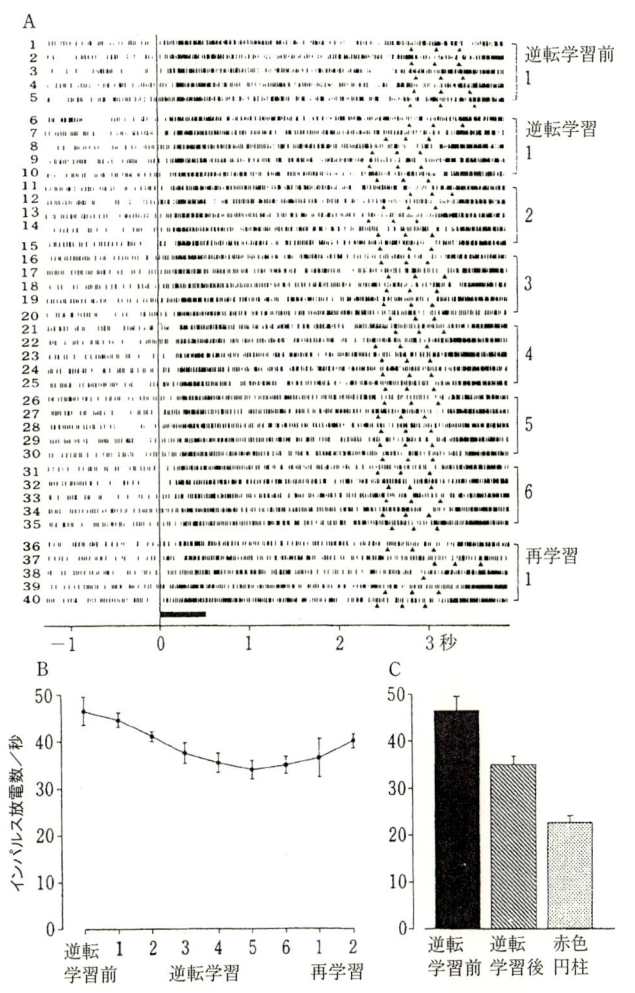

図 4.55 サル海馬体の報酬物体優位応答型ニューロン応答への逆転学習の影響 (Tamura et al., 1992)
A：白色円柱を見たときにレバーを押して電気ショック（嫌悪刺激）を回避する状況からレバーを押すとジュース（報酬）が獲得できる状況に変化させたとき（逆転学習）のニューロン応答のラスター表示．逆転学習成立後（第5, 6ブロック）でもこのニューロンは依然として白色円柱に応答．太い実線：刺激呈示期間（0.5秒），ラスター下の▲：各レバー押し時点，横軸：時間（秒）．
B：逆転学習成立前後の白色円柱に対するニューロン応答．逆転学習の成立後でもニューロン応答は少し減少するだけでほとんど変化しない（第5, 6ブロック）．おのおののブロックはAにおける各ブロックに相当．縦軸：1ブロック5試行における平均応答強度（インパルス放電頻度），横軸：各ブロックの回数．
C：逆転学習成立前（白色円柱―電気ショック連合）と後（白色円柱―ジュース連合）の白色円柱と赤色円柱（赤色円柱―ジュース連合）に対するニューロン応答の比較．逆転学習により白色円柱の意味を嫌悪刺激から報酬刺激に変化させても，応答は少し減少するが依然として保たれている．さらに，逆転学習後の応答は，報酬物体の中で最も大きな応答をした赤色円柱と比較しても有意に大きい．ヒストグラムは逆転学習前と後 (A, Bの第6ブロック) の白色円柱，および赤色円柱に対する平均応答強度（インパルス放電頻度）．

は直接関与しないが,過去に形成された連合を保持し必要に応じて検索し,想起することを可能にするある種のバックアップシステムとして機能していると考えられる.

(2) 認知細胞類似応答型ニューロン (10個:6%) は多くの呈示物体 (25-30種) のうち,特定の物体に選択的に応答する.図4.56には認知細胞類似応答型ニューロンの応答例を示してある.Aのニューロンは報酬物体のひとつである干しブドウだけに強く応答し,他の呈示物体には応答しない.Bのニューロンは新奇ではないが比較的見慣れない物体として呈示した剃刀の箱だけに強く応答し,他の呈示物体には応答しないか,応答してもずっと弱い.これらの応答性より認知細胞類似応答型ニューロンの応答は個々の物体の符号化とその情報表現の貯蔵を反映するものと考えられる.

(3) 新奇物体優位応答型ニューロン (4個) は新奇物体に強く応答するが,既知物体には応答しないか,応答しても弱い.図4.57 (p.132) には新奇物体優位応答型ニューロンの応答例を示してある.このニューロンは新奇物体であるパイナップルのモデル,消しゴム,プリンのモデルには強く応答するが (Ab, B),既知物体であるリンゴや干しブドウなどにはほとんど応答しない (Aa, B).この型のニューロンは同一の新奇物体を連続して数回呈示すると,その物体に対する応答が顕著に減弱する (Ab, B).新奇物体優位応答型ニューロンは呈示物体が見慣れないものであるという新奇性の検出に関わり,既知と未知物体の識別やそれに基づく物体再認に重要な役割を果たすと考えられる.

2) サル海馬体ニューロンの刺激呈示方向に対する応答性

海馬体の総数1,047個のニューロンについて種々の方向から種々の呈示物体や音に対する応答性を詳細に解析した (Tamura et al., 1992b ; Ono et al., 1993).これらニューロンのうち106個 (10.1%) のニューロンがある特定の方向からの呈示物体や音刺激に特異的に応答した.

106個のニューロンのうち49個 (46%) がある特定の方向からの視覚刺激に,35個 (33%) が聴覚刺激に,残り22個 (21%) がその両方に応答した.これらニューロンの視覚応答は実験者がいる右方向,聴覚応答は後方からの音刺激で多く見られた (視覚応答:42/71, 59% ; 聴覚応答:40/57, 70%).これら106個のニューロンのうち39個は特定の物体や音だけに応答した.図4.58 (p.133) には特定の方向からの特定の刺激に応答したサル海馬体ニューロンの応答例を示し

4.6 情動を支える記憶

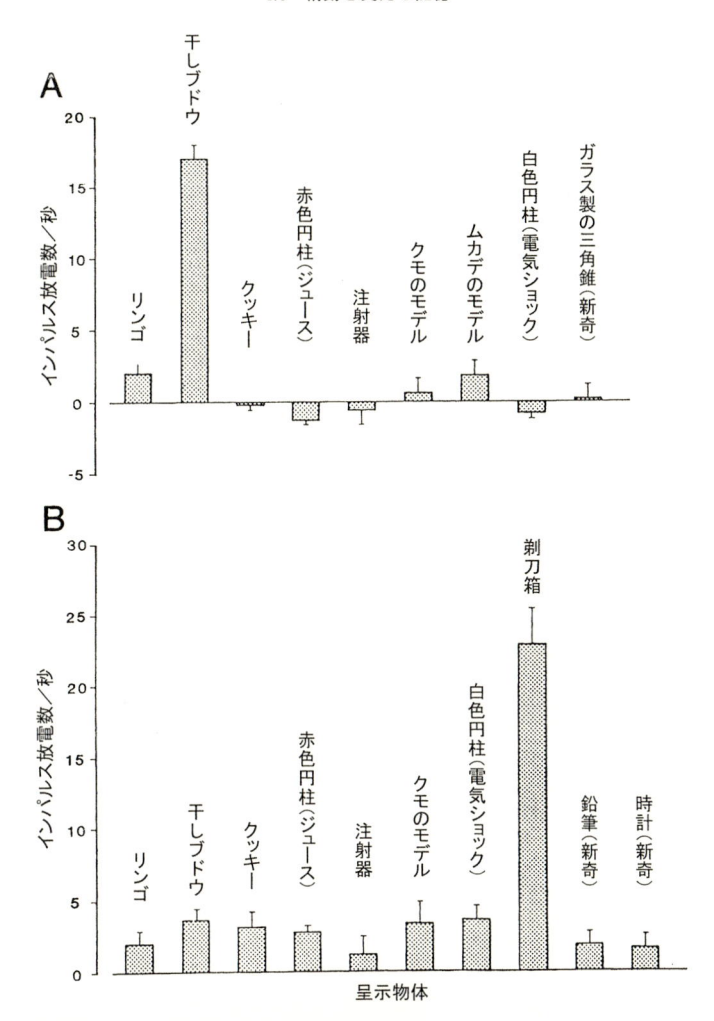

図 4.56 サル海馬における認知細胞類似応答型ニューロン (Tamura et al., 1992)
A：干しブドウに選択的に促進応答する認知細胞類似応答型ニューロン．このニューロンは報酬物体のひとつである干しブドウだけに強く応答，他の呈示物体に対しては報酬物体も含め無応答．
B：剃刀の箱に選択的に促進応答する認知細胞類似応答型ニューロン．このニューロンは比較的見慣れない物体として呈示した剃刀の箱だけに強く応答，他の呈示物体には応答しないか，応答してもその程度はずっと弱い．
ヒストグラム，各刺激に対する平均インパルス放電頻度から平均自発インパルス放電頻度を差し引いた値（平均値±標準誤差）．

てある．このニューロンは右前方で実験者が歩くと強い促進応答している（A）．ヒトの歩行と直接関係のないリンゴを同じ方向から見せたり，近づけたりなどし

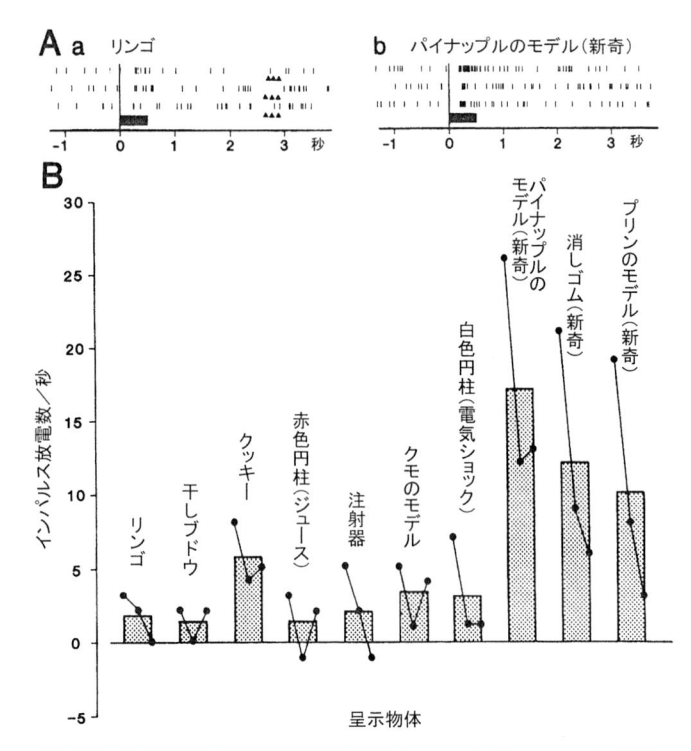

図 4.57 サル海馬体の新奇物体優位応答型ニューロン (Tamura et al., 1992)
A：既知物体（リンゴ）および新奇物体（パイナップルのモデル）への応答のラスター表示による比較．▲，レバー押し；0の時点，物体呈示開始時点；太い横棒，物体呈示期間．
B：数種類の既知と新奇物体への応答のヒストグラム表示による比較．実線で結んだ●，3回の連続試行におけるそれぞれの応答の強さ；ヒストグラム，平均インパルス放電頻度から平均自発インパルス放電頻度を差し引いた値．

てもほとんど応答しない (B)．またこのニューロンはサルの向きを左や右に45°ほど回転して実験者がもとの場所で歩くと応答するが，サル自身にとっての右前方で歩いても応答しないので (Cb, Cc)，実験者が実験室内の特定の場所を歩くという動作に伴う視覚刺激（ヒトの姿など）や聴覚刺激（足音など）に応答していることがわかる．サルが普段の向き (Ca) や右45°の向き (Cc) から左45°の向きにすると，このニューロン応答が少し弱くなっているのは実験者の動きに伴う刺激のうち視覚応答成分がなくなることによる．このニューロン応答はサルの回転には依存せず感覚刺激が実験室のどの場所にあるかに関係し，実験室内の特定の場所とそこからの特定の刺激を符号化しているという意味で外界中心空間

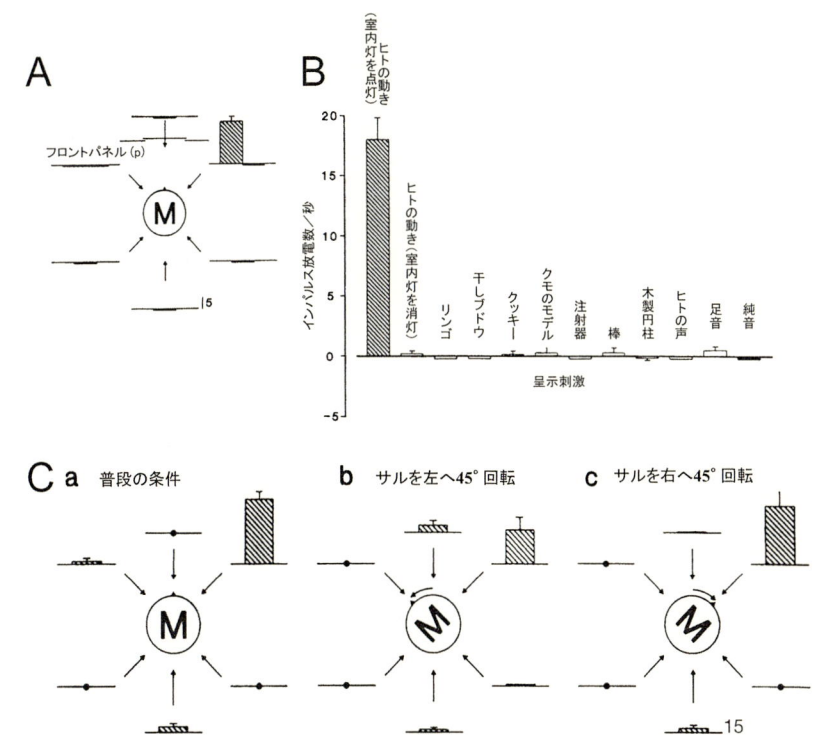

図 4.58 サル海馬体の外界中心的空間の認知・記憶に関係するニューロン応答（Tamura et al., 1992）
A：海馬体ニューロンの刺激方向選択性．種々の方向からヒトが近づくと，右斜め前方で特異的に促進応答．
B：海馬体ニューロンの各種刺激呈示後の 1 秒間の平均インパルス放電数．それぞれ 16 および 12 種類の視覚および聴覚刺激をテストしたが，ヒトの動きに特異的に促進応答．
C：サルを 45°左または右方向に回転した場合の方向選択性．選択応答を示す方向はサルの回転に追従しない．矢印の方向，刺激の呈示方向；M，サルの位置；ヒストグラム，3 回の試行の平均インパルス放電頻度とその標準偏差．

（allocentric space）の認知と記憶に関与すると考えられる．

　サルの回転に伴って方向選択性が移動するニューロンも存在した．図4.59にはニューロン応答の例を示してあり，サルが普段の前向きのときは右前方のヒトの動きに促進応答をし（A），サルの向きを左や右に 45°回転すると，ニューロン応答もそれに伴って回転し，常にサル自身に対して右前方から呈示した刺激に選択的に応答している（B，C）．このことからこのニューロンは自己中心的空間（egocentric space）の認知と記憶に関与すると考えられる．

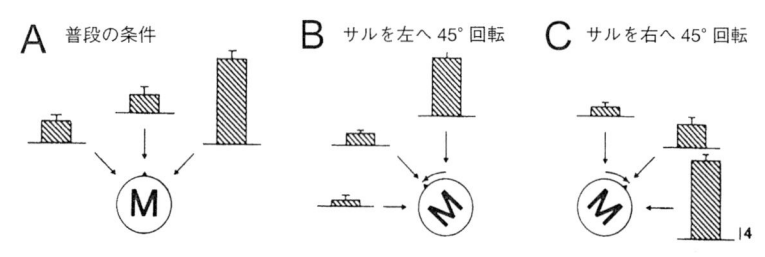

図 4.59 サル海馬体の自己中心的空間の認知・記憶に関係するニューロン応答（Tamura et al., 1992）
A-C：サルが正面を向いているとき（A），サルを 45°左方向に回転した場合（B），サルを 45°右方向に回転した場合（C）の方向選択性．選択応答を示す方向はサルの回転に追従する．矢印の方向，刺激の呈示方向；M，サルの位置；ヒストグラム，3 回の試行の平均インパルス放電頻度とその標準偏差．

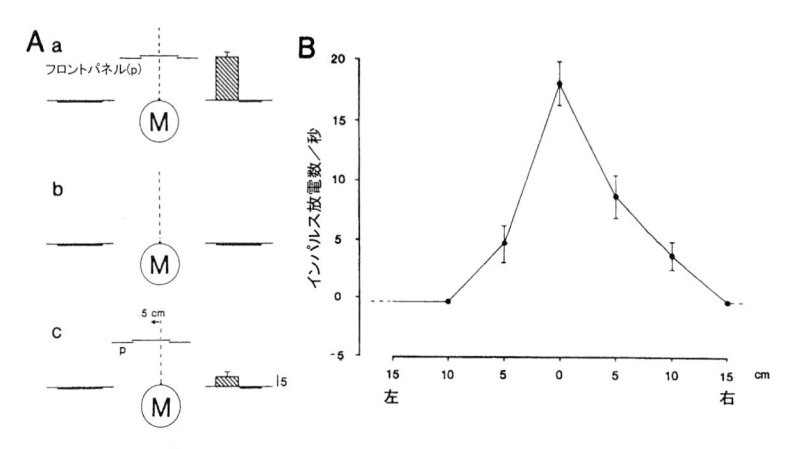

図 4.60 サル海馬体ニューロンの刺激方向選択応答への環境変化の影響（Tamura et al., 1992）
A：刺激呈示装置前面パネル位置変化の影響．a，普段の位置，b，普段の位置から右へ 5 cm 移動，c，普段の位置から左へ 5 cm 移動．パネル位置が普段と同じ場合には強い方向選択応答（a の斜線のヒストグラム）を示す右前方向からのヒトの動きに対し，パネルの位置をわずかに移動しただけでニューロン応答が消失（b）または大きく減弱（c）．p：パネル，M：サル．
B：前面パネル位置の方向選択応答への影響の定量的解析．●と誤差線，6 回の刺激（ヒトの動き）呈示の平均値と標準誤差；横軸，普段の位置（0 cm）からの偏移；縦軸，ニューロンの応答強度（刺激呈示後の 1 秒間の平均インパルス放電頻度から自発インパルス放電頻度を差し引いた値）．

これら方向選択性を示すニューロンのうち 36 個は実験室（環境）内におけるサル自身，ヒトや物体などの間の位置関係に依存した複雑な応答性を示した．図 4.60 にはニューロンの応答例を示してあり，感覚刺激呈示装置が普段の位置にあるときには右前からの実験者の動きに強い促進応答をしている（Aa）．しかし感覚刺激呈示装置をサルの視野の外まで移動すると，実験者が先と同じ場所で動いても

応答せず(Ab), 刺激装置をわずかに移動しただけでも応答が著しく減弱する(Ac, B). このニューロンはサル自身と普段は目の前にある感覚刺激呈示装置とにより規定される特定の刺激（実験者の動き）の位置を符号化し、環境内での種々の刺激対象の位置の関係性についての記憶に関与していると考えられる. この種のニューロンは自分の部屋に他人が侵入し、机の上の物などを少し動かした形跡があると何となく気づいたりすることなど、日常見慣れた環境内のわずかな変化を検出することに関与しているのかもしれない. 鳥が巣の状況や卵の位置などに少しでも変化があることを察知すると、直ちに巣や卵、孵を移動して危険を回避しようとするのも同様のニューロンの働きによるのであろう.

3) サル海馬体ニューロンの場所移動に対する応答性

筆者らはサルの自己運転または実験者のコンピュータ制御による特殊駆動実験システム（サル用の一種の自動車：自動車）を開発して、サル自身の居場所や種々の方向から呈示した物体に対する海馬体ニューロンの応答性を解析し、環境内での出来事や場所の認知と記憶における海馬体の役割についての研究を展開してきた (Ono et al., 1991a, 1991b, 1993; Nishijo et al., 1997). この実験システムでは、サルはレバー押しにより自動車を運転して実験室内の2.5×2.5 mの場所内を自由に移動できるようになっている（場所移動学習課題：図4.61）. この研究によりサル海馬体における特定の空間、場所、出来事、これらのいくつかの組み合わせに特異的に応答するニューロンの存在を明らかにした.

総数238個の海馬体ニューロンの活動を記録したが、79個（33%）はサルが特定の場所を通過するときにインパルス放電頻度の増加をきたす場所応答を示した（場所ニューロン）. これら79個の場所ニューロンのうち32個（13%）は場所応答だけ、14個（6%）は場所と方向選択応答、25個（11%）は方向選択と課題関連応答、8個（3%）は場所、方向選択および課題関連応答を示した. 図4.62には場所ニューロンの応答例を示してある. このニューロンはサルが時計回り方向に自動車を運転すると、P6-10で場所応答が見られる（A）. 実験室内の照明灯を消すと、自動車の前面と左右面の壁はハーフミラー製であるので、サルは外（風景）を見ることができなくなる. この状態で場所移動学習課題を行わせると、場所応答は消失する（B）. このことからこのニューロンの場所応答には自動車の外の風景（種々の環境刺激の位置関係）が重要であることがわかる. この場所応答はサルに反時計回り方向に自動車を運転させたり（C）, サルの向きを右方向に90°回

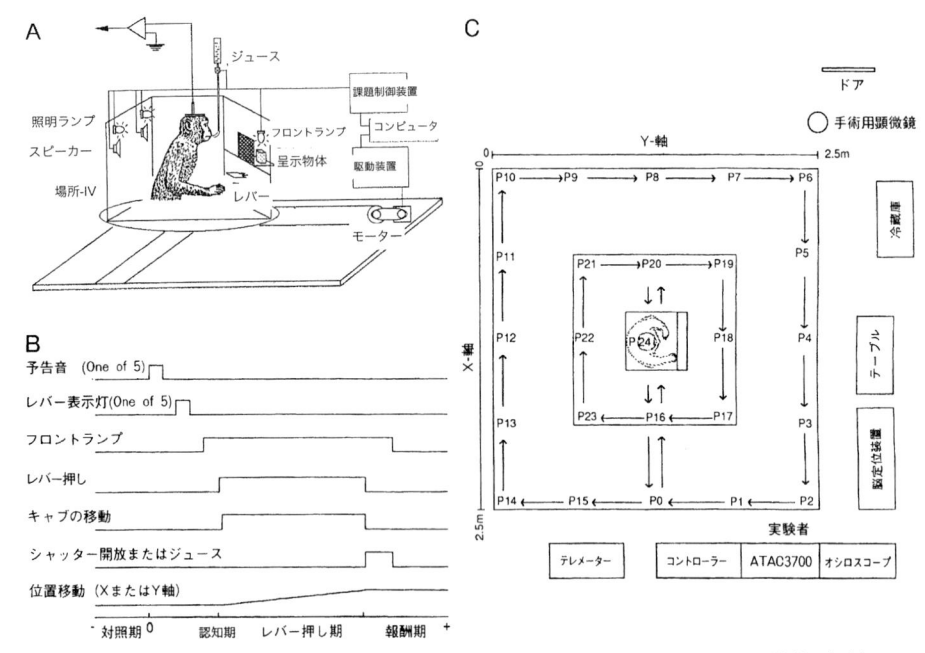

図 4.61 マイコン制御特殊駆動装置（サル用の一種の自動車）を用いた単一ニューロン応答性の解析システムの概要（Ono et al., 1993）

A：マイコン制御特殊駆動装置と環境条件設定装置付きサル用自動車（自動車）．自動車前面のパネルには場所移動学習課題に用いる5個のレバー，各レバーの表示灯，ハーフミラー製シャッター，照明灯が備えてある．

B：場所移動学習課題の模式図．それぞれ5個のレバーに対応した5種類の試行開始予告音（0.5秒）の後，0.7秒間の遅延期間をおいていずれかのレバー表示灯を0.5秒間点灯．次に0.8秒間の遅延期間の後，ハーフミラー製シャッター前の照明灯の点灯によりシャッターを通して，リンゴやクッキーなどの食物，ジュースを意味する白色円柱あるいは種々の非食物を呈示．サルは呈示物体が食物あるいはジュースを意味する白色円柱であれば，左，中央，右，および右端のいずれかのレバーを押して（物体認知）自動車をそれぞれ左，前，右，および後方に移動させ，一定時間後に一定の距離を移動したときに，食物であれば前面のシャッターが開放したときに獲得し，ジュースであれば口角付近のチューブから摂取．テープの場合はレバー押しをしても報酬を得ることはできないので，押さない．

C：実験室内での特殊移駆動装置の配置見取り図と場所移動学習課題における移動順序の一例．サルの場所はP0-24で区別．Bの居場所移動課題では1試行ごとにそれぞれ異なった番号の場所に移動し，報酬（リンゴなどの食物またはジュース）を摂取．通常，サルは図中央に示すようにY軸（→+）方向を向いている．

転して自動車を運転させたりして（D）サルに同じ風景を異なる方向から見えるように変化させても，同様にP6-10で現れる．これらのことから場所応答は自動車外の特定の環境刺激に対するものではなく，風景（複数の環境刺激の位置関係：relational representation）に基づく自分の居場所の認知によると考えられる．サ

4.6 情動を支える記憶

A. レバー押しによる移動（室内灯：点灯）

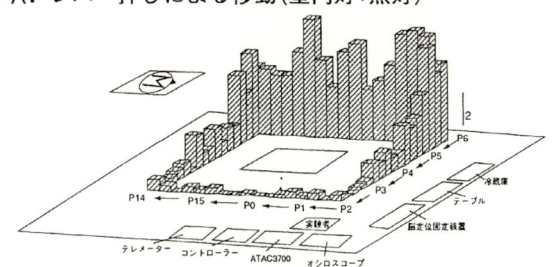

B. レバー押しによる移動（室内灯：消灯）

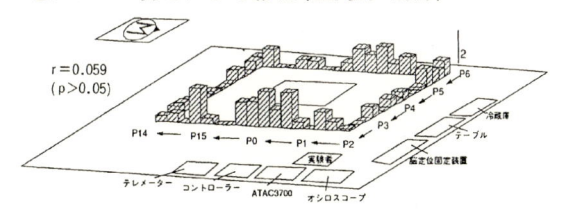

r = 0.059
(p > 0.05)

C. レバー押しによる移動（室内灯：点灯）

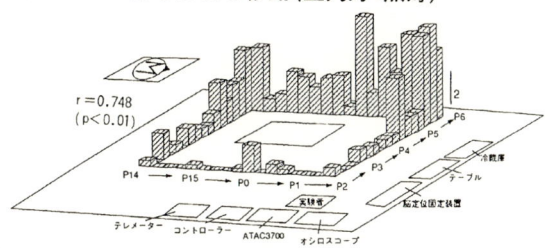

r = 0.748
(p < 0.01)

D. レバー押しによる移動（室内灯：点灯）

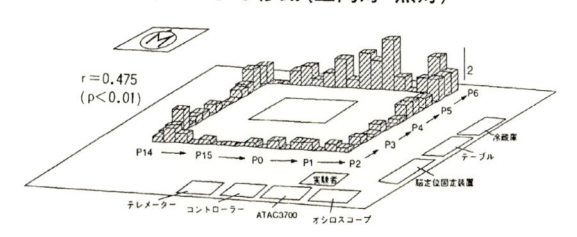

r = 0.475
(p < 0.01)

図4.62 サル海馬体の場所応答ニューロン（Ono et al., 1993）
A：各場所におけるインパルス放電頻度．サルは時計回り方向に自動車を運転．P6-10で場所応答（インパルス放電頻度の増加）．各場所におけるニューロン活動は，P0-24の各点の間をさらに4分割しておのおのの分割点上に四角柱で表示．四角柱の高さ：各点における総インパルス放電数を各点における滞在時間で割った値（平均インパルス放電頻度：インパルス数/秒）．
B：実験室内の照明灯を消灯した条件下における場所応答の消失．
C：サルが反時計回り方向に自動車を運転したときの場所応答．Aと同様にP6-10の付近で場所応答．r：A（対照）の応答と各条件下の応答との相関係数．
D：サルの向きを左方向に90°回転した状態で自動車を運転したときの場所応答．
AとCおよびDの各間では場所応答に有意の相関があるが，AとBの間には有意の相関がない．→：自動車の移動方向．

ルのかわりに実験者がコンピュータで自動車を移動すると（受動的な移動），場所応答は見られなくなる（図4.63 A, B）．これらのことから場所応答はある場所の風景やサルの能動的なレバー押しによる場所移動を連合的に符号化していると考えられる．

A．受動的移動（室内灯：点灯）

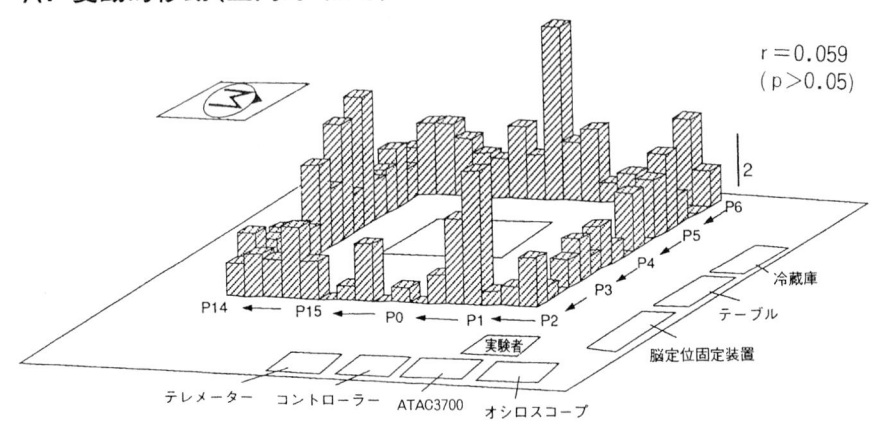

r＝0.059
（p＞0.05）

B．受動的移動（室内灯：点灯）

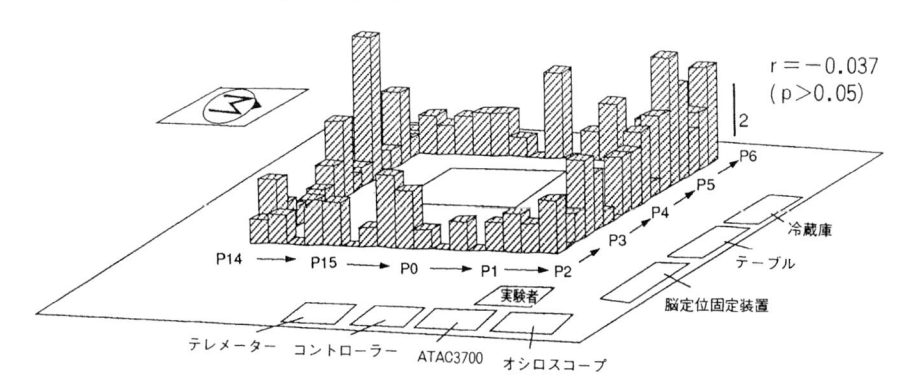

r＝−0.037
（p＞0.05）

図 4.63 実験者がサルを受動的に移動させたときの場所応答（図 4.62 と同一ニューロン）(Ono et al., 1993)
A：実験者が自動車を時計回り方向に移動したときの場所応答の消失．
B：実験者が自動車を反時計回り方向に移動したときの場所応答の消失．
A および B いずれも，対照の場所応答（図 4.62 A）との間に有意な相関がない．他の説明は図 4.62 と同じ．

図 4.64 は場所応答と方向選択応答の両方を示したニューロンの例である．このニューロンは P4-P6 で場所応答を示し（A），サルがこの場所（P5）にいて＋Y 方向を向き，右前方が P2 の脳定位固定装置の付近になったときだけ実験者の動作に強い方向選択応答を示している（C）．このことはサルを P5 で右方向に 90° 回転して P2 付近の実験者の動作を真正面にみているにもかかわらず応答しないこ

4.6 情動を支える記憶

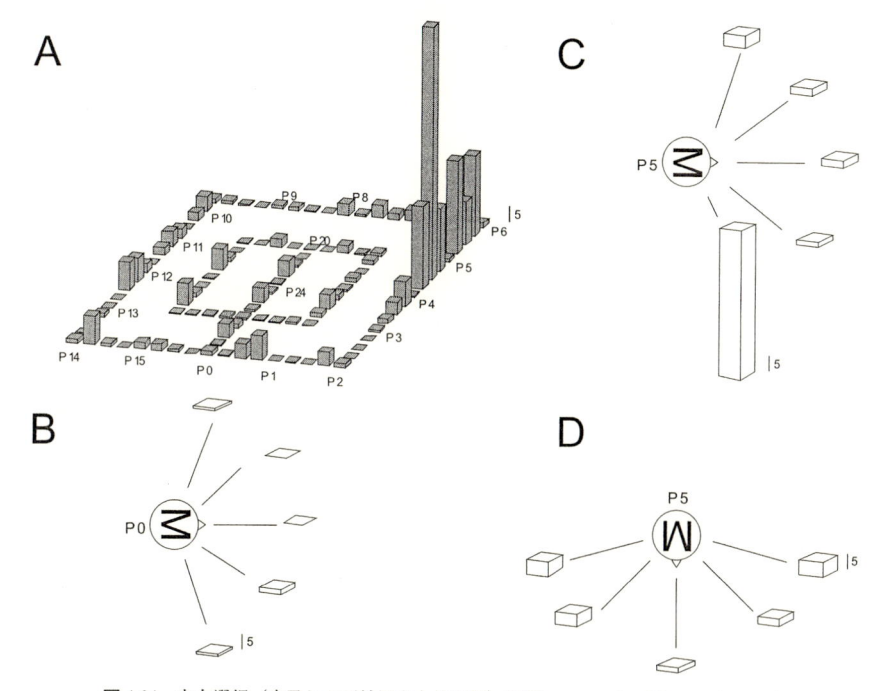

図 4.64 方向選択（自己および外界中心的空間）応答ニューロン（Ono et al., 1993）
A：居場所移動課題遂行中の各場所におけるニューロンのインパルス放電頻度の変化．P4-P6で場所応答．各場所におけるニューロンのインパルス放電頻度は，P0-P24の各点の間をさらに4分割しておのおのの分割点上に四角柱で表示．四角柱の高さ，各点における総インパルス放電数を各点における滞在時間で割った値（平均放電頻度：インパルス放電数/秒）．
B-D：方向選択応答性．方向選択応答性．サルがP5で+Y方向を向き，サルの右前方がP2（脳定位固定装置の付近）になったときだけP2付近での実験者の動作に応答（C）．サルがP0で+Y方向を向いているとき（B）や，P5で90°右方向に回転して，P2付近を真正面にしたときには実験者の動作をみても無応答（D）．各方向における四角柱の高さ，各刺激呈示に対する6秒間の平均インパルス放電頻数/秒．M，サル．

とからもわかる（D）．もちろんP5以外ではこのような方向選択応答はない（B）．このニューロンは特定の場所における自己および外界中心的座標の両方に基づく特定空間の認知記憶に関与していると考えられる．

　図4.65は居場所と課題関連応答の両方を示したニューロンの例である．このニューロンはP7-11で場所応答が見られる（A）．サルがP7-11（場所フィールド内：インパルス放電頻度の変化する限られた場所領域）にいるときだけ，選択的にリンゴの視覚認知期（予告音とレバー表示灯の点灯に続くリンゴの呈示）とシャッター開放後のリンゴの摂取期にも応答している．これ以外の場所ではリン

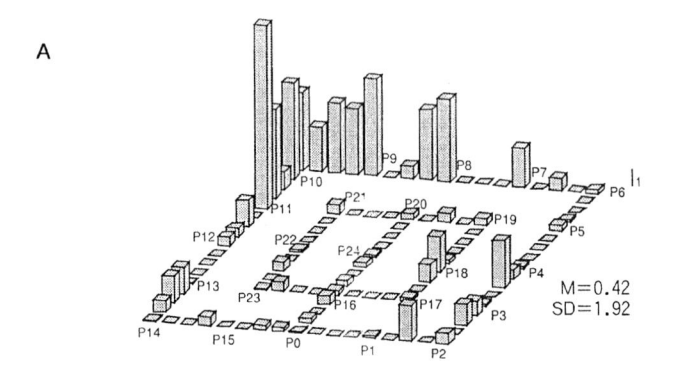

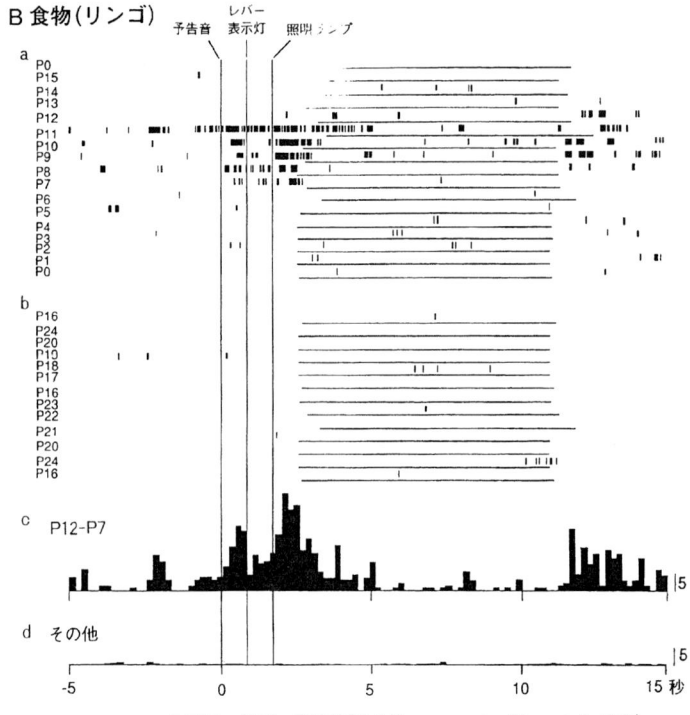

図 4.65 サル海馬体の場所・課題関連応答ニューロン (Ono et al., 1993)

A：通常条件下（実験室内照明灯を点灯）で課題を試行したときの各場所におけるインパルス放電頻度．P7 から 11 で場所応答．

B：通常条件における場所移動課題に対するニューロンの応答性．a, b, それぞれ外周および内周を移動したときのニューロン応答のラスター表示．c, d, それぞれ場所移動課題を場所応答のある P7-11, および P7-11 以外で行ったときのラスター表示の加算ヒストグラム．サルが P7-11 の領域にいるときだけリンゴの視覚認知期（予告音，レバー表示灯の点灯に続くリンゴの呈示）とシャッター開放後のリンゴの摂取期に促進応答．横軸，時間；縦軸，1 試行当たりの各ビン幅（200 ミリ秒）におけるインパルス放電数；時間軸上の 0, 予告音の開始時点；ラスター下の実線，レバー押し期間．

ゴを見て食べても応答しない (B). このニューロンは P7-11 という特定の場所に応答しているだけでなく，この特定の場所でリンゴを見て食べるときに応答するのである．この海馬体ニューロンは特定の場所（P7-11）の認知記憶とその場所における意味のある出来事（リンゴを見て食べる）の認知記憶，いわゆる陳述記憶に関与していると考えられる．実験室内の照明灯を消して居場所移動課題を行わせると，P7-11 における場所応答は消失し，サルは実際にリンゴを見て食べているにもかかわらずリンゴの視覚認知期と摂取期における応答も消失する．これらのことからこの海馬体ニューロンは場所だけでなく，その場所における特定の出来事（エピソード）に関する情報の連合的な符号化，つまりエピソード記憶に関与するニューロンであると考えられる．本研究で記録された各種応答ニューロンは海馬体内の特定の領域に局在せず比較的均一に混在していた（図 4.66）．

○ 場所応答ニューロン
◐ 場所・課題関連応答ニューロン
● 場所・方向選択応答ニューロン
◉ 場所・課題関連・方向選択応答ニューロン
▼ 課題関連・方向選択応答ニューロン
▲ 課題関連応答ニューロン
▾ 方向選択（自己中心的空間）応答ニューロン
▫ 方向選択（外界中心的空間）応答ニューロン
× 無応答ニューロン

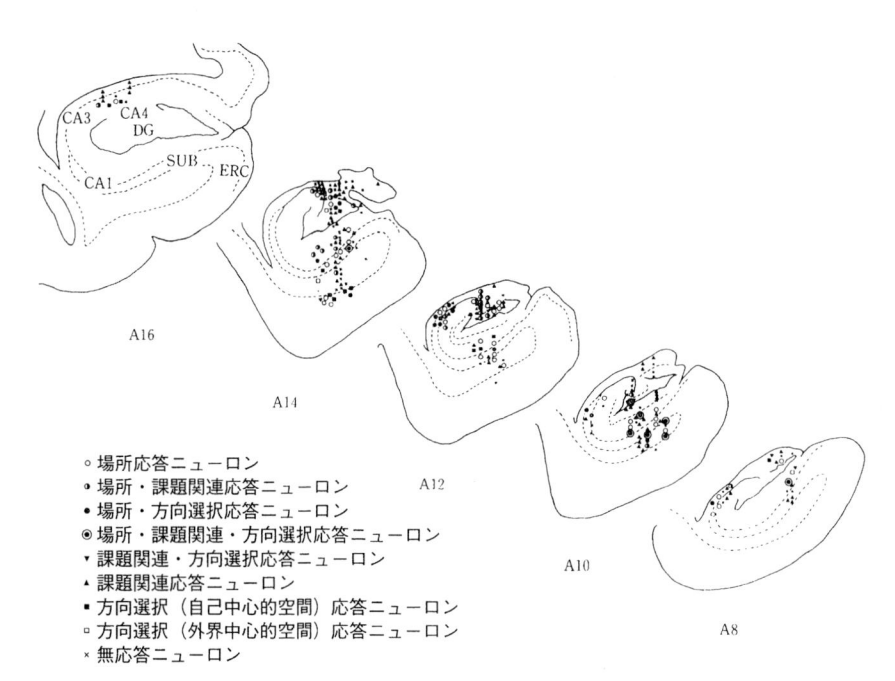

図 4.66 サル海馬体および海馬傍回における各応答ニューロンの分布（Tamura et al., 1992）
DG，歯状回 CA1-4，固有海馬 CA1-4 領域；ERC，内嗅皮質；SUB，海馬支脚．

4) ラット海馬体ニューロンの空間・文脈応答性

筆者らはラット用に独自に開発した場所学習に関する実験システム（図4.67）を用いて，空間学習課題遂行中のラット海馬体ニューロンの応答性を調べた（Kobayashi et al., 1997）．この実験システムでは回転可能な直径150 cm，壁高45 cmの円型チャンバー（オープンフィールド）の周囲と上部を黒色のカーテンで覆い，内部の天井にはオープンフィールド外の空間手掛り刺激として40 W白熱電球（視覚刺激）とホワイトノイズ発生用スピーカー（聴覚刺激）を，また中央部にはラットの位置追跡用のインターフェースを内蔵した特殊カメラを設置してある．ラットの内側前脳束と海馬体にそれぞれICSS報酬用電極とニューロン活動記録用可動式電極を慢性的に埋め込んだ．ラットがプログラムによって設定されたオープンフィールド内の小さな円形の報酬場所内に入ると，ICSS報酬を与える．この実験システムを用いてラットに，任意報酬場所探索課題と場所学習課題を訓練した．任意報酬場所探索課題では一定の時間間隔で無作為にオープンフィールド内に直径72 cmの報酬場所を設定し，ラットがオープンフィールド内を探索中にこの場所に入るとICSS報酬を与えた．この課題は記録した海馬体ニューロンが場所ニューロンであるかどうかを同定するために用いた．場所学習課題には場所学習課題-Iと場所学習課題-IIがあり，場所学習課題-Iでは任意の報酬場所探索課題によって同定した場所細胞の場所応答野（ニューロンのインパルス放電頻度が増加する場所の範囲：place field）の内と外の2カ所に直径40 cmの報酬場所を設定し，ラットが交互にこれら2カ所の報酬場所に入ると，それぞれの場所でICSS報酬を与えた．またラットが自己の居場所を認知しているか否かを確認するために，報酬場所に入った後に一定の遅延時間（0.5, 1.0, 1.5または2.0秒）をおいて報酬を与えた．場所学習課題-IIは，基本的には場所学習課題-Iと同じであるが，場所学習課題-Iで場所応答野内に設定した報酬場所では報酬を与えず，場所応答野外に設定した報酬場所だけで報酬を与えた．

総数43個の海馬体（CA1およびCA3領域）ニューロンのうち37個は任意報酬場所探索課題によって場所細胞であることが同定された．場所学習課題-Iを用いて，21個の場所細胞のインパルス放電頻度とラットの移動方向，移動速度および回転角度との相関を解析し，いずれの変数も任意場所探索課題と比較して有意に相関が高くなった．図4.68には場所細胞の応答例を示してある．このニューロンの任意報酬場所探索課題での場所応答野は6時と9時の場所にある（Aa）．場所

4.6 情動を支える記憶

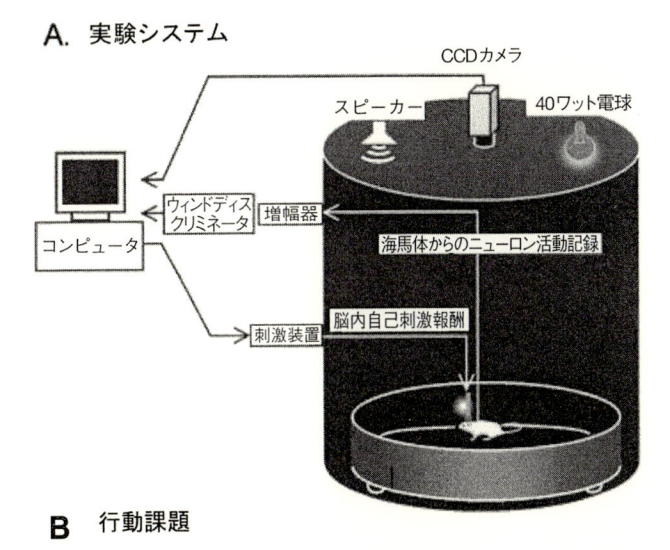

A. 実験システム

B. 行動課題
a. 任意の報酬場所探索課題　b. 場所学習課題-I　c. 場所学習課題-II

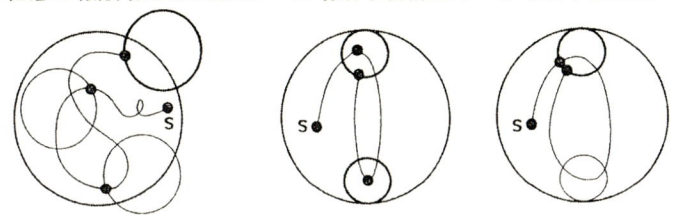

図 4.67 ラットの空間学習課題用実験装置と（A）と行動課題（B）（Kobayashi et al., 1997）
A：実験に用いた円形オープンフィールド；回転可能な直径 150 cm，壁高 45 cm の円型チャンバー（オープンフィールド）の周囲と上部を黒色のカーテンで覆い，内部の天井にはオープンフィールド外の空間手掛り刺激として 40 W 白熱電球（視覚刺激）とホワイトノイズ発生用スピーカー（聴覚刺激）を，中央部にはラットの位置追跡用のインターフェースを内蔵した特殊カメラ（CCD カメラ）を設置．ラットの内側前脳束と海馬体にそれぞれ ICSS 報酬用電極とニューロン活動記録用可動式電極を慢性的に埋め込んだ．ラットがプログラムによって設定されたオープンフィールド内の小さな円形の報酬場所内に入ると，ICSS 報酬．
B：行動課題．任意の報酬場所探索課題（a）：一定の時間間隔で無作為にオープンフィールド内に直径 72 cm の報酬場所を設定，ラットがオープンフィールド内を探索中にこの場所に入ると ICSS 報酬．場所学習課題-I（b）：任意の報酬場所探索課題によって同定した場所細胞の場所応答野（ニューロンのインパルス放電頻度が増加する場所の範囲：place field）の内と外の 2 カ所に直径 40 cm の報酬場所を設定，ラットが交互にこれら 2 カ所の報酬場所に入ると，それぞれの場所で ICSS 報酬．ラットが自己の居場所を認知しているか否かを確認するために，報酬場所に入った後に一定の遅延時間（0.5, 1.0, 1.5 または 2.0 秒）をおいて報酬．場所学習課題-II（c）：基本的には場所学習課題-I と同じであるが，場所学習課題-I で場所応答野内に設定した報酬場所では報酬を与えず，場所応答野外に設定した報酬場所だけで報酬．

学習課題-I では報酬場所を 6 時の場所の場所応答野内と 12 時の場所応答野外に設定してある．ラットは 9 時の場所応答野内をほとんど通過しないので（Ba，左

A. 任意の報酬場所探索課題

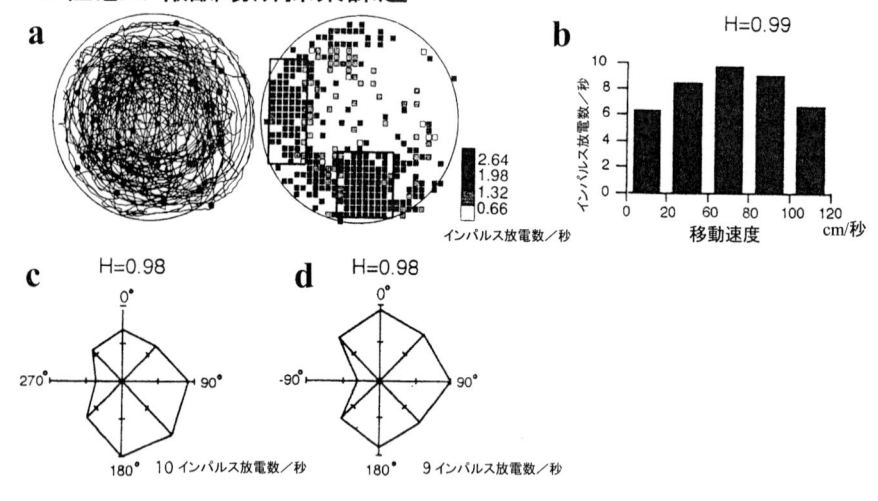

B. 場所学習課題-I

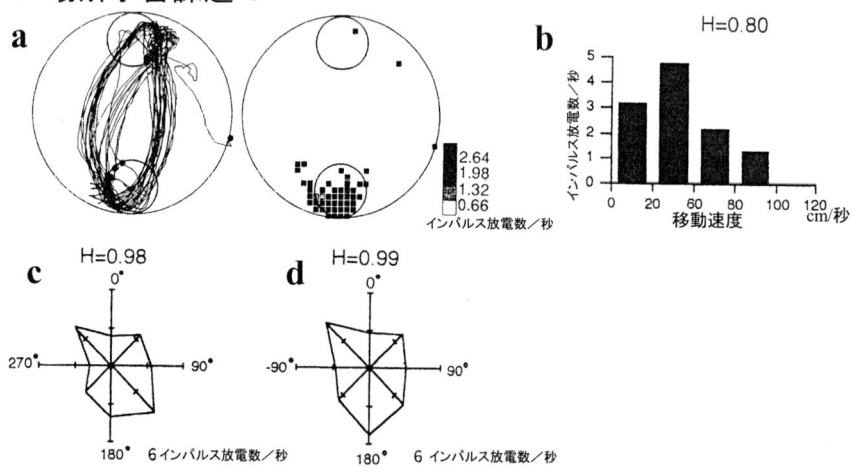

図4.68 ラットが任意の報酬場所探索課題 (A) または場所学習課題-I (B) を遂行しているときの, ニューロン活動と居場所 (a), 移動速度 (b), 移動方向 (c) および回転角度 (d) との相関 (Kobayashi et al., 1997)

A：a 左, オープンフィールド内全体に移動軌跡, 右, 6 時と 9 時の領域に場所応答野, b-d, 任意の報酬場所探索課題遂行中の移動速度 (b), 移動方向 (c) および回転角度 (d) とインパルス放電頻度との相関. B：報酬場所をオープンフィールド内の 6 時 (応答野内) と 12 時 (応答野外) の 2 カ所に設定. a 左, 2 カ所間の報酬場所間を直線的に往復移動；右, 6 時の報酬場所 (応答野内) でインパルス放電の増加, b-d, A の任意の報酬場所探索課題遂行中の b-d と比較して, いずれの行動指標もインパルス放電頻度との相関が高い. H, エントロピー；各ピクセル, 10 分間のインパルス数を滞在時間で割った発火率；大きさ, 4 cm×4 cm (図 4.69 と 4.70 も同じ).

の円),6時の場所に限局して場所応答野がある (Ba, 右の円). Ab-d と Bb-d にはそれぞれ任意場所探索課題と場所学習課題-Iにおけるニューロンのインパルス放電頻度とラットの移動速度 (b),移動方向 (c) および回転角度 (d) との関係を示してあるが,任意場所探索課題よりも場所学習課題-Iでいずれの行動指標もニューロンのインパルス放電頻度との相関が高まっている.このことはニューロン活動の選択性の定量的指標であるエントロピー(図内の変数 H が 0 に近いほど選択性が高い)の値からも明らかである.McNaughton ら(2006)は「純粋に場所だけを表現しているニューロン応答の形成には空間に関わる色々な内外環境情報,例えば位置移動に伴う視覚,前庭感覚,固有感覚などの感覚入力の変化を処理統合する必要があり,その処理の中間層として機能するニューロンの活動には場所相関や行動相関がいろいろな程度で現れる」という考えを提唱しているが,本研究で見られた行動相関を示す場所細胞は正にこの中間層に位置するニューロンといえよう.本研究により中間層ニューロンの行動相関が課題の要求性(報酬場所という特定の場所を認知する必要性)により大きく影響されることが示されたが,このことは中間層ニューロンの空間情報処理における役割を検討するうえできわめて重要な要素と思われる.

　ラットに場所学習課題-IIを行わせて報酬場所の場所応答への影響を解析した31個の場所ニューロンのうち,6個で場所応答が変化した.図4.69には新たに場所応答野が形成されたニューロンの応答例を示してある.任意報酬場所探索課題と場所学習課題-Iではオープンフィールド内の5時のところに場所応答野がある(A と B).場所学習課題-IIでは第1セッション目から5時の場所応答野に加えて11-12時領域にも場所応答野が認められ(C),第4セッション目になるとこの場所応答はより鮮明になった(D).したがってこのニューロンは,もとの場所表現は維持したままで状況(文脈)の変化に応じて居場所の表現を新たに形成する機能があると解釈できる.このようなニューロンは文脈に応じて複数の居場所間の関係性を符号化することに関与していると考えられる.

　図4.70には場所学習課題-IIのセッションを繰り返すと,場所応答野の位置が移動するニューロンの例を示してある.このニューロンは任意報酬場所探索課題と場所学習課題-Iでは,オープンフィールド内の6時の領域に場所応答野がある(A と B).場所学習課題-IIでは第1セッション目の場所応答野は場所学習課題-Iと同じ6時の場所にあるが(C, G),セッションを繰り返すと徐々にもう一方の

A. 任意の報酬場所探索課題

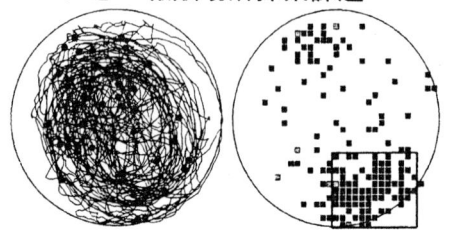

B. 場所学習課題-I

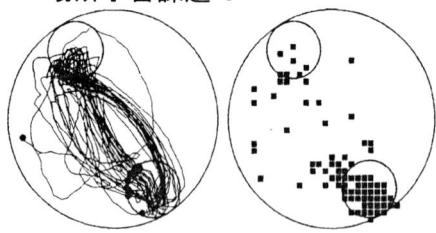

C. 場所学習課題-II（第1セッション）

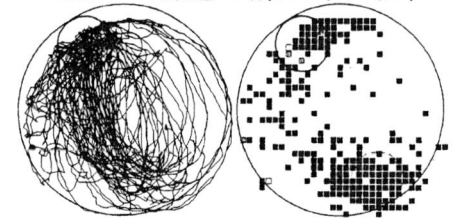

D. 場所学習課題-II（第4セッション）

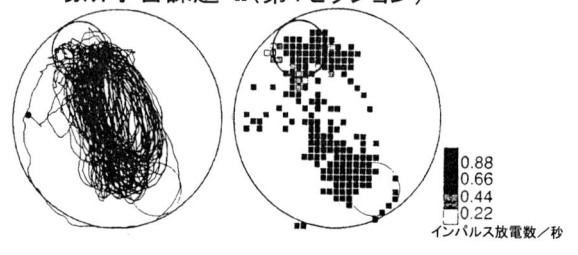

0.88
0.66
0.44
0.22
インパルス放電数／秒

図 4.69 場所学習課題-II の遂行により新たな場所応答野を形成したニューロン（Kobayashi et al., 1997）
A：任意の場所報酬探索課題：左，オープンフィールド内全体に移動軌跡；右，5 時の場所に場所応答野．
B：場所学習課題I：左，2カ所間の報酬場所間を直線的に往復移動；右，5時の場所に場所応答野．
C：場所学習課題II（第1セッション）：左，報酬を場所応答野内の報酬場所（5時）では与えず，応答野外の報酬場所（11時）だけで報酬．移動軌跡が直線的でない；右，応答野外の報酬場所に新しい場所応答野（11-12時）形成．
D：場所学習課題II（第4セッション）：左，2カ所の報酬場所をほぼ直線的に往復移動；右，5時の場所のほかに11-12時の場所に新しい場所応答野形成．

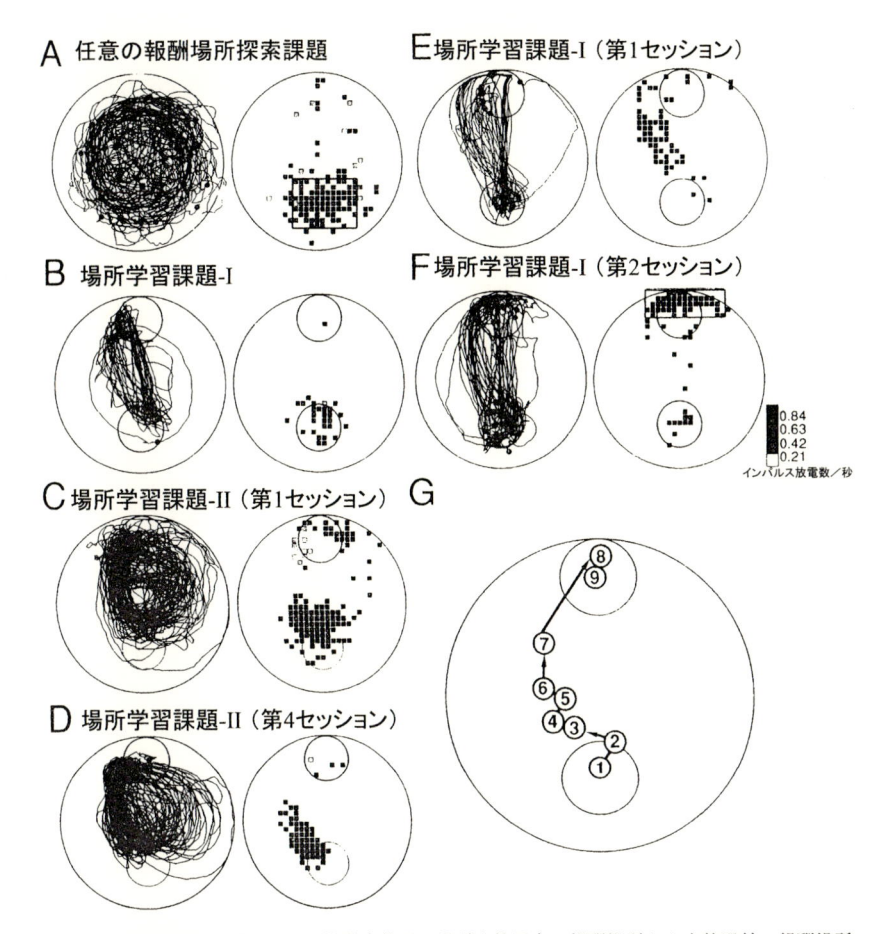

図4.70 場所学習課題-II遂行により場所応答野が場所応答野内の報酬場所から応答野外の報酬場所へ徐々に移動したニューロン (Kobayashi et al., 1997).
A, B：任意報酬場所探索課題と場所学習課題-Iでは，オープンフィールド内の6時の領域に場所応答. C, D：場所学習課題-IIでは第1セッション目の場所応答野は場所学習課題-Iと同じ6時の場所にあるが，セッションを繰り返すと徐々にもう一方の報酬場所の方向へ移動，第4セッション目にはオープンフィールドのほぼ中央が場所応答野の中心. E, F：行動課題を場所学習課題-Iに戻しても場所応答野はさらに移動，第2セッション目にはもとの場所応答野とは対側の12時の領域. G：セッションの繰り返しによる場所応答野の位置の移動. 第1, 2セッション（場所学習課題I），第3-6セッション（場所学習課題II），第7-9セッション（場所学習課題I）での場所応答野の中心を表示. セッションの繰り返しにより，もとの6時の領域の場所応答野とは対側の12時の領域に移動.

報酬場所の方向へ移動し（G），第4セッション目には場所応答野の中心がオープンフィールドのほぼ中央に達した（D, G）．ここで行動課題を場所学習課題-Iに戻しても場所応答野はさらに移動し（E, G），第2および第3セッション目には

もとの場所応答野とは対側の12時の領域に移った（F, G）．このニューロンはある文脈では片方の報酬場所の領域を表現しているが，文脈が変化した場合には報酬場所の領域の表現を徐々に変化させ，最終的には他方の報酬場所の領域を表現するようになり，その後，単に以前の文脈に戻しても変化してしまった表現は最初の場所応答野には戻らないので，時間経過に伴って生じる"情報の付加/組み換え"や状況に応じた情報表現の効率化と最適化に関わっているものと考えられる．

4.7　中隔核の役割

a.　中隔核の統合機能

辺縁系に属する中隔核（septal nuclei）は脳弓を介して海馬体と相互に密接な線維連絡を有し，いわゆる中隔―海馬体系（septo-hippocampal system）を構成している（Amaral, 1987；Swanson et al., 1987）．

解剖学的には中隔核は認知，記憶など高次脳機能に関与する海馬体，側頭葉嗅皮質と，情動，本能行動および自律神経機能に関与する視床下部，手綱核や中脳中心灰白質などの脳幹系を結ぶインターフェースとして重要な位置を占める（Swanson et al., 1987）．ヒトの中隔核は神経細胞の存在しない透明中隔とともに中隔部（septal region）を構成し，他の霊長類と比較してその容積が顕著に増加する（Eccles, 1989）．

機能的には中隔核は海馬体，視床下部と深く関連している．ヒトでは中隔核または脳弓の破壊により空間認知や記憶課題が（Gaffan et al., 1991；Botez-Marquard and Botez, 1992），ラットやサルでは様々な空間学習や条件識別課題が障害され（Mizumori et al., 1992；Numan and Quaranta Jr., 1990；Thomas and Gash, 1986），海馬体の破壊による症状と非常によく似ている（Gray, 1987）．一方中隔核の破壊により摂食行動や飲水行動の亢進など視床下部の破壊徴候と非常によく似た障害が起こる（Harvey and Hunt, 1965；Kondo and Lorens, 1971；Lorens and Kondo, 1969；Munoz and Grossman, 1980；Stoller, 1972）．またラットの中隔核は電気刺激実験により，ICSS行動の起こる部位として最初に明らかにされた脳領域であり（Olds and Milner, 1954），ヒトでは中隔核のICSSにより幸福感や多幸感が得られる（Heath, 1969）．さらに中隔核の電気刺激により血圧低下や心拍数減少など種々の自律神経反応が起こる（Malmo, 1961, 1965；Covian et al.,

1964；Holdstock, 1967）．

　これらのことから中隔核は海馬体と嗅皮質および視床下部を含む脳幹と相互の密接な線維連絡により認知や記憶などの高次情報に基づき情動，本能行動およびこれらと表裏一体の関係にある自律神経機能を制御していると考えられる．

b. サル中隔核ニューロンの応答性
1) 研究方法

　前項の 4.7 節 a で述べたように中隔核は空間的情報の処理，空間的情報と物体の意味とを統合する過程および物体の生物学的意味（報酬，無報酬）の評価に関与している可能性がある．筆者らは中隔核が空間的情報の処理に関与しているかどうか，また空間的情報と物体の意味とを統合する過程に関与しているかどうか，という二点を明らかにする研究を行った（Kita et al., 1995）．本研究ではサルの居場所の違いにより物体の生物学的意味（報酬，無報酬）が変わる条件課題（場所依存性物体認知課題：場所依存性 Go/Nogo 課題）と居場所の違いにかかわらず物体の生物学的意味が一定である非条件課題（場所非依存性物体識別課題）に対する応答性を同一中隔核ニューロンで解析し，中隔核における"場所認知→場所と物体の条件性識別→物体の意味認知"に関する一連の情報処理過程を調べた．

　図 4.71 A には本研究で用いた実験装置を示してある．本実験システムでは慢性実験用脳定位固定装置を設置した自動車（キャブ）にサルを乗せ，2.5×2.5 m の空間を移動可能である．自動車の前面と左右の壁はハーフミラー製で前面パネルにはレバー，ハーフミラー製シャッターおよび照明灯（フロントランプ）が，自動車の後壁には車内照明用ランプが取り付けてある．サルは自動車内の中央部に設置してある慢性実験用特殊脳定位固定装置に頭部を無痛的に固定した．サル前方部の壁はハーフミラーで構成されているため，自動車内のランプ（ランプ）を点灯しているときは車外の景色はみえないが，ランプを消灯すると車外の景色が見える．また前方部のシャッターは二重のハーフミラーでできているので，サルはフロントランプを点灯したときだけ物体を見ることができるようになっている．図 4.71 B は実験室内の見取り図を示してある．サルは図の右側を正面にして座らせてあり，4 つの場所をランダムに移動させる．サルの前方にある環境刺激群は 4 つのどの場所からも見えるので，居場所の認知にはこれら環境刺激間の相互の空間的位置関係が重要になる．また本研究に用いた場所依存性 Go/Nogo 課

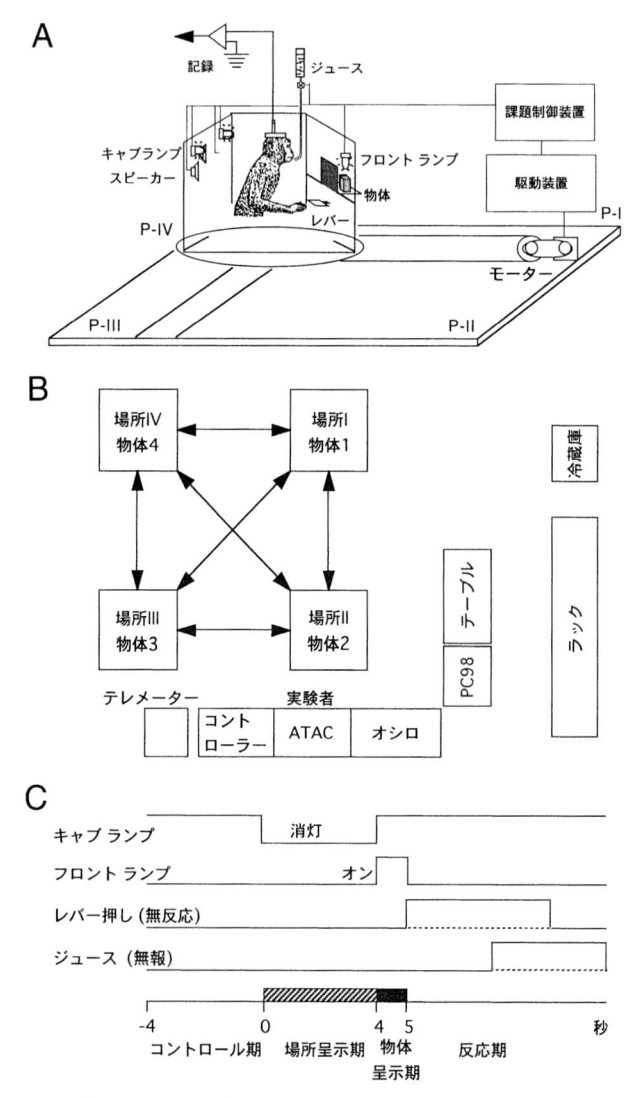

図 4.71 サル中隔核ニューロンの研究方法（Kita et al., 1995）

A：サル用自動車（キャブ）を用いた実験のセットアップ．サルが乗った自動車を4つの場所（P-I〜IV）のうちの1つにモーターで移動させる．各場所で，物体を呈示し，サルはレバー押しによりジュースを獲得できる．
B：実験室の配置図．自動車内のサルは前方の右方向）を向いてモンキーチェアに座っている．また，4つの物体（物体1-4）は，特定の場所で呈示されたときのみ報酬性であり，報酬性を意味するときの場所と物体の組み合わせが示されている．
C：場所依存性物体識別課題（条件性非対称性 Go/Nogo 課題：PGN 課題）の時間経過図．課題は，1）クリック音および自動車内ランプ消灯による場所呈示期，2）フロントランプ点灯による物体呈示期，および3）反応期（Go または Nogo 反応）からなる．それぞれの物体は，対応する1つの場所でだけ Go 反応-報酬（レバー押しによりジュース獲得）を意味し，レバー押しによりジュースを獲得できる．

4.7 中隔核の役割

題（後述）ではサルに4種類の物体（物体1-4）をそれぞれ4つの場所（場所I-IV）で呈示し，呈示された物体の意味は居場所によって変化するように設定した．例えば物体1は場所Iで呈示された場合にのみ報酬を意味し，引き続きレバーを押すことによってジュースを獲得できるが，それ以外の3つの場所では無報酬を意味する．同様に物体2, 3, 4は，それぞれ場所II, III, およびIVで呈示された場合にのみ報酬を意味するようになっている．

i) **場所依存性物体認知課題（条件性非対称性 Go/Nogo 課題：Place-dependent go/no-go task, PGN 課題）** PGN 課題では呈示物体の報酬随伴性が場所に依存し，サルを乗せた自動車を実験室内の特定の4つの場所（場所I-IV）のひとつに移動させ，各場所でレバー押しにより4個の物体（物体1-4）の意味（報酬または無報酬）を識別させた．課題は，1) クリック音に続く車内ランプ消灯による場所呈示期，2) フロントランプ点灯による物体呈示期および，3) 反応期（Go または Nogo 反応）からなる（図4.71 C）．それぞれの物体は対応するひとつの場所でだけ Go 反応-報酬（レバー押しによりジュース）を獲得し，それ以外の3つの場所では Nogo 反応-無報酬（ジュースが得られないので，レバーを押さない）を意味する．このようにこの課題では場所により物体の意味が異なり，一種の条件性課題となっている．

ii) **場所非依存性物体認知課題（非条件性非対称性および対称性 Go/Nogo 課題：Place-independent asymmetrical and symmetrical go/no-go task, AGN および SGN 課題）** PGN 課題に対するコントロール課題として2つの物体（1つは常に報酬と連合：他方は常に無報酬）を用いて，物体の報酬随伴性がサルの居場所に依存しない AGN 課題を行った．この AGN 課題は報酬随伴性が非対称性（Go 反応だけ報酬を獲得：非対称性 Go/Nogo 課題）である点では上記の PGN と同じであるが，物体の報酬随伴性がサルの居場所にかかわらず一定（非条件性）である点で異なる．したがってこの2つの課題に対する応答性を比較することによりニューロンの応答性が条件性課題に特異的であるかどうかを解析できる．

また前述の PGN と AGN の非対称性課題では常に Go 反応は報酬と，Nogo 反応は無報酬と結びついている．そのため物体に対する応答性が Go 反応または報酬あるいは Nogo 反応または無報酬のいずれに関連しているのか解析できない．この点を詳細に解析するため，さらにサルの居場所に依存しない対称性 Go/Nogo 課題（Place-independent symmetrical go/no-go task, SGN 課題：サルが正しい反

応をすればGoでもNogo反応でも報酬を獲得）を行った．以上の非対称性と対称性Go/Nogo課題に対するニューロンの応答性を比較することによりサルの反応（Go/Nogo反応）あるいは報酬随伴性（報酬/無報酬）のいずれに関連しているのかを調べた．

2) サル中隔核ニューロンの応答性

i) 場所呈示期における応答性　中隔核から記録した総数430個のニューロンのうち129個（30％）が場所呈示期に応答した．これら場所呈示期に応答したニューロンのうち58個（45％）は場所に識別的に応答した．図4.72には場所呈示期に特定の場所に選択的に応答した中隔核ニューロンの例を示してある（A）．A上には，各場所において自動車内のサルの位置から見える実験室内の手掛かり刺激の写真，下には各場所において場所呈示期に合わせて作成したニューロン応答の加算ヒストグラムが示してある．サルは各場所におけるこの空間的手掛かり刺激の位置関係から自己の居場所を判断していることになる．このニューロンはGoとNogo試行のいずれにも場所Ⅲで促進応答を示している（A, B）．次に4個の場所識別ニューロンについて環境刺激の変化（自動車前方にあるテーブルの移動）が場所識別性応答に及ぼす影響を調べた．その結果，2個はテーブル移動により一過性に場所呈示期の応答が減弱するが，その後サルが新しい環境を学習するにつれて回復する．残り2個はテーブルを移動しても応答は変化しない．これらのことから中隔核ニューロンは特定の手掛かり刺激に応答しているのではなく，多くの空間的手掛かり刺激の位置関係に応答することを示している．これら58個の場所識別ニューロンは海馬体から入力を受ける外側中隔核の中央部～尾側に多く分布していた．

ii) 物体呈示期における応答性　場所認知応答ニューロンのうち8個は場所呈示期に応答する場所でだけ物体呈示期にも応答する．この8個のニューロンの物体呈示期の応答は場所と物体呈示の順序を逆にすると消失した．これらのことから，このニューロンは場所と物体の連合に関与すると考えられる．

一方物体呈示期に応答する176個のニューロンのうち88個（50％）は各物体の意味（報酬/無報酬）の違いに識別的に応答した．これら88個のニューロンは，a) Go試行で報酬物体に応答するGo/報酬選択応答型および，b) Nogo試行で無報酬性物体に応答するNogo/無報酬選択応答型に分類された．前述のニューロンは物体呈示期にはGo/報酬選択応答を示している（図4.72 C）．さらにこれら

4.7 中隔核の役割

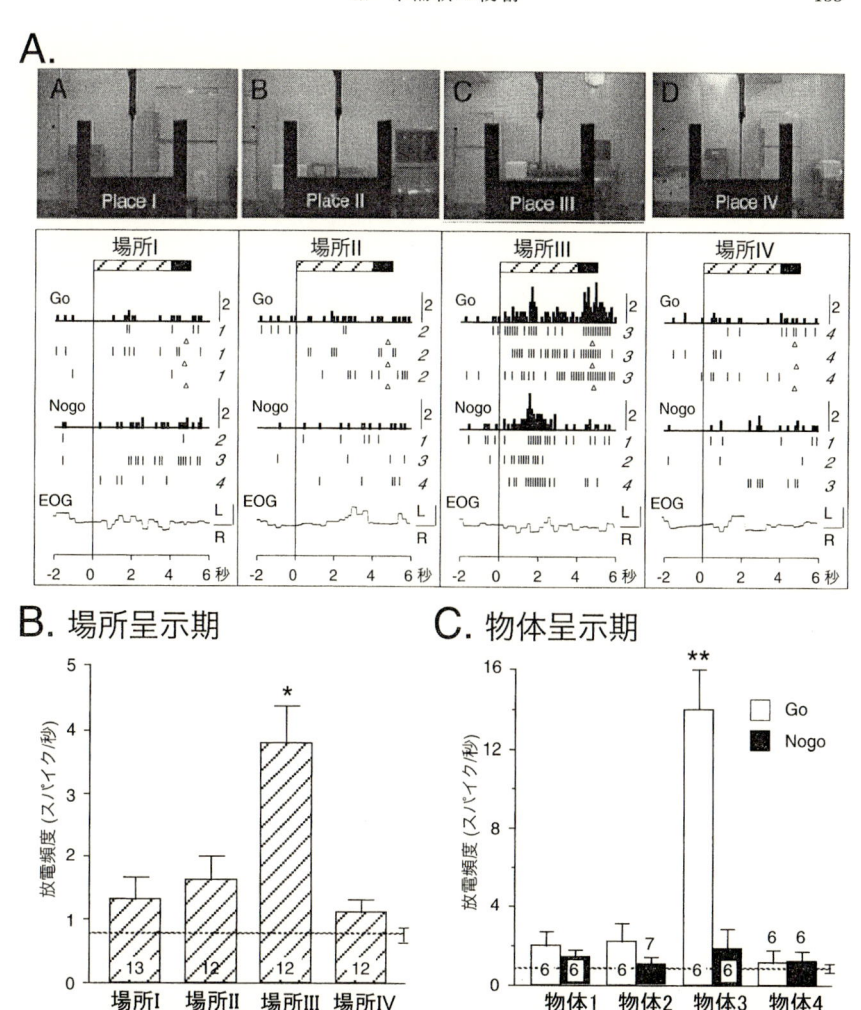

図 4.72 サル中隔核の場所呈示期および物体呈示期に識別的応答を示したニューロン（Kita et al., 1995）
A：各場所（場所 I-IV）で PGN 課題を行わせたときのニューロン活動のラスター表示とその加算ヒストグラム．加算ヒストグラムは，Go および Nogo 試行に分けて加算．ヒストグラム上の写真，各場所（Place I-IV）でサルが見ている（自動車）外の空間的手掛かり刺激；ラスター表示の右の数字，物体の番号；EOG，眼球電位図；L，左方向；R，右方向．
B：場所呈示期におけるニューロンの平均インパルス放電頻度．このニューロンでは場所Ⅲにおいて促進応答．
C：物体呈示期におけるニューロンの平均インパルス放電頻度．このニューロンは，場所Ⅲにおいて物体3が呈示されたときに（Go試行）促進応答をしているが，物体3を他の場所で呈示された場合（Nogo試行）には応答しない．ヒストグラム，物体呈示期の Go/報酬（白色ヒストグラム）と Nogo/無報酬（黒色ヒストグラム）物体呈示期におけるニューロンの平均インパルス放電頻度；*，$P < 0.05$；**，$P < 0.01$.

Go/報酬選択応答型とNogo/無報酬選択応答型ニューロンについて，物体の報酬随伴性がサルの居場所に依存しないAGN課題をテストした．これらGo/報酬選択応答型とNogo/無報酬選択応答型ニューロンのうち53個（60％）（総数430個のニューロンの約13％）がAGN課題には応答せず，PGN課題だけに識別的に応答した．さらにこれらのニューロンは図には示していないが，AGN課題に応答しない条件性課題特異的ニューロンであった．これらのことから，これら条件性課題特異的ニューロンは単純な物体の報酬随伴性ではなく，特定の場所で特定の物体が報酬を意味するという条件性課題を特異的に符号化していることを示している．

残り35個（40％）（総数430個のニューロンの約7％）はPGNとAGN課題に同様に応答し（条件性課題非特異的ニューロン），Go/報酬選択応答型とNogo/無報酬選択応答型の2型に分類された．図4.73 A, Bには2個のGo/報酬選択応答型ニューロンの例を示してある．これら2個のニューロンはPGN課題では物体に関係なく，それぞれの物体がGo/報酬を意味する場合に応答している．これら2個のニューロンは図には示していないが，AGN課題にも同様に応答する．一方図4.74にはNogo/無報酬選択応答型ニューロンの例が示してあり，PGNとAGN課題では物体に関係なく，物体がNogo/無報酬を意味する場合に応答している．これらのニューロンは条件性課題（PGN課題）と非条件性課題（AGN課題）のいずれにも同様に応答することから，1）物体呈示期の応答は，条件性課題に関係はないが，2）PGNおよびAGN課題ではいずれも報酬物体には必ずGo反応を伴うことから物体呈示期の応答が物体の報酬随伴性（報酬，または無報酬）あるいは行動随伴性（Go，またはNogo反応）のいずれに関連しているか不明である．この点を明らかにするため，さらにGoとNogo反応のいずれも報酬を伴うSGN課題をテストした．これらGo/報酬選択応答型ニューロンは報酬関連ニューロンとGo関連ニューロンに明らかに分かれた．図4.73 Aに示してあるニューロンは，PGN課題ではGo/報酬を意味する物体には応答しているが，SGN課題ではGo，Nogo反応に関係なく物体が報酬を意味するときに応答している．このニューロンは物体が報酬を意味するときに応答している報酬関連ニューロンであると考えられる．一方図4.73 Bに示してあるニューロンは，PGN課題ではGo/報酬を意味する物体に応答し，SGN課題では報酬性でGo反応を意味する物体に応答するが，報酬性でNogo反応を意味する物体に応答していない．このニューロンは物

4.7 中隔核の役割

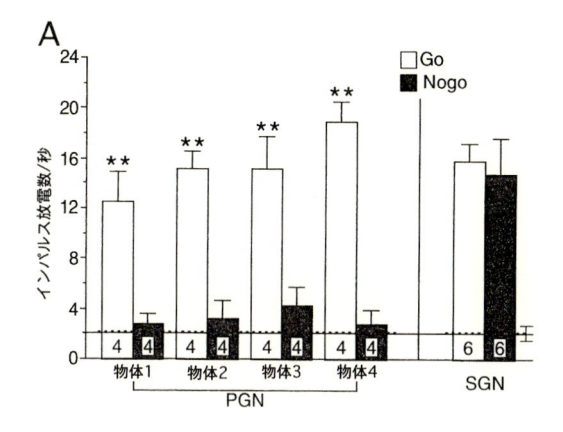

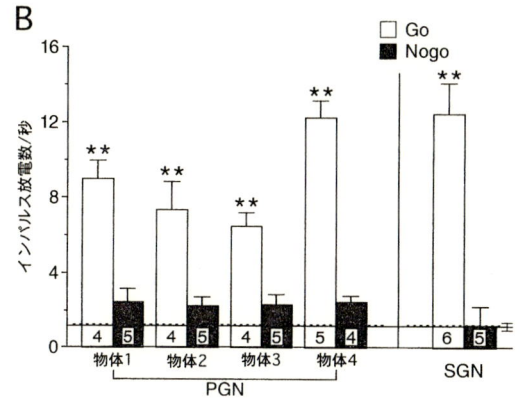

図 4.73 サル中隔核の Go/報酬選択型条件性課題非特異的ニューロン(A, B は異なるニューロン)(Kita et al., 1995)

A, B: Go/報酬選択型条件性課題非特異的ニューロンは SGN 課題に対する応答性から,さらに報酬物体関連ニューロン(A)および Go 反応関連ニューロン(B)に分類された.なお,図に示されていないが,これら 2 つのニューロンは,AGN 課題に対しても同様の Go/報酬選択型応答.ヒストグラム,物体呈示期の Go(白色ヒストグラム)と Nogo(黒色ヒストグラム)反応におけるニューロンの平均インパルス放電頻度; **, $P < 0.01$.

体が Go 反応を意味するときに応答している Go 関連ニューロンであると考えられる.図 4.74 に示してあるニューロンは PGN と AGN 課題では Nogo/無報酬を意味する物体に応答しているが,SGN 課題では Go と Nogo 反応に関係なく報酬を意味する物体には応答しない(A, B).このニューロンは物体が無報酬を意味するときに応答する無報酬関連ニューロンであると考えられる.さらにこのニューロンは AGN 課題に用いた報酬物体を用い,サルがレバーを押しても報酬を与えない消去学習をテストすると,この物体に次第に応答するようになる.こ

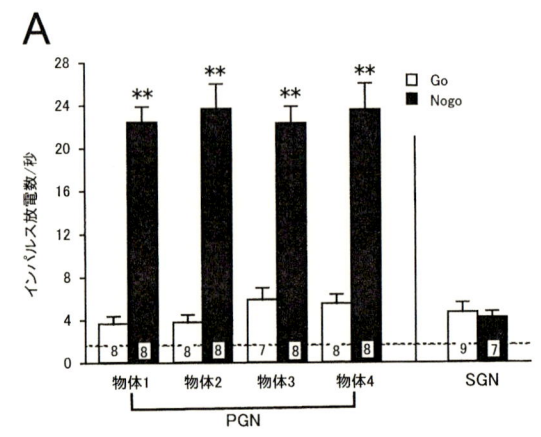

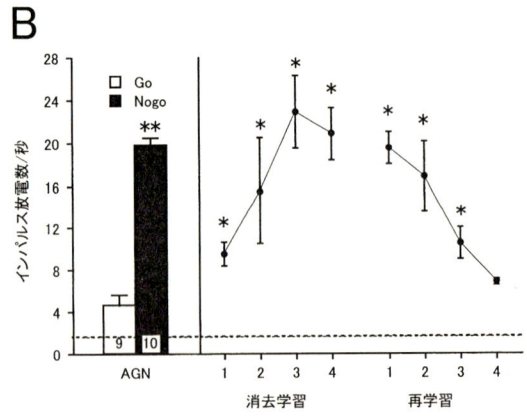

図 4.74 サル中隔核の Nogo/無報酬選択型条件性課題非特異的ニューロン（A, B は同一ニューロン）（Kita et al., 1995）

A, B：物体呈示期における平均インパルス放電頻度を示してある．このニューロンは，PGN および AGN 課題には同様に応答する（Nogo/無報酬選択型応答を示す）が，SGN 課題には応答しないことから無報酬関連ニューロンに分類された．ヒストグラム，物体呈示期の Go（白色ヒストグラム）と Nogo（黒色ヒストグラム）反応における平均インパルス放電頻度；折れ線グラフ，AGN 課題における報酬物体を用いて消去および再学習したときのニューロンの平均インパルス放電頻度；$*: P<0.05$, $**: P<0.01$.

の後，物体に報酬を連合させる再学習を行うと，応答が次第に減弱する（B）．これらのことは，このニューロンは物体が無報酬であることを符号化していることを示している．また中隔核内における各応答ニューロンの多くは海馬体から線維投射を受ける外側中隔核に存在していた．

3) 中隔核における情報処理

外側中隔核へは海馬体からの入力線維が多くを占め（Raisman, 1966ab, 1969；

Meibach and Siegel, 1977；Swanson and Cowan, 1977, 1979），外側中隔核の中間外側中隔核（外側中隔核の内側部）が最も多い（Staiger and Nurnberger, 1989）．また内嗅皮質からの入力線維も主に中間外側中隔核に終わり（Alonso and Kohler, 1984），これらのシナプス結合はグルタミン酸を介して伝達される（Joels and Urban, 1984ab；Stevens and Cotman, 1986）．これら神経解剖学的所見に一致して場所に識別的に応答する中隔核ニューロンは主に外側中隔核の内側部に存在していた．

総数430個の中隔核ニューロンのうち56個（13%）は条件課題の物体呈示期にだけ，その意味に応じて識別的に応答した．このような条件課題特異的ニューロンは本研究により初めて見出され，このことは中隔核が条件性場所―物体識別課題の遂行に重要な役割を果していることを強く示唆する．この種の条件課題は中隔―海馬体系の破壊だけでなく，中隔核に線維を投射する背外側前頭前皮質主溝領域の破壊でも障害され（Gaffan and Harrsion, 1989a, b），主溝領域と中隔核との機能的連関の関与も想定される．一方中隔核ニューロンの30個（7%）は物体の意味に対して選択的に応答する（報酬と無報酬関連ニューロン，Go反応関連ニューロン）．これらニューロンの呈示物体に対する応答性は物体の意味を報酬→無報酬（消去）→報酬（再学習）に変えると，物体の報酬随伴性にしたがって可塑的に変化することからも確認された．

本研究の結果は中隔核が居場所の認知→居場所の違いによって変わる物体の意味の認知という一連の過程を統合するうえで重要な役割を果たしていることを示唆する．すなわち本研究で明らかにされた各応答ニューロンは海馬体，内嗅皮質，扁桃体などから認知，記憶，情動に関する種々の情報を受け，外側中隔核内亜核間の線維連絡により情報を統合し，報酬獲得行動に重要な役割を果たす視床下部を制御していると考えられる．

4） ラット外側中隔核ニューロンの応答性

筆者らは4.6節 a.4)で述べた独自に開発した場所学習の解析システム（図4.67）を用いて，ラットの外側中隔核からニューロン活動を記録し，報酬場所探索課題遂行中の応答性を調べた（Takamura et al., 2006）．

総数193個のニューロンのうち81個（42%）は場所応答を示し（場所関連ニューロン），残りの112個（58%）は場所応答をしなかった．図4.75には場所関連ニューロンの応答例を示してある．このニューロンはオープンフィールド内で1

時から3時の領域で場所応答を示した（A）．このニューロンの場所応答野の領域はオープンフィールド外の空間手掛り刺激（電球からの視覚刺激やスピーカーからの聴覚刺激）位置を180°回転しても変わらないが（B），オープンフィールド自体を90°または180°回転すると，それに追従して場所応答野の領域が変わる（C，D）．このことから，このニューロンはオープンフィールド内の空間手がかり（チャンバー内の視覚，嗅覚，触覚刺激など）に基づく居場所の符号化（表現）に関わっていると考えられる．本実験では23個の場所関連ニューロンに対してオープンフィールド内外の空間手掛り刺激位置の影響を調べたが，17個はオープンフィールドの内部，5個は外部，1個は内部と外部の両方の刺激に依存して場所応答野の

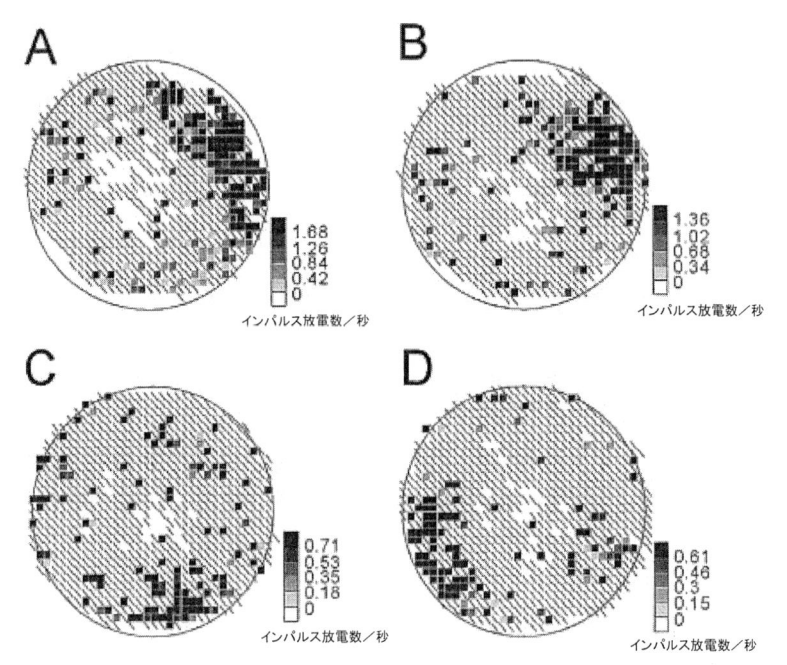

図 4.75 ラット外側中隔核場所関連ニューロンの応答性（Takamura et al., 2006）
A-D：オープンフィールド内での場所関連ニューロン活動．ラットは，普段の条件（A），オープンフィールド外の空間手がかり刺激（白熱電球の点灯とホワイトノイズ）を180度回転した条件（B），オープンフィールドを時計方向に90度（C）および180度（D）回転した条件で報酬場所探索課題を遂行．オープンフィールド内のスラッシュ（/）で示したピクセル，ラットが滞在中にインパルス放電を生じなかったピクセル．行動課題遂行中にラットが一度も滞在しなかったピクセルは白色で表示．このニューロンでは，普段の条件ではラットがオープンフィールド内の1時から3時の部位に来ると，インパルス放電頻度が増加（場所応答）．この場所応答は，オープンフィールド外の空間手掛り刺激位置を180度回転しても変わらないが，オープンフィールド自体を90度または180度回転するとそれに追従して変化．

4.7 中隔核の役割

領域が変わった.また 193 個の外側中隔核ニューロンのうち 86 個 (45%) が ICSS 報酬に応答した.このうち 31 個 (16%) は場所関連ニューロン, 55 個 (29%) は場所非関連ニューロンであった.図 4.76 には ICSS 報酬に応答した場所関連ニューロン (A) と場所非関連ニューロン (B) の例を示してある.A の場所関連ニューロンは ICSS 報酬中にインパルス放電がほとんどなくなり (抑制応答),ICSS 報酬後も抑制が持続している.B の場所非関連ニューロンは ICSS 報酬直後に一過性にインパルス放電頻度が約 2 倍まで増加し (促進応答),その後徐々に減少する.

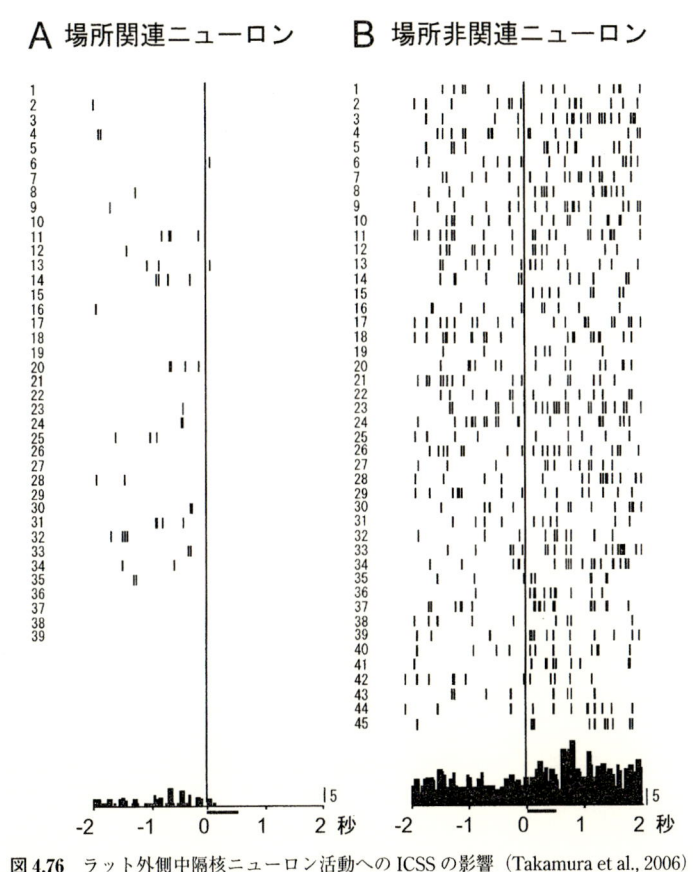

図 4.76 ラット外側中隔核ニューロン活動への ICSS の影響 (Takamura et al., 2006)
A, B：場所関連ニューロンと場所非関連ニューロン活動のラスターとヒストグラム表示.横軸：時間.0-0.5 秒 (時間軸の下の実線)：ICSS 報酬獲得期間.ラスター表示左側の番号：報酬場所探索課題遂行中に ICSS 報酬を獲得した系列番号.ビン幅：50 ミリ秒.場所関連ニューロンは,ICSS 報酬に抑制応答.場所非関連ニューロンは,ICSS 報酬直後に一過性の促進応答.

これらのことよりラット外側中隔核ニューロンもサルと同様（4.7節 b. 3）参照），海馬体やその他の領域からのオープンフィールド内外の空間情報や報酬情報などの変化の認知と統合に関与し，空間課題解決に重要な役割を果たしていることが示唆される．

4.8　側頭葉における顔の認知

ヒトの脳には総数1,000億のニューロンがあると推定され，各ニューロンは1,000-20,000のシナプスを形成し，総数約100兆のシナプスで連結した複雑な神経回路網を構成する．「こころ」は古来より永遠の謎であるが，現在では，少なくともこれらニューロン間でやり取りされる電気信号（インパルス放電）に「こころ」をひも解く鍵があると考えられている．ヒトの「こころ」のもつ豊かで繊細な喜怒哀楽は下等動物からヒトにいたる脳の進化の賜物である．ヒトをはじめとする霊長類は顔の認知が非常に得意であり，顔を用いて言葉を介さなくても社会的コミュニケーション，つまり「こころ」を相手に伝えたり，相手の「こころ」を理解したりすることができる．現代の神経生理学では行動しているサルの脳からニューロンのインパルス放電を記録できるようになり，霊長類における顔認知のメカニズムが解き明かされつつある．

その発端は1980年代初頭の米英の2つの研究グループが独立に発表した驚くべき報告にあった（Bruce et al., 1981；Perrett et al., 1982）．サル側頭葉前部に限局してサルがサルやヒトの顔そのものや写真を見たときだけに応答するニューロンが記録されたのである．この興味深い一群のニューロンは顔ニューロンと呼ばれている．

この顔ニューロンは発見から4半世紀になるが，最初に報告された前部上側頭溝や前部下側頭皮質だけでなく，前頭前皮質や扁桃体あるいは海馬体からも記録されている．しかしこれら顔ニューロン存在部位の機能的役割に関しては不明な点が多かった．近年，機能的磁気共鳴イメージング（fMRI）など機能画像によるヒトの研究から顔認知に特異的に関与するのは紡錘状回であり，社会的な認知に関与するのは眼窩皮質や上側頭溝であることが明らかになっている．これらの研究によりサルの前部下側頭皮質は機能的にはヒトの紡錘状回に相当する可能性も指摘されている．

4.8 側頭葉における顔の認知

a. サル大脳新皮質への前部上側頭溝と前部下側頭皮質ニューロンの顔に対する応答性

最近,筆者らは顔ニューロン存在部位の機能的役割に関する研究を行っている.図 4.77 A にはサル脳の左外側における前部上側頭溝と前部下側頭皮質の部位を示してある.本研究ではこれらの部位に脳定位的に微小電極を刺入し,ニューロン応答を記録する.図 4.77 B には前部上側頭溝や前部下側頭皮質と密接な線維連絡を有する大脳新皮質下の扁桃体や海馬体をはじめとする大脳辺縁系(辺縁系:古皮質)の位置を示してある.

まずサルに顔のアイデンティティの認知を行わせ,ニューロン応答性を解析した(Eifuku et al., 2004;DeSouza et al., 2005).顔のアイデンティティの認知とはサルやヒトなどの顔をどの向きから見ても顔の向きに関係なく,特定の個体であることを認知する能力である.このような顔のアイデンティティの認知を実際に行っているサルの脳から顔ニューロンの活動(インパルス放電)を記録した.す

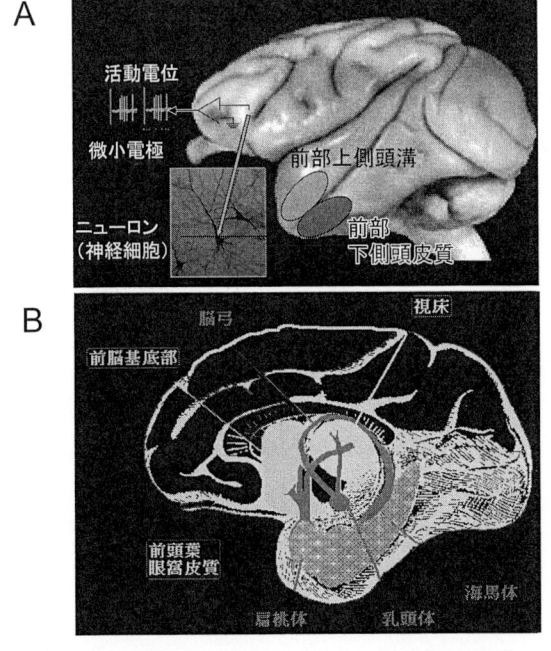

図 4.77 サル脳からのニューロンのインパルス放電の記録
A:脳表(実物)から見たサル左側大脳新皮質の前部下側頭皮質と前部上側頭溝の部位.
B:左側大脳新皮質下の,扁桃体をはじめとする辺縁系の部位(サル).

でに述べたようにサルの側頭葉では顔ニューロンは前部上側頭溝と前部下側頭皮質の2つの部位に局在する（図4.77 A）．これらの部位の顔ニューロンは顔のアイデンティティの認知を行うときにはどのような応答特性を示すだろうか？これまでの筆者らの研究により，これら顔ニューロンは前部上側頭溝と前部下側頭皮質（特に腹側部）のいずれの部位からも記録され，顔の向きと顔のアイデンティティのいずれかまたは両方に選択的に応答する顔ニューロンが混在していた．しかし顔のアイデンティティをニューロンで表現する選択性の高い応答を示すニューロンは少ないことも明らかになった．顔のアイデンティティの情報は単一の顔ニューロンではなく，複数の顔ニューロンの応答パターンで表現される可能性について多次元尺度分析（MDS）という多変量解析を用いて調べた．このような多次元尺度分析を用いると，各顔呈示に対する顔ニューロン集団の応答パターンの違いにより，二次元空間における相対的な位置を顔空間として表すことができる（Young and Yamane, 1992）．顔空間での相対的な位置が近い顔はニューロン集団の応答パターンが類似していることを示している．

1) 前部下側頭皮質ニューロンの顔のアイデンティティ認知応答性

前部下側頭皮質では，総数204個の視覚応答ニューロンを記録し，そのうち59個（29％）が顔写真に選択的に応答した．図4.78 A には前部下側頭皮質腹側部の顔ニューロンの促進応答の例を示してある．このニューロンは4人の人物 A, B, C, D の顔写真のうち人物 A の顔写真にだけ選択的に応答し，他の人物 B, C, D の顔写真には応答しない．このニューロンは特定の人物 A のアイデンティティの認知に関与すると考えられる．図4.78 B にはこの実験で使用した4人の人物の7方向の顔の向きの写真（4人×7方向で計28枚）を示してある．図4.78 C には前部下側頭皮質腹側部の59個の顔ニューロンの応答から求めた顔空間を示してある．この図4.78 C には B の28（4人×7方向）の顔の表現関係を示してある．A1, B2 や C4 などの表記はそれぞれが1枚の顔写真に対応し，アルファベットの A, B, C, D はそれぞれ4人の人物に，1-7 の数字は7方向の顔の向きに相当する．この図から同一人物の顔のアイデンティティ（A, B, C, D）に関与するニューロンが集団を形成し，顔の向き（1-7）には関与しないことがわかる．このことは前部下側頭皮質腹側部の顔ニューロン集団は顔の向きではなく，顔のアイデンティティを表現することを示している．前部下側頭皮質腹側部にはニューロンの応答潜時とサルの行動反応時間が相関する顔ニューロンが存在する．これらのこ

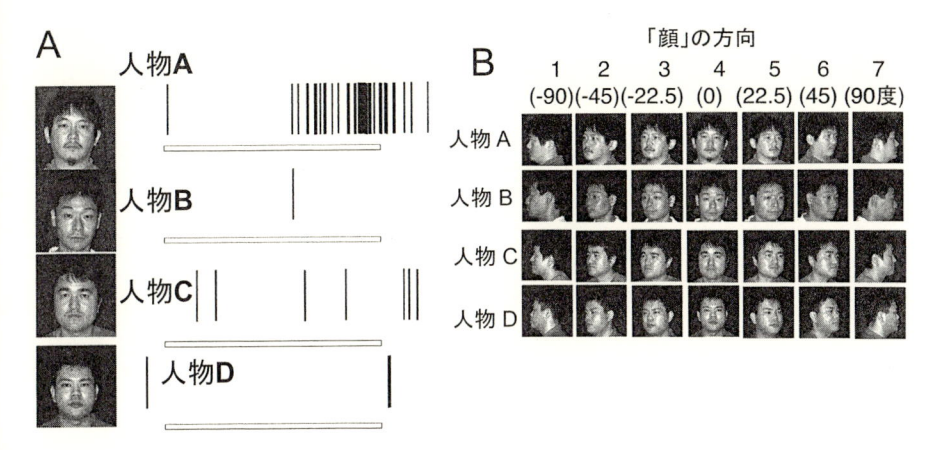

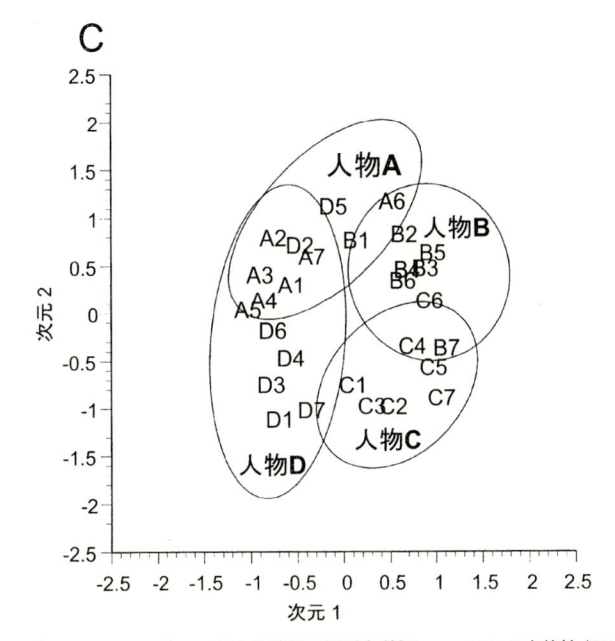

図 4.78 人物のアイデンティティをコードする前部下側頭皮質顔ニューロンの応答性（Eifuku et al., 2004）
A：サル前部下側頭皮質顔ニューロンの促進応答（インパルス放電の増加）白いバーは顔写真の呈示期間（480ミリ秒）．この顔ニューロンは人物A（顔のアイデンティティ）に選択的に応答．B：実験で使用した顔写真．C：サル前部下側頭皮質における顔空間．
多次元尺度法（MDS）に基づく顔空間．A, B, C, およびDはそれぞれ4人の人物に，1-7の数字は7方向の顔の向きに対応．サル前部下側頭皮質のニューロン集団は，顔の向きではなく，アイデンティティを表現．

とは前部下側頭皮質腹側部が顔のアイデンティティの認知に重要な役割を果たしていることを強く示している．

2) 前部上側頭溝ニューロンの顔の向き，視線への応答性

側頭葉内のもうひとつの顔ニューロンの存在部位である前部上側頭溝は何をしているのであろうか？ 総数144個の前部上側頭溝ニューロンが視覚刺激に応答し，そのうち48個（34％）が顔写真に選択的に応答した．図4.79Aには前部上側頭溝の顔ニューロンの促進応答の例を示してある．このニューロンは正面向き（0°）の顔写真に選択的に応答するが，他の顔の向き（−22.5，−45，−90°）には応答しない．図4.79Bは図4.78Bと同様の図であるが，この実験で使用した4人の人物の7方向の顔の向きの写真（4人×7方向で計28枚）を示してある．図4.79Cには前部上側頭溝の48個の顔ニューロンの応答から求めた顔空間を示してある．この図から同じ向き（1-7）の顔の認知に関与するニューロンが集団を形成し，人物のアイデンティティ（A，B，C，D）には関係しないことがわかる．このことは前部上側頭溝の顔ニューロン集団は顔のアイデンティティではなく，呈示される顔の向きを表現していることを示している．前部上側頭溝の顔ニューロンは顔の向きだけではなく，視線の向きも表現していることが明らかになっている．

前部上側頭溝はその前部（吻側部）と後部（尾側部）で顔ニューロンの顔や視線の向きに対する応答が異なる．後部には右向きと左向きの顔に同様に応答する顔ニューロンが多く，特定の顔の向きだけではなく，すべての顔の向きに応答する顔ニューロンが混在していた．前部には右向きと左向きの顔の向きに異なる応答を示す選択性の高い顔ニューロンが多く，特に斜め向き（−45°：左斜向きまたは＋45°：右斜向き）の顔に選択的に応答する顔ニューロンが多く存在していた．さらに興味深いことに前部の顔ニューロンは呈示した顔の視線がサル自身に向けられている（アイコンコンタクトがある）とき，顕著な促進応答をする．前部上側頭溝の前部と前部下側頭皮質腹側部とは相互に密接な線維連絡があり，前部上側頭溝の後部は頭頂間溝から入力を受けるなど解剖学的にも異なる．これらのことは前部上側頭溝には顔や視線の向きの情報処理に関して前後方向に機能階層が構築されていることを示している．

4.8 側頭葉における顔の認知　　165

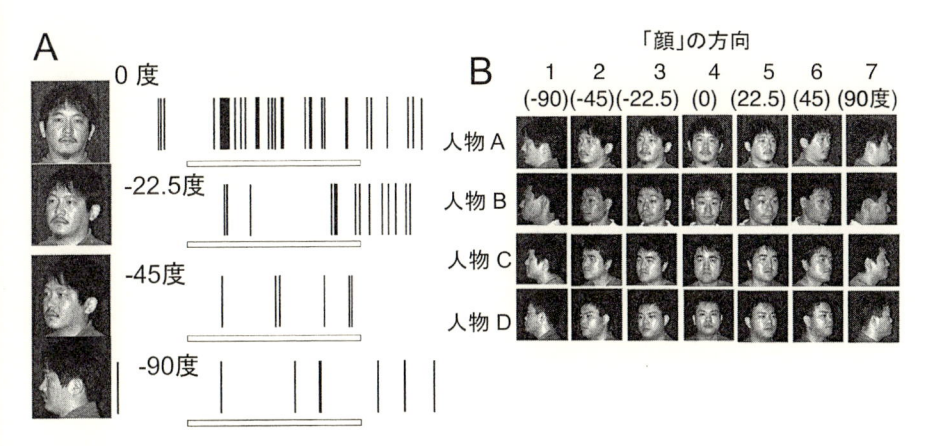

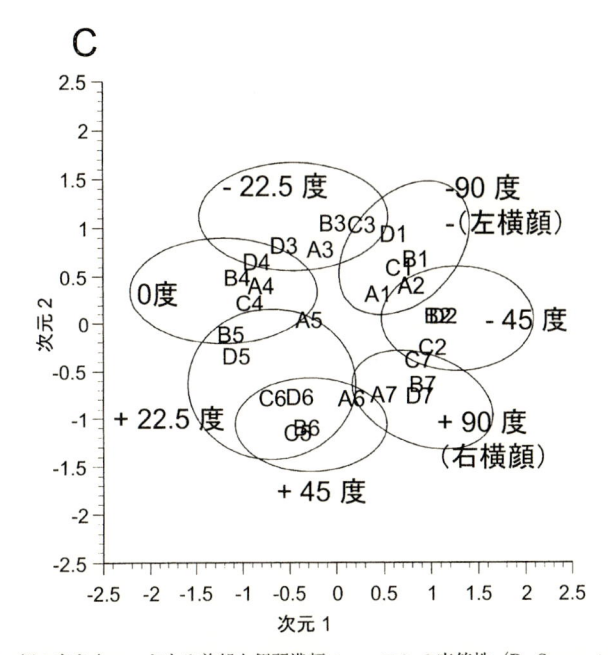

図 4.79 顔の向きをコードする前部上側頭溝顔ニューロンの応答性（De Souza et al., 2005）
A：サル前部上側頭溝顔ニューロンの促進応答（インパルス放電の増加）．白いバーは顔写真の呈示期間（480 ミリ秒）．この顔ニューロンは正面顔（顔の向き）に選択的に応答．B：実験で使用した顔写真．C：サル前部上側頭溝における顔空間．
多次元尺度法（MDS）に基づく顔空間．A，B，C，およびDはそれぞれ4人の人物に，1-7の数字は7方向の顔の向きに対応．サル前部上側頭溝の顔ニューロン集団は，顔のアイデンティティではなく，顔の向きを表現．

b. ヒト脳の顔認知部位の双極子追跡法による解析

　筆者らはこれまで述べた本能・情動・記憶のニューロンから行動レベルでの神経生理的研究だけでなく，ヒト脳波による非侵襲的脳機能解析法も開発している．一般に脳波の誘発電位は脳内に発生したシナプス電位活動を頭皮上から記録したものである．特に脳内の局所に同期して発生する集合シナプス電位は電流双極子（電流発生源）に近似することができる．この電流双極子により生ずる電流は頭部の実形状に従って流れ，表面電位を発生させる．脳内双極子追跡法（dipole tracing method：DT法）は頭皮または硬膜上から記録される電位（脳波）分布から繰り返し順計算を行うことにより逆問題を解いて，その電流双極子の位置とモーメントを推定する方法である（本間，1997；Homma et al., 1994；He et al., 1987）．

　筆者らは双極子追跡法の精度を確認するため，サルを用いて硬膜上に記録電極を埋め込み，正中神経刺激による大脳新皮質の体性感覚誘発電位（somatosensory evoked potentials：SEPs）をコンピュータ断層撮影（computer tomography：CT）画像に基づく三次元実形状一層（脳）モデルを用いた双極子追跡法により解析し，脳内活動部位の時間的遷移を明らかにしてきた（Nishijo et al., 1994；Hayashi et al., 1995）．その結果，双極子は対側視床，第一次体性感覚野（SI 野），5 野の順に経時的に移動していくことが明らかになった．このことはサルでマルチユニット（複数のニューロンのインパルス放電）を同部位から侵襲的に記録するニューロンレベルの神経生理学的研究と 5 野の破壊による長潜時の体性感覚誘発電位波形成分の選択的な消失によっても裏づけられた．

　筆者らはヒトで電流双極子の推定位置の精度を高めるために頭部三次元実形状四層モデルを用いた双極子追跡法を開発し，視覚誘発電位（visually evoked potentials：VEPs）を解析し，ヒト大脳新皮質後頭部の視覚受容野は網膜上の座標に基づき配列している（網膜部位局在性）という解剖学的な知見と正確に一致する結果を得ている（Ikeda et al., 1999）．図 4.80 A には頭皮（S），頭蓋骨（S），脳脊髄液（F）および脳（B）のそれぞれの外側面からなる 4 層実形状（頭皮―頭蓋骨―脳脊髄液―脳：SSFB）モデルを示してある（Ikeda et al., 1999）．SSFB モデルでは相対電気伝導度を $S:S:F:B=1:1/80:3:1$ として電位分布を補正して繰り返し順計算を行って逆問題を解き，電流双極子の位置とモーメントを推定する．頭皮外側面と頭皮電極の三次元座標は音波センサーによる実形状測定装置により頭蓋骨，脳脊髄液および脳の外側面は被験者の頭部 CT 像を撮影し，頭蓋骨外側

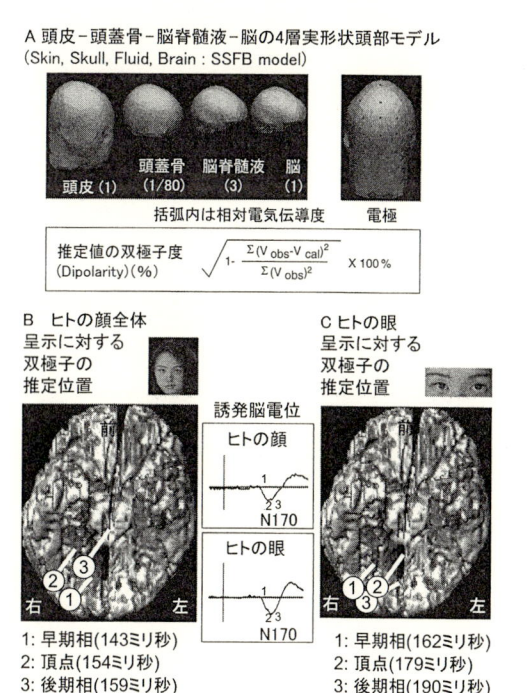

4.8 側頭葉における顔の認知　　　　　　　　　　　　　　167

図4.80 顔と視線（眼）に対するヒト視覚誘発電位の双極子解析（Shibata et al., 2002）
A：頭皮-頭蓋骨-脳脊髄液-脳の4層実形状頭部モデル．
B，C：ヒトの顔全体（B）および眼（C）の呈示に対する双極子解析．
1，2，および3はそれぞれ各視覚誘発電位早期相（1），頂点（2），後期相（3）成分に基づく推定双極子の位置とモーメントを示す．ヒトの顔全体に対する双極子の位置は，時間の経過に従って紡錘状回に移動しているが，ヒトの眼に対する双極子の位置は移動していない．

面，頭蓋骨内側面および頭蓋骨内側面のさらに内側1 mmの領域をトレースすることにより作成している．このSSFBモデルによる双極子追跡法の精度は脳磁図（magnetoencephalography：MEG）に相当するか，それ以上であると考えられる．

1）ヒト脳の顔全体と眼だけを示したときの視覚誘発電位の双極子追跡法による解析

　筆者らはヒトで顔全体と眼だけを呈示したときの視覚誘発電位を双極子追跡法により解析し，顔全体と眼についての情報処理は視覚認知経路の初期段階から異なることを明らかにした．図4.80 B，Cには，ヒトに眼だけや顔全体を呈示したときの頭皮上から記録される視覚誘発電位から双極子追跡法により推定した脳内電流発生源（双極子）を示してある（Shibata et al., 2002）．眼または顔を見たとき

には後頭側頭移行部に潜時約 170 msec の陰性視覚誘発電位（N170）が記録される．眼を見たときの脳内双極子は誘発電位の初期（早期相），ピーク時（頂点）および後期（後期相）にわたって後頭側頭移行部の外側部に位置している．顔全体を見たときの誘発電位を解析すると，早期相から後期相に時間が進むにつれて脳内電流発生源（双極子）は前方内側部（紡錘状回）へ移動している．これらのことは少なくとも眼と顔全体の情報処理過程には後頭側頭皮質の異なる神経回路が関与していることを示している．このように視覚経路の初期段階で別々に処理された眼と顔の情報は前部上側頭溝などで再び統合されると考えられる．

2） 顔面筋と顔表情の進化と発達

図 4.81 A には下等動物から霊長類のサル，ヒトまでの顔表情の発達を示してある（VanHooff, 1972）．Darwin（1872）は浜中訳（1991）Darwin 著『動物及び人間の表情について』の中で，表情は進化の過程で獲得した一種の適応行動であり，下等動物からヒトにいたるまで一貫した連続性をもつことを指摘した．図 4.81 B には彼が記載したヒトの表情筋を示してある（Darwin, 1872）．この図が示すよう

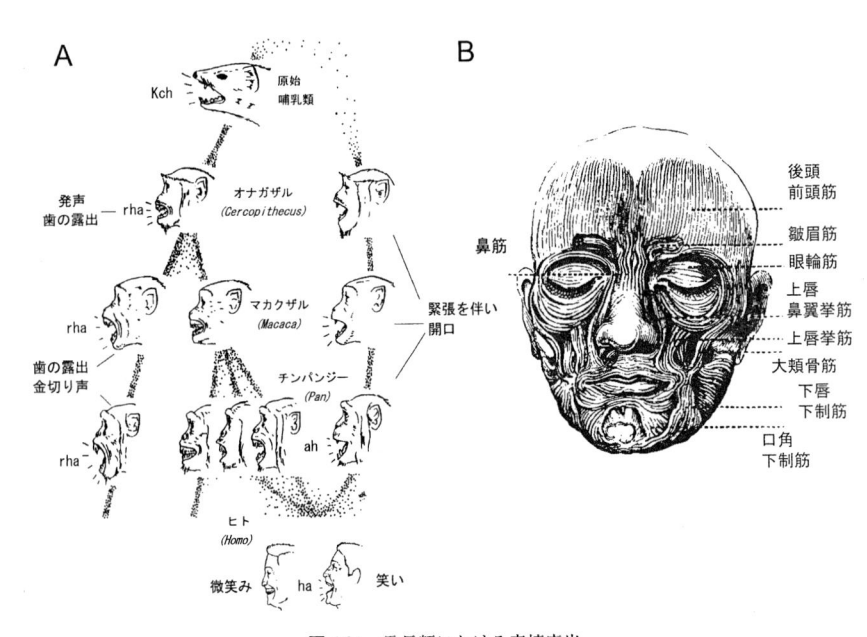

図 4.81　霊長類における表情表出
A：下等動物から霊長類のサル，ヒトまでの顔表情の発達 (Van Hoff, 1972)．
B：ヒトの表情筋．

にヒトをはじめ霊長類の顔面筋は高度に発達し，複雑で微妙な表情を生み出し喜怒哀楽を伝えることができるようになっている．霊長類の扁桃体ニューロンは顔の喜怒哀楽の表情が自己と他者の感情，つまり非言語的コミュニケーションに中心的な役割を果たすと考えられる．

6) 肖像画「モナリザの微笑み」の魅力の謎

図 4.82 にはおそらく歴史上最も有名なレオナルド・ダ・ヴィンチの名作「モナリザの微笑み」の肖像画を示してある．天才的な観察者であり，人や動物の解剖学や工学，芸術に精通したダ・ヴィンチは，どのような思いや愛のコミュニケーションをこの絵に埋め込んだのだろうか？モナリザの顔は確かに約 45° 左斜め向きであり，視線は観る人の方向に常に向き，アイコンタクトを生じている．この配置こそが，正に驚くべきことであり，扁桃体や前部上側頭溝を最大に活性化する顔と眼の配置であることがわかる．そしてモナリザは謎めいた微笑をたたえている．モナリザの表情を感情認識ソフトウェアで解析すると，83% の幸せ，9% の嫌悪，6% の恐怖，2% の怒りという結果になったと報告されている（菅谷，2008）．このモナリザの微笑は過去 500 年間にわたり世界中の人々を魅了し続けてきた．天才ダ・ヴィンチは，このような顔の向きと視線と表情に何を感じ，何を

図 4.82 レオナルド・ダ・ヴィンチと「モナリザの微笑み」

伝えたかったのだろうか？顔ニューロンが問いかけるものに興味は尽きない．

4.9 情動・記憶・理性システム（神経回路）の相互作用

a. 情動系と記憶系の相互作用
1) 情動発現における相互作用

3.2節，4.1節1）で述べた条件づけ情動反応において，特定の環境下（例：特殊な箱）にラットを入れて条件刺激に対する条件づけを行うと，条件刺激を直接呈示しなくても，ラットをその特定の環境下に置くだけで情動反応を起こすようになる．ラットは直接の手掛り刺激（条件刺激）がなくても，以前の記憶に基づき周囲の環境状況，自己の置かれた場所などから電気ショックがくる状況を認知できるからである（文脈的認知）．PhilipsとLeDoux（1992）はラットを箱に入れただけで起こるすくみ反応（文脈テスト）と条件刺激に対するすくみ反応（手掛り刺激テスト）に及ぼす扁桃体または海馬体破壊の効果を調べた．実験では扁桃体または海馬体の破壊後，ラットを電気ショック用のグリッドを床につけた箱に入れ，800 Hzの純音（条件刺激）を20秒間呈示してから電気ショックを与えて800 Hzの純音と電気ショックの条件づけを行った．その後，第3日目より文脈および手掛り刺激だけを与えてすくみ反応を測定した．正常なラットは第1-2日目の条件づけにより条件刺激だけでなく，文脈刺激に対してもすくみ反応を起こすようになり，その後も持続して条件刺激，文脈刺激に対してすくみ反応を示した．海馬体破壊ラットは文脈テストだけが障害され，扁桃体破壊ラットは文脈テストと手掛り刺激テストの両方が障害された．これらのことは，海馬体は以前の記憶に基づいた文脈刺激の学習には関与するが，単一要素である条件刺激の学習には関与しないことを示している．扁桃体は，文脈刺激および条件刺激に関する情報をそれぞれ海馬体および大脳新皮質の聴覚野あるいは視床の内側膝状体から扁桃体への直接の神経経路を介して受け取り，情動と文脈や条件刺激との連合過程に関与すると考えられる．海馬体は空間，場所，物体，文脈などの情報に基づき，情動を発現する"時間"，"場所"あるいは"状況"（いわゆる"文脈"）などの認知と記憶に重要な役割を果たしている．これらのことから，海馬体で処理された情報は海馬体―扁桃体間の直接経路により扁桃体，あるいは中隔核を介して視床下部を含む脳幹に送られて情動発現が起こると考えられる．

2) 記憶形成における相互作用

i) ヒトでの研究　情動系の扁桃体と記憶系の海馬体はまったく独立して作動するのではなく，機能的に相互作用をしている．一般に強く印象を受けた出来事や情動的出来事に関する記憶は長く残りやすい．McGaughらの一連の研究により情動による記憶増強には扁桃体が重要な役割を果たしていることを明らかにしている．Cahillら（1995）は健常人とUrbach-Wiethe病により両側扁桃体が選択的に損傷された患者（B.P.）の情動的な出来事に対する再認テストを比較した．再認テストはスライドとナレーションにより，情動的興奮を伴う物語（情動的ストーリー）と伴わない物語（中性的ストーリー）の2種類の物語を被験者に呈示し，1週間後に各スライドに関する簡単な質問を行った．3部構成からなるストーリーは第1部と3部はどちらもほぼ同様の非情動的内容を含む中性的ストーリーであるが，第2部は息子が交通事故に遭うシーンを含む情動的ストーリーになっている．健常人の場合は第1〜第3部を比較すると，第2部の情動的ストーリーに関する記憶の正答率が高いが，両側の扁桃体損傷を有する患者では健常人と比較して情動的ストーリーの記憶が障害されていた．陽電子断層撮影（positoron emission tomography：PET）法を用いて健常人の脳のグルコース代謝率を測定した研究によると，情動的な状況を体験しているときの被験者の扁桃体の活動と，後で記憶から再生したその出来事の数との間に有意な相関がある（Cahill et al., 1996）．この研究では各被験者に^{18}F-2-デオキシグルコース（^{18}F-2-deoxyglucose：^{18}F-2DG）を静注してから1本が2分程度の情動的または中性的な内容のビデオを12本観賞させてPET法で脳のグルコース代謝率を測定し，3週間後にビデオの内容に関する記憶再生テストを行った．その結果，中性的ビデオでは記憶再生率とビデオを観賞していたときの扁桃体の相対的グルコース代謝率との間に有意な相関は認めなかったが，情動的ビデオではビデオを観賞していたときの右扁桃体の相対的グルコース代謝率と記憶再生数の間に有意な正の相関が認められた．情動的ビデオを観賞していたときの右扁桃体の相対的グルコース代謝率が高いほどビデオの記憶再生率が高いこともわかった．これらのことは扁桃体の活動が情動記憶，特に情動的な陳述記憶の記銘に関与することを示している．

ii) ラットでの研究　McGaughらはラットを2つの箱のどちらかに入れ，電気ショックを与えて条件付けを行うと，以後，ラットは電気ショックを受けた箱に入らなくなる受動的回避課題を用いて扁桃体破壊の長期記憶に及ぼす影響につ

いて調べた (Parent et al., 1992). 受動回避課題訓練直後に扁桃体を破壊すると, 記憶が障害されるが, 扁桃体破壊の前に十分な訓練をし, 訓練後1週間程度経てから扁桃体を破壊すると, 記憶障害が起こらない. 彼らは, これらのことから扁桃体は記憶の獲得過程 (課題の学習) に関与し, 長期記憶は扁桃体以外の他の領域に貯蔵されると考えている. 扁桃体は獲得した記憶情報を長期記憶に変換する記憶の固定過程において海馬体—新皮質系など他の脳領域における長期記憶の貯蔵を促進すると推察される. ラットを用いて音—電気ショック間の条件づけを2日間行い嗅周囲皮質を破壊し, 5日後に条件刺激 (音) と文脈刺激 (条件刺激に用いたケージ) を呈示してすくみ反応を調べると, 嗅周囲皮質を破壊したラットは対照ラットと比較してすくみ反応の時間が短い (Corodimas and LeDoux, 1995). このことは情動記憶の少なくとも一部は嗅周囲皮質に貯蔵されることを示している. 海馬体の苔状線維の反復刺激により歯状回で長期増強 (long-term potentiation: LTP) が観察されるが, 苔状線維の反復刺激時に扁桃体内側部の電気刺激を行うと, 歯状回における長期増強が大きくなる (Ikegaya et al., 1995).

iii) **辺縁系(扁桃体, 海馬体)と他の脳領域の相互作用** 扁桃体と海馬体は記憶の再認あるいは再生にも協調して作動している. Fink ら (1996) は健常人が自己の個人的な想い出に関する内容のナレーションを聞いているときと他人の想い出に関するナレーションを聞いているときの脳血流を PET 法で比較している. このとき, 他人の想い出は PET 法による測定1時間前に前もって聞かせておき, PET 法スキャンするときに再び聞かせている. いずれの場合も記憶検索のための手掛り情報 (ナレーション) と脳内に貯蔵されている記憶情報との相互作用による記憶再生過程 (エクフォリー ecphory という) が働くが, 自己の個人史的想い出はより情動的な内容の記憶再生になる. この研究により自己の個人史的想い出は他人の想い出と比較して扁桃体, 海馬体および海馬傍回を含む右側頭葉内側部, 後部帯状回, 右側側頭葉外側部, 右側前頭葉外側部の脳血流を選択的に増加することが明らかになった. このように正常な脳の機能は扁桃体と海馬体間だけでなく, 辺縁系と新皮質系等の他の脳領域との相互作用によって営まれるのである.

b. **情動と理性の相互作用**
1) **前頭葉背外側部**
i) **前頭葉背外側部の先駆的研究** 前頭葉背外側部は機能的には高次脳機能

に関与する前半部の前頭前野と運動に関与する後半部の運動領域に分かれる．前頭葉背外側部の吻側部（背外側前頭前皮質）は頭頂葉や側頭葉などの連合野，および扁桃体や海馬体などの辺縁系と密接な線維連絡を有し，それらの情報を統合して運動系である線条体や前頭葉の後部にある運動野に出力している．Jacobsen (1936) は今から 60 年程前に背外側前頭前皮質の高次脳機能に関して重要な結論を得ていた．彼はサルの目の前で餌を左右 2 つの容器のいずれか一方に入れ，一定の遅延時間の後，餌の入った容器を選択させる遅延空間反応という課題を考案した．この短期記憶課題を用いると，背外側前頭前皮質を破壊したサルでは 5 秒以上の短期記憶が障害される．背外側前頭前皮質は将来（遅延時間後）の状況を予測して適切な行動（左右 2 つの容器の選択）を起こすのに関与すると考えられる．また Fuster や久保田らは，1970 年代に，サル背外側前頭前皮質で遅延期に応答するニューロンが存在することを報告している (Fuster, 1973 ; Fuster and Alexander, 1971 ; Kubota et al., 1974 ; Niki, 1974)．ここではこれら背外側前頭前皮質の高次脳機能と情動発現や動機づけ行動との関わりについて解説する．

ii) 背外側前頭前皮質と情動発現　背外側前頭前皮質は抽象的思考など「高次認知活動」に関与し (Millner and Cohen, 2001)，一般的に情動発現に対して抑制的に働くと考えられている．悲しい状況のビデオや性的な写真を見せ，被験者に意識的に悲しみの感情や性的な感情を抑制させて fMRI で調べると，背外側前頭前皮質の活動が上昇する (Beauregard et al., 2001 ; Levesque et al., 2003)．この否定的および不快な感情を抑制する能力が慢性的に欠如した人はうつ病や不安症になりやすかったり攻撃行動や暴力行為を行いやすい (Davidson et al., 2000 ; Jackson et al., 2000)．また二人の被験者の一方（提案者）がお金の分け前（分配比率）を決定し，他方（受け手）がそれを認めればその比率に従ってお金をもらえるが，受け手がその比率を認めなければ双方ともお金をもらえない「最後通牒ゲーム」における受け手の脳活動が fMRI 法で調べられている (Sanfey et al., 2003)．受け手の感情的判断は 50：50% の分配比率を妥当とするが，理性的（論理的）な判断は分配比率がどのようであろうともその比率を認めることがお金の獲得に繋がることになる．その結果，提案者の取り分が多い不公平な分配比率を認めるときは理性的判断に関係する背外側前頭前皮質の活動が情動的判断に関係する島皮質より高く，逆に不公平な提案を認めないときは島皮質の活動が背外側前頭前皮質より高い．同様にモラルの判断において敵の兵士から逃れるためには

泣き叫ぶ子供を窒息死させなければ全員が死亡するという状況下では，窒息死させることを肯定する功利的判断を下す被験者はそうでない被験者と比較して背外側前頭前皮質の活動が亢進する（Greene et al., 2004）．また列車が5人と1人がいる2つの場所に向かって進行しておりどちらの場所に列車を進行させるか（5人と1人のどちらを殺すか）選択しなければならない課題（非個人的なモラルジレンマ）と，列車が進行中の線路上で5人の人が助けを求めており列車を停止させてその5人を助けるために歩道橋上から線路上に人間を1人突き落とす（1人殺す）かどうか選択する課題（個人的なモラルジレンマ）を比較すると，多くの被験者は非個人的なモラルジレンマでは5人を助けることに対して肯定する功利的判断をするが，個人的なモラルジレンマでは非功利的判断をする．このときの脳活動をfMRIにより比較すると，功利的判断を下す非個人的なモラルジレンマのときの方が背外側前頭前皮質の活動が亢進する（Greene et al., 2001）．

　背外側前頭前皮質は情動系領域と協調して作動する．言葉自体は情動的に中性でも文章中に出てきた不快な状況を示す言葉は中性的言葉と比較して再認されやすい．fMRIにより言葉再認中の脳活動を測定すると，不快な状況を示す言葉の方が中性的な言葉よりも背外側前頭前皮質の活動を亢進させる（Maratos et al., 2001）．恐怖症の患者では恐怖の対象となる物体の画像を呈示すると，背外側前頭前皮質の活動が上昇する（Paquette et al., 2003）．健常成人を用い，ヘビやクモの写真を見せる前に音を呈示すると，その音を呈示しただけで背外側前頭前皮質の活動が上昇する（Simmons et al., 2004）．これらのことは危険な状況の認知と予測に背外側前頭前皮質が関与し，回避行動を"うまく"遂行することに関係することを示唆する．

　種々の人間関係を示す無声ビデオを見せて被験者に登場人物あるいは登場人物間の血縁関係，欺瞞性，勝敗，社会的地位および親密性などに関する質問を行うと，背外側前頭前皮質に損傷のある患者ではこの課題が障害される（Mah et al., 2004）．このことは背外側前頭前皮質が辺縁系とともに社会的認知機能や相手の心情や考えを推測する「こころの理論」に関係していることを示唆する．

iii） 背外側前頭前皮質と動機づけ行動　　動機づけの最も単純な形は生理的欲求を満たすための摂食や飲水行動などの本能行動にみられる．ヒトも動物も空腹感により摂食行動に対する動機づけが高まり，好きな美味しい食物を食べたときには快感が湧き，嫌いな食物を食べたときには不快感が起こる．これら摂食行

動の遂行や食べたときに体験する快感や不快感の発生，外部感覚情報による食物の認知，美味しさや好き嫌いの度合いの判断などでは，特に視床下部や辺縁系の扁桃体が重要な役割を果している（Ono et al., 1980, 1981, 1982；Nishijo et al., 1988a, b, 1998）．

背外側前頭前皮質も以下に述べるように動機づけ行動に何らかの役割を果している．前頭葉の萎縮を伴う認知症患者は多食症を伴うことが多い（Graff-Radford et al., 1995）．逆に多食症の患者では前頭葉の代謝活動が低下している（Andreason et al., 1992）．1回の食事摂取あるいは満腹感により背外側部を含む前頭葉の活動が上昇する（Tataranni et al., 1999；Gautier et al., 2000）．背外側前頭前皮質は大脳基底核系や扁桃体―視床下部系と密接な線維連絡を有しているので，扁桃体―視床下部系からの生物学的情報に基づいて摂食行動などの動機づけ行動を"うまく"遂行することに関与していると考えられる（Ono et al., 1984）．アルコール中毒者（George et al., 2001）やコカイン中毒者（Grant et al., 1996；Childress et al., 1999）にビールをジョッキに注いでいる写真などアルコールやコカインに関連する刺激を呈示すると，背外側前頭皮質の活動が上昇する．これら中毒者は誘因刺激によりアルコールやコカインに対する欲求が高まり，それらを"うまく"獲得するために背外側前頭皮質の活動が亢進すると考えられる．

iv） サルの背外側前頭前皮質ニューロンの動機づけ行動に対する応答性

筆者らはレバー押し摂食行動を行っているサルの背外側前頭前皮質ニューロンの応答性を解析し，報酬物体（食物）の認知，報酬物体獲得のための動因および報酬の認知だけでなく，報酬物体が得られる環境状況の認知や報酬物体を得るためのレバー押しの意思決定などに関与するニューロンが存在することを明らかにした（Ono et al., 1984；Yamatani et al., 1990）．サルの背外側前頭前皮質には，食物報酬の視覚認知期，獲得動因期および摂取期に応答するニューロンが存在する（8野：○，9野：■，10野：●）（図4.83 A）．Bの前頭葉9野（A：■）ニューロンは食物獲得のためのレバー押し動因期間だけに持続的な応答をする．このニューロンはレバー押しの個々の手の運動には応答しないので，食物を獲得しようとする意欲の持続に関与すると考えられる．これらのことから背外側前頭前皮質は動因を持続して困難な状況を克服して報酬物体を獲得する過程に関与すると考えられる．

D-Fには前頭葉9と10野の主溝周辺（A：△）に存在し，環境状況の認知に関

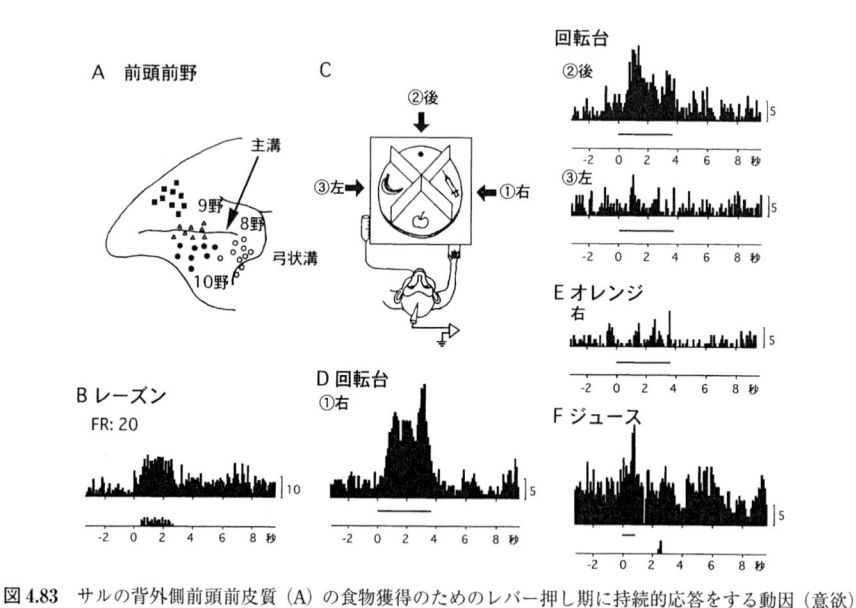

図 4.83 サルの背外側前頭前皮質（A）の食物獲得のためのレバー押し期に持続的応答をする動因（意欲）の持続に関与するニューロン（9野，■）（B）および食物を期待できる環境状況の認知ニューロン（主溝周辺，△）（C-F）の応答性（Ono et al., 1984 より改変）

A：背外側前頭前皮質の解剖と各ニューロンの記録部位．B：レバー押し期間に持続的に応答するニューロン（FR：レバー押し回数，20回）．C：実験条件の模式図．D-F：食物を期待できる環境状況に応答するニューロン．ヒストグラム上：ニューロンの応答，縦軸：インパルス放電数/ビン，ビン幅：100ミリ秒．ヒストグラム下：レバー押し信号/ビン．上下のヒストグラム間の横実線：実験者の動作，食物，ジュースを意味する音の呈示期間．0：刺激呈示開始時点，−：刺激呈示開始前，+：刺激呈示開始後．

与する背外側前頭前皮質ニューロンの例を示してある．この実験では実験者がサルの右前方の位置でパネル後方の回転台上に各種の食物または非食物を置き，シャッター開放のためスイッチを押している（C）．このとき実験者はパネル後方へ手を伸ばしたり，スイッチの方へ手を伸ばしたり，袋から食物を取りだすなどの動作（ヒストグラム下の実線）をする．左前方の実験者はそのような動作は一切しない．Dには上から実験者がサルの右前方でパネル後方へ手を伸ばしたとき（① 右），パネル後方へ移動したとき（② 後）および左前方の実験者がパネル後方へ手を伸ばしたとき（③ 左）のニューロン応答を示してある．このニューロンは右前方の実験者の動作と回転台後方への移動に対しては顕著に促進応答をしているが，左前方の実験者の動作には応答しない．またこのニューロンは実験者がパネル後方の回転台上に食物を載せるような動作や図には示してないが袋から食物を取り出すときのカサカサという音など食物が得られる環境状況に顕著に応答す

るが，1）食物に関連のない実験者の動作や感覚刺激，2）食物それ自体，例えば右前方の実験者が好物のオレンジ（E）を手に持ってサルに直接見せたり，ジュースを意味する音（F）を聞かせたりしてもごく軽度の一過性応答を示すだけである．これらのことから，このニューロンは食物報酬を期待できる環境状況や事象の認知や予測に関与すると考えられる．

図4.84には3種類の課題をテストした背外側前頭前皮質ニューロンの例を示してある（Yamatani et al., 1990）．Aにはこのニューロンの遅延標本照合課題に対する応答を示してある．この課題では課題開始音（T）の後，まず図形サンプル（S）がサルの前においたモニター上に1秒間呈示される．ついで3.4-9.4秒間の遅延期間の後，照合用図形（M）がモニターの左右に1つずつ（1つは図形サンプルと同一図形，他方は異なる図形）1秒間呈示され，さらに1.4秒間の遅延期をおいて

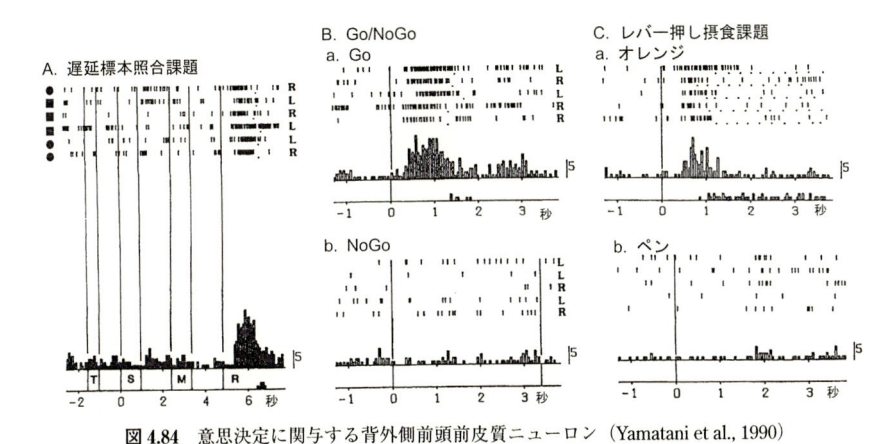

図4.84 意思決定に関与する背外側前頭前皮質ニューロン（Yamatani et al., 1990）
A：遅延標本照合課題に対する応答．この課題では，課題開始音（T），図形サンプル（S）（中央に1つ），照合用図形（M）（左右に1つずつ），および行動開始用図形（R）（左右に1つずつ）を順次呈示．図形サンプル（S）と照合用図形（M）の間には，3.4-9.4秒間の遅延期間．サルは，行動開始用図形（R）の呈示期に，2つの照合用図形のうち図形サンプルと一致した図形側のレバーを押すとジュースを獲得．このニューロンは，行動開始用図形（R）の呈示期に促進応答．
B：Go/Nogo課題に対する応答．この課題では，課題開始音（T）の後，Go刺激（黄色の円）またはNogo刺激（ピンク色の円）のいずれかを，モニターの右あるいは左側に呈示．Go刺激の場合は，サルは図形と同じ側のレバーを押すとジュースを獲得．Nogo刺激の場合は，サルはレバーを押さないで3.4秒間待機しているとジュースを獲得．このニューロンは，図形の呈示位置に関係なく，Go刺激に促進応答．
C：レバー押し摂食行動に対する応答．このニューロンは食物（オレンジ）を見たときに促進応答．ヒストグラム上のラスター表示，ニューロンのインパルス放電；ラスター下のドット，レバー押し時点；R，右側（図形サンプルにマッチした照合用図形の位置）；L，左側（図形サンプルにマッチした照合用図形の位置）．ヒストグラム上，ニューロン応答の加算；縦軸，インパルス放電数/ビン；ビン幅，40ミリ秒．ヒストグラム下，レバー押し信号の加算；縦軸，レバー押し信号数/ビン；FR，レバー押し回数；横軸，時間（秒）；0，刺激呈示時点；−，視覚刺激呈示前；＋，視覚刺激呈示後．

同一の行動開始用図形（三角形）2つが呈示される（R）。行動開始用図形の下にレバーを2つ設置してあり，サルは行動開始用図形の呈示期間中に2つの照合用図形のうち図形サンプルと同一の図形が位置している側のレバーを押すと報酬としてジュースを獲得できる．このニューロンは呈示図形の種類に関係なく，またレバー押しの左右に関わらずレバー押し前にニューロン活動が増大している．BにはGo/Nogo課題におけるこのニューロンの応答を示してある．この課題では課題開始音（T）の後，Go刺激（黄色の円）またはNogo刺激（ピンク色の円）のいずれかがモニターの右あるいは左側に呈示される．Go刺激の場合はサルは図形と同じ側のレバーを押すとジュースが獲得できる．Nogo刺激の場合はサルはレバーを押さないで3.4秒間待機しているとジュースが獲得できる．このニューロンは図形の呈示位置に関係なく，Go刺激に応答している（Go選択応答ニューロン）．Cにはレバー押し摂食行動におけるこのニューロンの応答を示してある．このニューロンはオレンジを見たときにその活動が増大している．図には示していないが，Go選択応答ニューロンとは，逆にNogo刺激や非食物のをみたとき，すなわちレバーを押さないときだけに応答するニューロンもある（Nogo選択応答ニューロン）．これら背外側前頭前皮質のGoおよびNogo選択応答ニューロンはそれぞれレバー押しをするか，しないかの意思決定に関わると考えられる．

v) サルの背外側前頭前皮質破壊のレバー押し摂食行動への影響　　それでは背外側前頭前皮質を破壊するとどうなるであろうか．図4.85にはサルの背外側

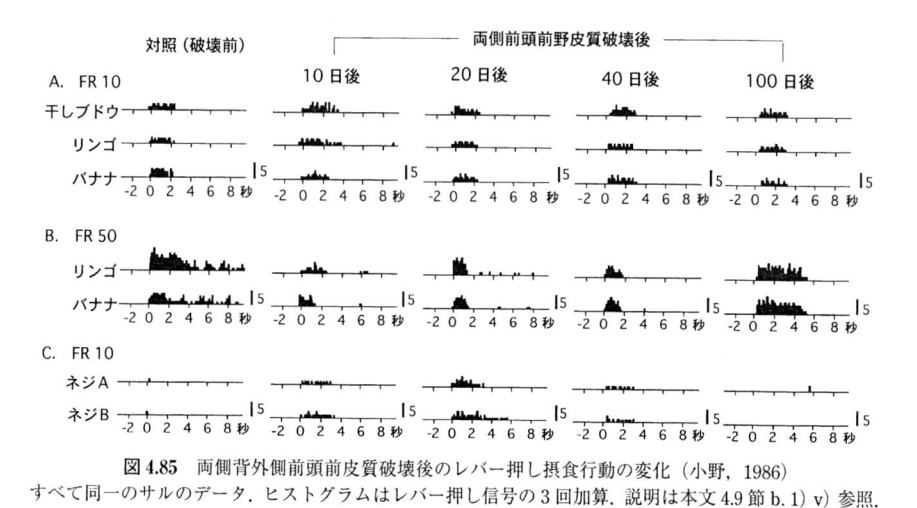

図4.85　両側背外側前頭前皮質破壊後のレバー押し摂食行動の変化（小野，1986）
すべて同一のサルのデータ．ヒストグラムはレバー押し信号の3回加算．説明は本文4.9節 b.1) v) 参照．

前頭前皮質（8野と主溝近傍の9，10野）を破壊したときのレバー押し摂食行動を示してある．破壊前の対照ではレバー押し回数が10回でも50回でも食物を識別して最後までレバー押し摂食行動を遂行する．破壊10日後ではレバー押し回数が10回の場合は対照と同様にレバー押し摂食行動を遂行するが，レバー押し回数を50回にすると，15回程度まではレバーを押すが，それ以上はレバーを押さない．正常なサルは1個の大豆やボーロなどを得るのに100回以上のレバー押しを行うが，背外側前頭前皮質を破壊すると，注意散漫になり，レバー押しもすぐあきらめてしまう．これはレバー押し回数が多いという一種の困難な状況を克服して最後まで遂行しようとする意欲が欠如していることを示している．また非食物（ネジ）でもFR10であれば1～2回目の試行まではレバー押しを遂行して取って食べようとする．すなわち食物認知能の低下が起こっている．破壊20日後ではレバー押しに関しては速度が少し速くなること以外は破壊10日後と同様であるが，食物認知能はさらに低下し，非食物（ネジ）の試行でもほとんど毎回レバー押しを遂行して取って食べようとする．破壊40日後ではレバー押しは破壊20日後とほぼ同じであるが，食物認知能は少し回復し，破壊10日後と同程度になっている．そして100日後になると，レバー押し摂食行動も食物認知能も完全に回復している．それどころか，むしろレバー押しの速度は対照の場合よりも速くなり，しかも安定になっている．

これらのことから，背外側前頭前皮質は現在よりも行動後に，報酬物体を獲得するための意欲の持続や環境状況の認知（推論または予測）に関与し，最終的な目標達成（報酬獲得）に重要な役割を果していると考えられる．また，背外側前頭前皮質破壊後のレバー押しと食物認知機能の回復は今後の大きな研究課題であろう．

vi) 前頭葉と人間 背外側前頭前皮質は情動発現や動機づけ行動に関与している辺縁系や視床下部と互いに情報を交換しながら適切な行動発現に重要な役割を果たしている．ヒトの前頭葉は最も発達し，感情が豊かになり，情動系や動機づけ行動を制御することにより長期的にも最適な結果が得られる行動をとることが可能になったのである．人類の歴史において牧畜や農業の発展，食料増産のための品種改良，灌漑システムの確立，さらにはこれらを基礎とした4大文明の発生などの根底には摂食行動に対する情動（食物獲得による快情動）や動機づけがある．これら情動や動機づけを制御する前頭葉系により直接摂食行動に結びつかない高度な長期戦略を可能にし，灌漑システムを確立させるなど4大文明の発

生も可能になったのである．今後，前頭葉の研究が進み，ヒトの本質ともいえる前頭葉の機能が明らかにされることを念じて止まない．

2) 前頭眼窩皮質（眼窩皮質）と前部帯状回

i) 行動発現における役割　　前頭葉，特に扁桃体と密接な線維連絡を有する眼窩皮質と前部帯状回皮質の情動と行動発現における役割に関する報告が多い．最近，これら眼窩皮質と前部帯状回に関する研究に新たな展開がみられる．ここでは最近の研究に基づき，眼窩皮質と前部帯状回の情動と行動発現に果たす重要な役割について考察する．

　前部帯状回皮質の脳梁より前方に位置する部位は扁桃体，眼窩皮質との線維連絡が強く，吻側情動領域と呼ばれている．前部帯状回のより後方の領域は背外側前頭皮質や運動領域との線維結合が強く，認知領域（あるいは前部帯状回運動領域）と呼ばれ，刺激間の葛藤（干渉）あるいは競合が存在するときの注意機能，背外側前頭皮質の活動に基づく運動の実行機能，運動のモニタリングなどに関係する．右前部帯状回の認知領域に損傷のある患者 DL では刺激間に干渉と競合が存在するストループ（stroop）課題や注意課題に対する口頭での反応は障害されないが，左手または右手でのボタン押しで反応させると，障害が現れる（Turken and Swick, 1999）．ストループ課題では「左または右に向いた矢印」と「左または右を示す英単語（left または right）」を同時に呈示し，矢印と言葉のいずれかに注目して方向を口頭と手でのボタン押し（右の場合は右手，左の場合は左手）で答えることが要求される．健常人では矢印と言葉の方向が一致しない場合に刺激間の干渉により反応時間が遅くなる傾向があるが，患者 DL では口頭と比較して手でのボタン押しのときに，さらに遅くなる．注意課題では遅延期を挟んでその前後に色のついた小さな四角の集団をモニターに呈示し，1) 予め色か図形のいずれか一方に注目させ，それが前後の呈示で異なるか否か（選択的注意課題），2) 色か図形かを予め特定せず，いずれの要因が異なるか否かを答えさせる課題（分散注意課題）を行わせた．患者 DL ではいずれの注意課題でも，健常人と比較して口頭での反応は正常であるが，手でのボタン押しで答えさせると，反応時間が遅くなった．解剖学的に前部帯状回では第 V 層の錐体ニューロンがよく発達しているのが特徴である．前部帯状回は扁桃体，海馬体，背外側前頭前皮質などから線維投射を受け（Vogt and Pandya, 1987），この第 V 層の錐体ニューロンから行動表出のための運動実行に重要な運動前野（Dum and Strick, 1993）や補足運動野

(Bates and Goldman-Rakic, 1993), 線条体 (Yeterian and Van Hosen, 1978; Kunishio and Harber, 1994) など運動出力に関与する領域に密に線維を投射する．これらのことは前部帯状回の認知領域が背外側前頭皮質からの認知情報や眼窩皮質，前部帯状回の情動領域からの情動情報を運動に変換することに重要な役割を果すことを示している．

眼窩皮質，前部帯状回の情動領域に障害のある患者ではギャンブル課題における行動の選択が障害される (Bechara et al., 1998)．ギャンブル課題では4組のカードの束を用意し，各束からカードを1枚めくるごとにお金がもらえるが，時々お金を損失する．ただし，お金の利益と損失の合計金額はカードの束により異なるように設定されている．健常人にこの課題を行わせると，1回当たりの利益は少なくても全体の収支がプラスになるカードの束を選択するが，情動領域に障害のある患者は全体の収支は悪くても1回当たりの利益の大きいカードの束を選択する．Damasio ら (Bachara et al., 1994) はこれらのことから眼窩皮質および前部帯状回の情動領域は外界環境の結果（体験）に基づいて現在と将来の状況を推論，判断し，適切な行動を導く過程に重要な役割を果たしていると推察している．

健常人ではこれらの領域はどのように機能しているのだろうか．Walton ら (2004) は3種類の図形のうちの1つをモニターに呈示し，各図形刺激と人差し指，中指，薬指のボタン押しとを1対1に連合させる刺激―反応課題を行わせて眼窩皮質，前部帯状回の活動をfMRIで解析した．各図形と各指の組合せは3通り存在し，被験者には最初のボタン押しの後，それが正解か否かのフィードバックをモニターに表示する．この課題における第1回目のボタン押しは，1) 推測 (GUESS) 条件では被験者は自己の選択で第1回目のボタンを押し，第2回目以降はその結果（正答か誤答かのフィードバック）に基づいて選択する，2) 固定 (FIX) 条件では，第1回目は実験者の指示した指でボタンを押し，第2回目以降はその結果に基づいて選択する，3) 教育 (INSTRUCTED) 条件では課題前に正解を教えられた指でボタン押しを行う．前部帯状回の認知領域は推測条件により，内側と外側眼窩皮質は固定条件により最も活動が高かった．これらのことや前述のヒトの神経心理学的所見から，前部帯状回の認知領域は自己の行動（行為）の結果生じる出来事の評価（行動のモニタリング）とそれに基づく行動発現（意思決定）に，眼窩皮質や前部帯状回の情動領域は自己の行為以外の原因で生じる出来事あるいは外界感覚刺激の評価とそれに基づく行動発現に重要な役割を果たす

と考えられる．

ii) サル前部帯状回ニューロンの応答性　　うつ病や統合失調症では前部帯状回に解剖学的な異常が生じ，自己の行動の結果生じる出来事の評価が何らかの形で障害される．うつ病患者では前部帯状回の脳血流が減少し（Bench et al., 1992），統合失調症の患者では前部帯状回の細胞構築学的，神経化学的異常や小神経細胞（介在ニューロン）の著しい減少などがみられる（Benes et al., 1991）．

筆者らはサル前部帯状回からニューロン活動（インパルス放電）を記録し，その機能をニューロンレベルで調べた（Nishijo et al., 1997）．サル前部帯状回では総数550個のニューロンのうち36個（7%）が呈示物体の視覚認知期に応答し（視覚応答ニューロン），40個（7%）がレバー押し期に応答する（レバー押し関連ニューロン）．図4.86Aには前部帯状回ニューロンの報酬物体に対する応答例を示してある．このニューロンは報酬物体であるクッキー（Aa）やリンゴ（Ab）に応答するが，嫌悪刺激（電気ショック）と連合した茶色円柱（Ac）や無意味な物体である黄色円柱（Ad）には応答しない．図4.86BにはAと同一ニューロンの視覚認知期（2秒）における種々の物体呈示後5秒間のインパルス放電頻度を示してある．この図からもリンゴ，ジュースと連合した白色円柱，干しブドウ，クッキーなどの熟知した報酬物体には応答するが，注射器，カエルのモデル，電気ショックと連合した茶色円柱などの嫌悪物体および無意味な物体である黄色円柱や新奇物体（青色テープ）には応答しないことがわかる．このサルが最も好むリンゴやジュースと連合した白色円柱よりも嗜好性の低い干しブドウやクッキーにより強く応答することから，報酬の度合とニューロンの応答性との間に相関はない．またこのニューロンはクッキーや干しブドウに塩をつけて食物の意味を報酬性から嫌悪性に変える逆転学習により応答が消失するので，報酬物体全般ではなく，特定の物体の報酬性の認知に関与すると考えられる．これらのニューロンの他に特定の嫌悪物体に応答するニューロンや報酬物体，嫌悪物体および新奇物体のいずれの物体にも応答するが，無意味物体には応答しない物体の生物学的価値評価に関与するニューロンも存在する．これら視覚認知応答ニューロンは扁桃体から密接な線維投射を受ける前部帯状回の吻側部（Van Hoesen et al., 1993）に存在する．

図4.87にはレバー押し期関連ニューロンの応答例を示してある．このニューロンは食物（A：クッキー）とジュース（C）を得るためのレバー押し期だけに応答

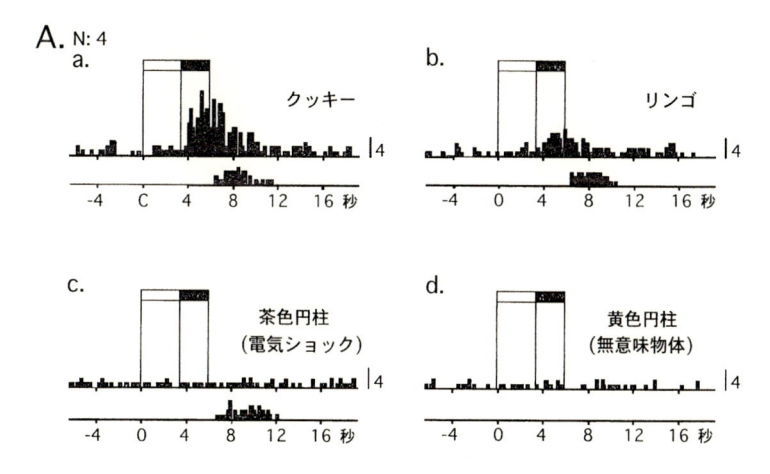

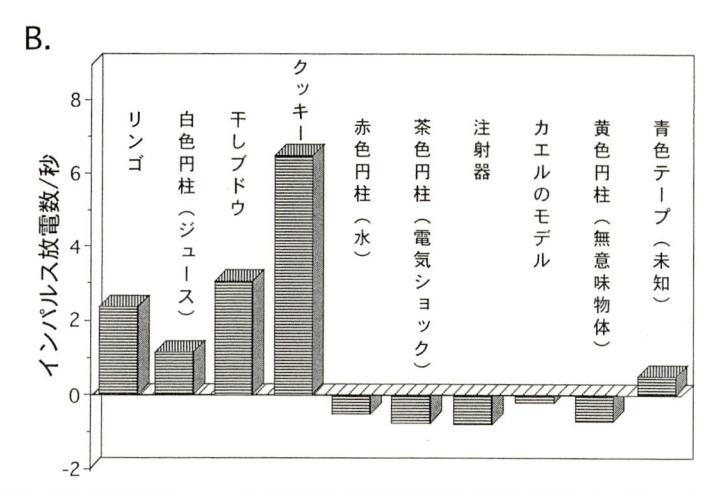

図 4.86 サル前部帯状回ニューロンの報酬および嫌悪物体に対する応答性(Nishijo et al., 1997)
A：前部帯状回ニューロンのクッキー (a)，リンゴ (b)，電気ショックを意味する茶色円柱 (c)，無意味な黄色円柱 (d) に対する応答．クッキー (a) やリンゴ (b) を見たときに促進応答（インパルス放電頻度の増加），電気ショックを意味する茶色円柱 (c) または無意味な黄色円柱 (d) には無応答．ヒストグラム上の白い四角，予告音後の遅延期間；黒い四角，視覚刺激の呈示期間．その他の説明は図 4.83 を参照．
B：種々の報酬および嫌悪物体への視覚応答性．報酬および嫌悪物体は，それぞれ報酬および嫌悪（好き嫌い）の度合の大きいものを左から右へ順に並べてある．ヒストグラム，各物体に対する視覚応答（各物体呈示後 5 秒間の平均応答強度：各物体の呈示後の平均インパルス放電頻度から物体呈示前の平均インパルス放電頻度を差し引いた値）．

し，電気ショックを回避するためのレバー押し期には応答しない (B)．またサルが課題に関係なく，自発的に腕を動かしたときにも応答しない．一方図には示し

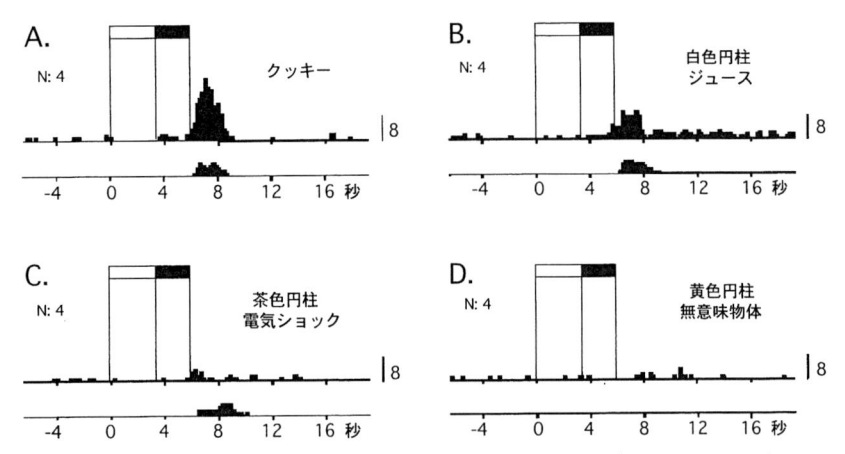

図 4.87 サル前部帯状回ニューロンのレバー押しに対する応答性（Nishijo et al., 1997）
クッキー（A）およびジュース（白色円柱）（B）を獲得するためのレバー押し期に促進応答，電気ショック（茶色円柱）（C）を回避するためのレバー押しには無応答．その他の説明は図 4.86 A を参照．

ていないが，このニューロンとは対照的に回避行動のレバー押し期だけに選択的に応答するニューロンも存在する．すなわち報酬獲得と嫌悪刺激回避するためのそれぞれの運動を担うニューロンが存在する．これらのことからこれらのニューロン応答は単純な運動応答ではなく，レバー押し運動を行うための正または負の動機づけに関与すると考えられる（レバー押し認知ニューロン）．またレバー押し期に非識別的に応答するニューロンも存在する（レバー押し非識別ニューロン）．これらレバー押し関連ニューロンは前述の視覚応答ニューロンと比較して前部帯状回のより尾側に存在する．これらのことより前部帯状回の吻側部には外界や対象物の生物学的価値評価に関与するニューロンが存在し，扁桃体とともに情動行動（接近あるいは回避行動）発現に，尾側には外界の対象物よりも自己の行動（レバー押し）に応答し，その情動的意味付けに関与するニューロンが存在する．このようにサル前部帯状回もヒトと同様に機能的に分化していると考えられる．

iii) ラット眼窩皮質ニューロンの応答性　Rolls（1998）はサルの眼窩皮質ニューロンは感覚刺激と報酬の連合学習を行わせると，速やかに応答するようになることを報告した．サルに Go/NoGo 課題を行わせると，眼窩皮質，背外側前頭前皮質ニューロンは報酬期の直前に顕著に応答するが，報酬獲得後は減弱する（Tremblay and Schultz, 2000；Hikosaka and Watanabe, 2000）．これらのことは眼窩皮質が報酬刺激の認知と動機づけ形成に密接に関与することを示唆する．

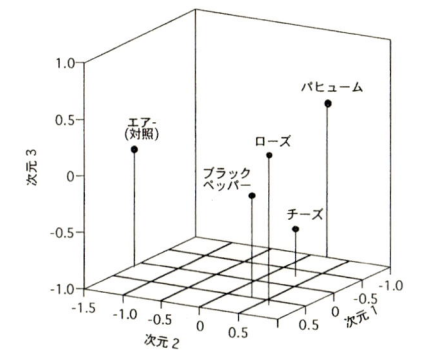

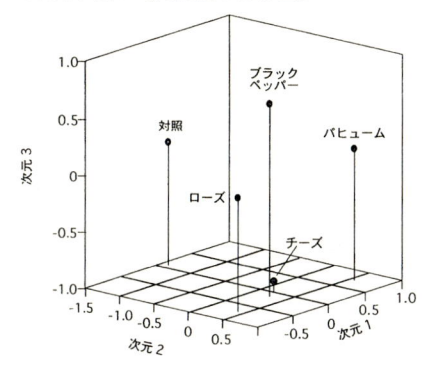

4.9 情動・記憶・理性システム（神経回路）の相互作用

A. ニューロン応答に基づいた匂い空間　**B. ラットのレバー押しに基づいた匂い空間**

図4.88 多次元尺度分析（MDS）による匂い空間の再現（Yonemori et al., 2000）
A：眼窩皮質ニューロンの各匂いに対する応答を用いて再現した匂い空間．
B：ラットの各匂いに対するレバー押し回数を用いて再現した匂い空間．
Aのニューロンの匂い空間とBのレバー押しによる匂い空間には有意の相関．

　筆者らはラット眼窩皮質ニューロンの応答性を解析し，外部感覚刺激の評価に基づく行動発現における役割を明らかにしている（Yonemori et al., 2000）．この課題ではラットに匂い刺激を2～4秒間噴霧した後，チューブが口直前に突き出される．ラットは匂いが報酬を意味すればチューブのリック行動により ICSS 報酬を獲得する（図4.7参照）．図4.88Aにはこのようにして眼窩皮質から23個の嗅覚応答ニューロンを記録し，香水のシャネルの5番タイプ，ローズ（バラ），ブラックペッパー（黒胡椒），チーズの5種類の匂いと対照（無臭のエアー）に対するニューロンの応答を多次元尺度分析（MDS）を用いて解析した結果を示してある．この図は眼窩皮質ニューロンの応答性に基づいて再現した匂い空間（匂いの類似度を距離で表現したもの）である．この MDS による匂い空間ではある2つの匂いに対するニューロンの応答パターンが似ていれば匂い間の距離が近くなるように表現される．

　次に，同じ5種類の各匂いに対するラットの嗜好性を調べた．この実験ではラットを8角形の各壁に1つのレバーを取り付けたケージで飼育し，レバー押し行動により報酬として水を獲得できるが，同時に各レバー押しにより5種類の匂いのうちの1つが噴霧されるようにした．ラットはいずれのレバーを押しても水を獲得できるので，匂いの嗜好性に基づいてレバー押しをすることになる．図4.88Bにはこの装置を用いて測定したラットの各匂いに対するレバー押し回数を指標にして匂いに対する嗜好性に基づき再現した匂い空間を示してある．このラットの

行動から再現した匂い空間（図 4.88 B）と先のニューロン応答から再現した匂い空間（図 4.88 A）を比較すると，各匂いの空間配置が非常に良く似ていて有意な相関がある．これらのことは眼窩皮質ニューロンの匂い応答から動物の匂い嗜好性（行動）を予測できることを意味している．眼窩皮質は嗅覚（外界環境刺激）に基づく動機づけ行動に重要な役割を果しており，ラットは眼窩皮質における匂いの再現に基づいて行動していることを示している．興味深いことに様々な行動学的異常を伴う統合失調症では嗅覚異常と眼窩皮質の萎縮を伴う．

iv) **眼窩皮質と視床下部外側野の機能的連絡**　動物やヒトでは眼窩皮質の破壊によりしばしば過食が起こる（Fuster, 1989）．過食は眼窩皮質を含む背外側前頭前皮質系から視床下部，特に視床下部外側野（摂食中枢）への抑制性制御が解放される結果生じると考えられている（Mora et al., 1979）．ネコでは眼窩皮質破壊により視床下部外側野（攻撃行動誘起部位）刺激により誘発される攻撃行動の閾値が低下すること（Sato, 1971）や，眼窩皮質刺激により自発性または視床下部外側野刺激による攻撃行動が停止する（Siegel et al., 1974, 1977）．眼窩皮質はネコでの攻撃行動の場合にも視床下部外側野に対して抑制性の調節を行っていることを示している．解剖学的には，眼窩皮質は扁桃体，視床下部，視床下核，中隔核，中脳腹側被蓋核，橋などに線維を投射し（Johnson et al., 1968；Leichnetz and Astruc, 1977），これらの領域は主に情動行動に関与する．新皮質のうち前頭前皮質は視床下部と扁桃体に直接線維を投射する領域として知られている（Fuster, 1989）．神経生理学的には眼窩皮質の電気刺激により視床下部外側野のニューロン活動が抑制され，それに伴い摂食行動もしばしば抑制される（Oomura et al., 1977, 1978）．逆に視床下部外側野の刺激により眼窩皮質の 10 野と 11 野から持続の短い陰性波と陽性波に続く持続の長い陰性波からなる誘発電位が記録される．さらに眼窩皮質ニューロンは視床下部外側野の刺激により逆方向性と順方向性スパイクに続くインパルス放電の抑制が起こる．これらのことより眼窩皮質と視床下部外側野は相反抑制の関係にあると考えられる．

　サルのレバー押し摂食行動下でのニューロン応答性の研究によると，視床下部外側野ニューロンはレバーを押し約 2 秒から 0.5 秒間での活動上昇（初期興奮），レバー押し行動前約 0.4 秒からレバー押し行動期間での活動減少，レバー押し行動後 0.4-0.8 秒での活動上昇とそれに続く活動の減少を示す（図 4.89 A）（Ono et al., 1976；Oomura et al., 1977）．これに対して眼窩皮質ニューロンは視床下部外側

4.9 情動・記憶・理性システム（神経回路）の相互作用

A. 視床下部外側野（摂食中枢）ニューロン

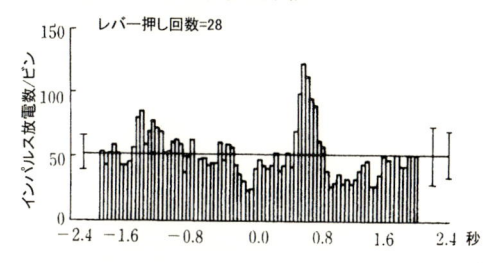

B. 眼窩皮質ニューロン

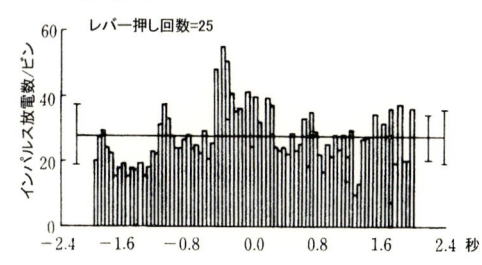

図 4.89 サルのレバー押し摂食行動とニューロン活動

A：視床下部外側野（摂食中枢）ニューロン．レバー押し前の1.6-0.8秒での活動上昇（初期興奮），レバー押し前約0.4秒からレバー押しまでの活動上昇とそれに続く活動減少．B：眼窩前頭皮質ニューロン．視床下部外側野ニューロンの初期興奮の時期に，逆に，活動減少（抑制），その後も全般的に鏡像的応答．ヒストグラムはレバー押し前後のインパルス放電数の加算（ビン幅：50ミリ秒）．縦軸；インパルス放電数，横軸；時間（秒）．レバー押し前，後および前後を通じての平均インパルス放電数と標準偏差をそれぞれ横線と縦線で示してある．—，レバー押し前；0，レバー押し時点．

野ニューロンの初期興奮期に相当して活動の減少を示し，全般的に，逆の鏡像的な応答をする（図 4.89 B）．したがって摂食行動開始に先行するレバー押しへの動機づけ発動の過程で，視床下部外側野と眼窩皮質ニューロンは密接な連絡を行っていると考えられる．特に視床下部外側野ニューロンの初期興奮はレバー押し摂食行動への動機づけ発動の準備状態に相当し，随意運動時に新皮質表面で記録される準備電位（Deeke et al., 1969）に相当すると考えられる．この時期における眼窩皮質ニューロンの抑制は視床下部外側野との情報交換を示唆している．

これらの眼窩皮質の神経生理学的研究や神経解剖学的所見および統合失調症に関する臨床病理学的研究により眼窩皮質は，1) すべての新皮質感覚連合野から線維投射を受ける最高次の中枢であり，2) 受容した外部環境情報を脳内に再現し，それに基づいて生物学的な行動戦略を形成することに関与すると考えられる．さらに眼窩皮質は帯状回の吻側部や視床下部と密接な線維連絡を有し，外部環境情

報の生物学的評価という点で機能的に関係していると考えられる.

c. 社会的認知における相互作用

霊長類においては，個体集団の大きさと脳のサイズが比例することから，社会的認知機能［集団生活（社会生活）の中で生存していくために必要な認知機能の総称］は，最も重要な脳機能のひとつであると考えられている．集団生活で適切な人間（個体）関係を構築するためには，他者に対する適切な社会的認知に基づいて，自己の情動発現も適切に行われなくてはならない．例えば，表情から相手が怒りの感情を抱いていることが推測され，さらに自分が怒りの対象になっているときには自己に対する攻撃行動が予測される．この他者の「こころ」や感情ならびにその行動を推測する過程が社会的認知である．さらにこの社会的認知に基づいて，自己の脳では自己生存のために恐怖や憎悪の情動が喚起され，逃避あるいは攻撃行動を起こす．この過程が情動発現である．すなわち他者の言葉，表情，行動などから他者の意思，思考，感情などを推定する過程が社会的認知であり，ついでその認知内容を自己の生存という判断基準に基づいて評価（生物学的価値評価）することにより喜怒哀楽の感情（情動）が喚起され，その情動を言葉，表情，行動として表出する過程が情動発現である．これら一連の過程は，他者と自己の情動が互いに影響し合う反応であり，情動を社会的コミュニケーションの重要な手段として位置付けることが可能である．

これら社会的認知および情動発現の機能には，脳内の特定領域が関与するのであろうか？これまでの研究を総合すると，単一の脳領域で社会的認知および情動発現の全過程が行われるではなく，いくつかの領域がコア・システムとして作動し，これらの領域を中心に脳全体が社会的認知および情動発現のためのひとつのシステムとして機能していると考えられる．このコア・システムには，扁桃体，眼窩皮質，前部帯状回などが示唆されており，ここでは特にこれらコア・システムの機能に関して概説する.

1) 扁桃体の社会的認知に対する役割

i) 発達期および成人期における扁桃体の社会的認知に対する役割　社会的認知機能はヒトで最も発達しており，生後の学習によって発達する．サルでは新生児期に扁桃体を含めた両側側頭葉を切除すると，社会的行動の発達が永久に障害される（Prather et al., 2001）．また乳幼児では既知の人物（乳幼児と社会的相

互作用のある母親など)に対する表情識別が先に発達することは(Kahana-Kalman and Walker-Andrews, 2001)，顔表情認知機能の発達には，社会的相互作用が必要である．一方表情は連続的に変化するが，ヒトはそれを，怒り，悲しみ，恐れ，喜び，および驚きなど特定の表情に範疇化して認知している．被虐待児と正常児では，この表情の範疇化の様式が異なり，被虐待児では怒りとして認知される表情が拡大している (Pollak and Kistler, 2002)．これは，異常な社会的相互作用により，顔表情認知機能が偏移することを示している．さらに，ヒトでは，思春期前後における表情識別機能（特に恐怖表情と中性表情の識別）の発達と表情呈示に対する扁桃体の応答(脳血流)の変化との間に相関がある(Thomas et al., 2001)．すなわち思春期前では思春期後と比較して恐怖表情と中性表情の識別機能が劣っており，中性表情に対して扁桃体が強く活動する．これらのことは顔表情認知などの社会的認知機能は生後の社会的相互作用に基づく学習により発達し，その過程には扁桃体の機能的発達が関与していることを示唆する．

一方乳幼児期に発症し，対人関係の重度障害を呈する自閉症患者では，1) 表情照合課題で障害を示す (Celani et al., 1999), 2) 扁桃体に神経解剖学的異常が認められる (Abell et al., 1999), 3) 表情識別課題で左扁桃体-海馬体領域の活動が減弱している (Critchley et al., 2000) ことなどが報告されている．これらのことは自閉症患者では扁桃体に何らかの機能発達障害があり，表情認知を含めて社会的認知機能の発達が障害されることを示唆する．さらに健常者を用いて他者の顔表情を観察しているときとその顔表情を真似たときの脳内活性化部位を比較検討した研究によると，島皮質，扁桃体，上側頭溝，下前頭回，および前運動皮質などではいずれの場合でもほぼ同様に活性化することが報告されている (Carr et al., 2003)．他者の顔表情を真似ることにより他者に対する共感が高まることが知られており，特に扁桃体は他者の顔表情を観察しているときよりも，それを真似たときの方がより強く活動することは他者の表情表出に対する共感が，これら扁桃体を中心とする神経ネットワークで行われている可能性を示唆する．自閉症患者では他者に対する共感が重度に障害されており，今後の研究が期待される．

後天的扁桃体障害の患者では主として不快表情の認知が障害される．両側の扁桃体に障害を有する場合には，恐怖の顔表情認知が (Adolphs et al., 1995；Anderson and Phelps, 2000；Calder et al., 1996, 2001；Sprengelmeyer et al., 1999)，あるいは，恐怖だけでなく，他の不快表情（怒り，嫌悪，悲しみ）の顔表

情認知も障害される (Adolphs et al., 1999 ; Schmolck and Squire, 2001). 片側の扁桃体損傷の場合には，顔表情認知の障害は明確ではないが，特に右側扁桃体の損傷患者では不快表情認知の障害が (Boucsein et al., 2001)，また，損傷の程度によって異なるが，片側扁桃体の損傷により新しい顔表情の学習が障害される (Adolphs et al., 2001 ; Anderson et al., 2000). 一方健常人では特に恐怖表情に対して扁桃体は強く活性化する (Adolphs et al., 1995 ; Anderson et al., 2000 ; Calder et al., 1996, 2001 ; Sprengelmeyer et al., 1999). さらに後天的な原因により情動障害を呈する心的外傷後ストレス症候群 (post-traumatic stress syndrome：PTSD) の患者の場合には，この扁桃体の活動上昇がより顕著になる (Pietrini et al., 2000). これらのことは，扁桃体は成人期においても表情認知に重要であることが示唆する．しかし脳損傷患者を用いた研究では被験者(患者)はいずれも扁桃体と隣接した側頭極皮質および嗅皮質領域にも障害を有している点に注意する必要がある．

ii) 扁桃体の社会的認知における活動特性　　恐怖表情に対する扁桃体の活動は，被験者がそれに注意を向けなくても上昇する．また，健常被験者に対し，意識に上らないように (サブリミナル) 短い時間幅で恐怖表情を呈示しても，扁桃体の活動が上昇する (Whalen et al., 1998). 逆に被験者に呈示した顔表情を意識的に識別させると，恐怖表情に対する扁桃体の活動は低下し (Hariri et al., 2000)，同時に記録した自律神経反応 (皮膚抵抗) も抑制される (Kapler et al., 2001). さらに被験者に男女の顔表情を呈示し，その性別と表情をそれぞれ識別させたときの扁桃体の活動を比較すると，性別に注目したときの方が高い，すなわち意識的な表情識別によって扁桃体の活動が低下する (Critchley et al., 2000). これらのことから顔表情による扁桃体の活性化には，少なくとも無意識的過程が関与していると考えられる．

それでは扁桃体への感覚 (顔表情) 入力はどこから来るのであろうか．頭頂皮質障害による視覚無視 (Vuilleumier et al., 2002) や後頭葉障害による皮質盲 (Morris et al., 2001) の患者では恐怖表情を意識的に認知できないにもかかわらず恐怖表情に対して扁桃体の活動が上昇する．これらのことから扁桃体における顔表情の無意識な情報処理には，少なくとも大脳新皮質からの入力に由来しない視床からの直接経路による過程が関与していることが示唆される．深部電極を用いて扁桃体から直接記録した研究によると，健常人の場合，顔を見たときに扁桃体に生じる最も短潜時の反応は 120 ミリ秒以内に (Halgren et al., 1994)，顔表情に

識別的な反応は150ミリ秒以内に現れる（Liu et al., 1999）。一方刺激に対する頭皮脳波の応答［事象関連電位（event related potentials：ERPs）］を解析した研究によると，表情識別的なERP反応は刺激後300ミリ秒以内に生じる．この表情識別的な反応は顔表情に注意を向けさせる課題（Vanderploeg et al., 1987）と注意を向けさせない課題（Eger et al., 2003；Sato et al., 2001）のいずれにおいても認められる．また，Campanellaら（2002）は被験者に笑顔もしくは恐怖の顔表情のいずれかを2回連続して呈示し，それぞれのERPsを頭皮上から記録している．その結果，最初と2回目の顔表情が異なる場合，1回目と比較して2回目に呈示した顔表情に対するN170（刺激呈示後170ミリ秒にピークを有する陰性波）およびP300（刺激呈示後300ミリ秒にピークを有する陽性波）の振幅が増大し，この振幅の増大はいずれの顔表情においても2回目に呈示された場合に認められた．少なくともN170の電流発生源は大脳新皮質（紡錘状回や舌状回）に存在することから（Shibata et al., 2002），大脳新皮質では顔表情の範疇化（識別）における最も早期の過程は刺激呈示から170-300ミリ秒以内に起こると考えられる．代表的な無意識的課題である恐怖増強驚愕反射を用いた研究により嫌悪性視覚刺激と中性刺激に対する瞬き反応（筋電図）を比較検討した結果，両刺激に対する筋電図反応の差が300ミリ秒以内にみられるようになることから，無意識的処理過程が300ミリ秒以内に起こることが示唆されている（Globisch et al., 1999）．これらのことから，顔表情処理における初期の無意識過程では視床経由で扁桃体が150ミリ秒以内に活性化し，扁桃体から大脳新皮質へその情報が送られて，170-300ミリ秒以内に大脳新皮質でも表情識別的な活動が起こると考えられる．

2) 前頭葉の社会的認知に対する役割

i) 眼窩皮質の社会的認知に対する役割　　前頭葉内側皮質や眼窩皮質の損傷は，社会的行動および情動性に異常をきたす（Tranel et al., 2000）．眼窩皮質の損傷のうち，特に右側の損傷で表情や声の調子から相手の情動を推測することが障害される（Hornak et al., 1996）．健常者では恐怖表情の画像呈示により右眼窩皮質が活性化する（Vuilleumier et al., 2001）．感情表現障害を呈する失感情症（alexithymia）の患者では怒りや悲しみの顔表情を見たときの眼窩皮質の活動が低下している（Kano et al., 2003）．

眼窩皮質は高次あるいはヒト特有の情動と捉えることができるモラル（道徳）にも関与する．モラルは，特に他者との相互作用を規定するヒト特有の情動的な

判断基準であり,社会的認知機能と深く結びついている.健常者に非道徳的な写真(暴行現場,路上生活孤児,戦争など),不快な写真(創傷,猛獣,糞尿など)および快適な写真(風景写真,人物写真など)を呈示して脳活動を比較解析し,非道徳的な写真により眼窩皮質右内側部,内側前頭回および上側頭溝で脳活動が増大することが報告されている(Moll et al., 2002).このことは道徳的情動(モラル)の生起に眼窩皮質—上側頭溝系が関与していることを示している.これらのことから眼窩皮質は社会的認知に基づいた高次の情動発現(モラル生成)に重要な役割を果たしていると考えられる.

ii) 前部帯状回の社会的認知に対する役割 前部帯状回を破壊したサルでは顔表情の表出や発声が乏しくなる(Hadland et al., 2003).ドアで区切られた3連結ケージの両端にサルを入れ,ドアを開けた後,1) 真中のケージにおけるサルどうしの接近行動あるいは回避行動,2) 顔表情あるいは発声によるコミュニケーションおよび 3) ケージに入れたプラスチック製玩具での一人遊びについて観察した行動学的研究によると,前部帯状回を破壊したサルでは他のサルに自ら近づいたり,近づいてきた他のサルに対して発声を行うなどの社会的行動が減少している.これらのサルではまるで他のサルを無視しているかのようにプラスチック製の玩具で遊ぶ時間が長く,真中のケージにとどまる時間も短いことなどが報告されている(Abell et al., 1999).

健常人では扁桃体と同様に怒り表情の呈示により前部帯状回の脳血流が増加する(Blair et al., 1999;Gallagher et al., 2000).また短い文章を聞かせ,その登場人物の心的状態を推測する課題(「こころ」の理論課題)において前部帯状回の脳血流が増加する(Frith and Frith, 1999;Gallagher et al., 2000).一方社会的認知機能の障害を呈する自閉症の患者では前部帯状回の灰白質の体積が減少している(Abell et al., 1999).これらの研究結果は前部帯状回皮質も社会的認知に重要な役割を果たしている可能性を示唆しており,今後の研究が期待される.

3) 扁桃体と前頭葉の相互作用

思春期の前後で顔表情を呈示したときの脳活動を比較すると(Killgore et al., 2001),特に女児では恐怖表情に対する扁桃体の活動は思春期前に高く,思春期後に低下する.逆に恐怖表情に対する背外側前頭前皮質の活動は思春期前で低く,思春期後に高い.さらに恐怖表情に対する扁桃体の活動は加齢により低下する(Iidaka et al., 2002).これらのことは扁桃体の機能は思春期前に前頭前皮質よりも

先に高まり，思春期後に前頭葉の機能が高まるにつれて低下することを示している．一方これら扁桃体の活動が無意識的過程によって起こるのに対して（前述），前部帯状回の活動は情動的な刺激に対する意識的注意により上昇する（Elliott et al., 2000; Lane et al., 1997）．情動的刺激と中性的刺激を意識的に無視したときの脳活動を比較すると，情動的刺激を無視した場合に前部帯状回の活動が上昇する（Whalen et al., 1998）．また男性に性的な写真を呈示すると，右扁桃体の活動が上昇する（Beauregard et al., 2001）．このときに被験者に性的な情動をなるべく抑えるように指示をすると，右背外側部前頭前皮質および前部帯状回の活動が上昇し，扁桃体の活動は中性的写真を呈示したときと同等のレベルにまで減少する．うつ病患者を用いた研究によると，眼窩皮質は扁桃体と相反的に活動する（Drevets et al., 2002）．以上の結果をまとめると，前部帯状回を含めて前頭葉系（背外側前頭前皮質，眼窩皮質，前部帯状回）は主に意識的過程に関与し，情動的意味を有する対象物の意識的認知やその高次の情動的評価（モラル）を行い，扁桃体における情動発現を抑制的に制御している可能性を示している．

以上の知見から次のように考察される．他者からの情報（表情，行動，言葉）などは，まず視床を介して扁桃体で処理される．反射的なすばやい情動表出が必要な場合には扁桃体中心核から情報が直接視床下部や下位脳幹に送られ，反射的運動や自律神経系の反応を引き起こす．この系は感覚入力を扁桃体で無意識的に評価し，反射的ですばやい情動表出を可能にする．さらに扁桃体は大脳新皮質にもこれらの情報を送り，大脳新皮質感覚連合野において第一次感覚野から受けた感覚情報の中から情動的に意味のある感覚情報を選択的に処理する過程に影響を及ぼしている．これら大脳新皮質感覚連合野で処理されたより詳細な感覚情報は最終的に扁桃体に再び送られ，扁桃体基底外側核ならびに大脳基底核を介して随意的な行動表出が起こる．また大脳新皮質感覚連合野から前頭葉系にも情報が送られ，モラルなどの高次の情動発現あるいは長期的展望に基づいた意思決定がなされ，扁桃体を抑制的に制御している．逆に扁桃体は前頭葉に生物学的価値判断に関する情報を送り，前頭葉における意思決定に影響を及ぼすと考えられる．以上のこの仮説には情動発現に重要な役割を果たしている海馬体，側坐核，上側頭溝および島皮質などは割愛されている．今後これらの領域のそれぞれ社会的認知および情動発現における役割が明らかになり，脳全体としてどのように作動しているか明らかにされることが期待される．

5. 情動の人文社会学

「好きこそものの上手なれ」とはことわざ辞典によると，物事というものは好きで興味をもって始めれば熱中できるし，努力を積む気持ちになれるから，うまくなるという理屈と説明されている．

ヒトは学問，芸術，スポーツ，実業家など様々な分野，さらには各分野の様々な選択肢の中から自分の好きな道を選ぶ．この人生の進路選択は「ヒトとは何か」を問う最も大切な問題である．ではヒトの進路選択にはどのような仕組みが働いているのであろうか．残念ながらこれに答えるだけの十分な科学的根拠はないので，筆者らのラット，ネコ，サルの行動科学的研究に基づき，「脳とこころ」の問題と仕組みについて簡単に述べることにとどめる．しかしヒトが自分の好きなことに全力を傾けて努力するためには個体や種族の生存，情動（喜怒哀楽の感情）が不可欠であるが，様々な個人体験や歴史，文化など社会的な知識を活用して思考，将来の予測（推論），意思決定，目標設定，実践遂行（目標達成），理性などに関与する脳内の各システムとの統合が必要であることは間違いないようである．

5.1 情動と文化・文明の発展

ヒトは動物にも共通の情動（動物的感情：喜怒哀楽の感情）だけでなく，ヒトだけで進化した情動（人間的感情：崇高な感情：道徳，使命，宗教的感情など；残忍な感情：憎しみ，殺意の感情など）をもっている．動物的感情は進化の過程で獲得してきた基本的な情動で，前章までに脳のメカニズムを中心に述べてきた．

人間的感情はヒトが定住を始めて，文明，文化の中から獲得してきた情動である．それ故ヒトの情動の大部分は世界中のヒトと共通ではあるが，一部分は文明，文化，歴史や時代，地域によって価値観が異なる情動をつくり上げることになったといえる．複雑な人間社会では動物的な情動だけで社会集合体を維持することはむずかしく，ここに集団を維持するための情動が発達し，文化という方法を用いて適応してきたのである．

ヒトは自然環境の変化に対して無力であり，常に危険と隣合わせであった．予期せぬ地震，火山，台風，干ばつと常に死の恐怖にさらされていた．自然に発生してきたアニミズムはこれら情動に対して恐れ，清め，癒し，安全，安心などを与え続けてきた．ヒトは不安や恐怖を長期間持ち続けながら生活できるようにはできていない．文明による情動の現れ方は風土によることが大きく（和辻，1935），最も顕著な情動の文化による違いは宗教の中に現れている．

今日の世界宗教としてのキリスト教と仏教を比較すると，情動の捉え方の違いが見えてくる（ひろ，1986）．キリスト教はシナイ半島の荒涼とした土地から発生してきた．民族は国境が定まらず入り乱れ，肥沃な土地を求めて戦いに明け暮れていた．そのような状況では民族はときによっては絶滅の危険にさらされ，敗北は滅亡につながっていた．民衆はときに絶望に駆られ，「こころ」の救いを宗教に求めた．キリスト教の革命的なところはキリスト教を信じる者を誰彼となく"愛"という考えで平等に扱ったことによる．神への愛，神からの愛が虐げられていた奴隷を中心とした人々に「こころ」の安寧を与えた．あらゆる絶望は神を信じ，神への許しを請うことによって神からの救いがもたらされた．陸続きの国境は戦争で常に変更を余儀なくされ，怒りの連鎖で歴史はつくられていったといっても過言ではない．そこにイエスは"愛"を通した和解の知恵を提示したと考えられる．それが基礎となり，現在のキリスト教が世界宗教となっている由縁である．

仏教はインドのモンスーン地方から釈迦によって唱えられた宗教である．ヒトの四苦八苦の苦しみを救うにはどうしたらよいかの知恵が示されている．仏教の根本は四諦で表され，苦しみを無くするためにはその原因である欲を無くすることが求められた．そこには一種のあきらめが見え，その先にそれを超えた微笑の世界が広がっているとしている．

宗教以外にも情動の現れ方は風土に影響された文化によって異なっている．日本と西洋では対象とする恐怖が異なっている（Delumeau, 1997）．西洋は国境線の

変更の歴史であった．牧畜を基本とする陸続きの大陸では農耕で養える人口も限られ，人口増加に対しては他国への侵略が一つの解決策であった．民衆はいつ何時異民族から攻められるのか，恐怖と戦わなければならなかった．一旦攻められると，全滅という歴史もたびたびあり，そのトラウマには強いものがあった．国が陸続きということもあり，コレラやチフスなどの伝染病はヨーロッパの人口の半分を死に追いやった．

　日本では天災が恐怖の第一番に挙げられた．地震，火山噴火，台風は神の祟り，祖先の祟りと畏れられ，日本民族が絶滅するという恐怖はなかった．むしろ人間関係での個人の恨み，祟りが恐怖の対象であった．日本が島国でそこから逃れられないひとつの国であるという認識のもと恐怖には西洋と内容に大きな違いがあった．

　日本は島国であり，国民性から考えて他の国にはない特性をもつことが知られている．土居（1980）は日本人の「甘え」を指摘し，Benedict（1946）は「恥の文化」としての日本を捉えていた．北山ら（2007）は幸福感について米国では個人的な意味をもつが，日本では対人的関係の中で意味をもつという違いを指摘している．

　涙の取り扱いにも国民性がある．悲しいときの涙はどの文化でもみられるが，涙にはそれ以外の涙がある．悔し涙，笑いによる涙，怒りによる涙など様々だが，米国文化では人前での涙はその人の弱さを示し忌諱される．日本では公衆の前での涙はときに許しに使われ，その人の誠実さを示す道具に使われている．

　文化の違いは顔表情の認知にも現れている．ヒトの顔表情は社会生活の中で非言語的コミュニケーションを行うための主要な要素である．Ekman は，戦後本格的に表情の研究を行い，通文化的要素と文化による差異を明らかにした（Ekman et al., 1987, 1992）．様々な表情をした顔写真による表情の認知について世界のいくつかの地点で調べた．彼は表情からヒトの基本情動として驚き，喜び，怒り，恐怖，悲しみ，嫌悪の6種類を抽出して情動を比較した．文明や民族による違いをみるために欧米人，日本人，スマトラの原住民などに写真を見せてどの情動を示しているかを調べた．その結果，基本情動はどの文化，どの民族においても同様に識別できたが，程度には差があり，日本人では恐怖表情の識別が悪かった．おそらく日本人が表情を表に出さないとの国民性によるのかもしれない．文化人類学的にはある民族は笑いの表出にむずかしいものがあるとも指摘されている．

5.2 情動と理性

　ヒトの情動を語る場合，ヒトの理性との関係を述べないわけにはいかない．この問題は有史以来，多くの人が思索を重ねてきたが，未だに答えは出ていない．Platon は情念よりも理性の優位を説き，Aristotle はその中庸について議論した (Norman, 2001)．それ以降哲学はこの問題について現代まで議論を続けているが，二者択一でない統合した答えは出されていない．ここでは哲学の議論をするのではなく，脳科学を中心にこれらの関係を論じてみたい．

　ヒトの英知は文明を発達させ，科学を進歩させて，今日のような社会を築いてきた．それには Descartes (1697) の心身二元論の存在が大きい．それまでのキリスト教の精神中心の世界の中で物質世界を切り離し，物質世界は神の支配するところではないとした．そこから近代科学が出発し，天文学，物理学，医学が大きく進展した．それ以来，科学は「こころ」の問題を切り離し，その進歩は今日みられるように地球環境を変え，生命までも操作できるようになってきた．先進諸国では物質的欲求の多くが満たされ，飢餓で亡くなる人は少なくなってきた．ここに科学技術の勝利が見えたかに思えたが，人間社会を形づくる精神性の脆弱性が浮かび上がってきたのである．特に現代日本では人間関係が希薄になり様々な社会問題を引き起こしている．イジメやキレるといった若年層に広がる行動異常や，極端には，無差別殺人がマスコミを賑わせている．

　その背景には子育ての問題が指摘されている．子育ては両親をはじめ家族の責任であると同時に，様々な社会的背景を背負って今日の子育ての環境がある．戦後の核家族化，終身雇用の崩壊による家族基盤の脆弱化は家族の絆を弱めてしまった．

　松本ら (2002) はこのような現状を眺め，"愛"，つまり人間関係の絆の重要性を指摘した．ヒトのヒトたる所以における大脳新皮質の役割は関係性の確立であり，それを"愛"という言葉で代表させた．

　現代人のホモ・サピエンス・サピエンスは理性を構成している思考，創造，抽象性，象徴性などが遂行できる能力を獲得し，他の霊長類から大きく方向を変えて進化した．これはヒトにおける大脳新皮質の連合野間の神経連絡が他の霊長類より非常に密になり，情動との繋がりを抜きにして物事を考えられるようになっ

てきたことを意味する（Maryanski and Turner, 1992）．背外側前頭前皮質は大脳新皮質のあらゆる連合野から情報を受け取り，ヒトではそこが創造性と理性の中枢であるかのように考えられ，この能力だけを使って今日の文明を築いてきたと宣伝する傾向があり，このような見解に批判的な脳科学者が少しずつ増えている．

　脳科学は大脳新皮質連合野には情動に関係のある辺縁系や本能行動と関係する視床下部との線維連絡があることを示している．R. L. Stevenson（1886）の代表的な小説である『ジキル博士とハイド氏の奇妙な物語』ではジキル博士という善良なヒトの「こころ」の内から野蛮な願望を体現したハイド氏が現れ，いとも簡単に博士の「こころ」を支配してしまうことが描かれており，このことを物語っている．この繋がりの存在は陰に陽にヒトの思考が情動やモチベーションによって影響されることを示している（Maryanski et al., 1992）．ヒトは経験的には希望や愛情がなければ生きている意味もなく，何の意欲もわかないことを知っている．逆に意欲だけで知恵がなければ複雑な世の中を渡っていくことができないことも知っている．

　最近，Damasio（2000）は脳は生物の「生存」を有利にする適応的産物であり，当然のことながらヒトの感情も合理的な推論や意思決定も「生存」があってはじめて可能になるのであり，身体の内部環境や外部環境の変化に応じて絶えず変化する身体状態と脳活動のダイナミックな相互作用を無視して論じることは出来ないと述べている．時実先生も40年前の著書『よろめく現代人』や『脳の話』の中で，もちろん，いくつかの見解に相違点はあるが，同様の内容のことを書かれている（時実，1960，1962）．

　ヒトは本能や情動といった生得的な「生存」の機能，教育や様々な社会的体験により，推論や意思決定の戦略を学び，「生存」を強化し，その内容や質を改善し，「人格」を形成していく神経基盤を有している．

　ヒトの人生は，情動，いわゆる喜怒哀楽の感情がなかったら生きる意欲も失った無味乾燥なものになってしまう．2000年の朝日新聞社の「ミレニアム特集」最終回（2000年10月30日）のテーマ（科学者）で，この1,000年間で日本で最も傑出した科学者として第1位に輝いたのは細菌学者の野口英世博士である．野口博士は自宅で朝の2時か3時頃，梅毒による精神病患者の脳に病原体を発見したとき，歓びのあまりカッポレを踊った．これを見た米国人の奥さんは気が狂ったのではないかと心配されたと伝えられている．野口博士は1万枚の脳切片標本を

作製し，日夜顕微鏡で観察し，9,695 枚目で初めて病原体を見つけたといわれる（平澤，1978）．普通の人ではできないことである．野口博士は逆境を乗り越えて世界的になったことも周知のことである．その野口博士は母親へノーベル賞受賞の可能性や感謝の「こころ」を綴った手紙を送っている．野口博士に限らず偉業を達成した人に共通するのは幼少時に自然に親しみ感動したことや家族，お世話になった方々への感謝の「こころ」を口にしている．シドニー五輪の女子マラソンで金メダルに輝いた高橋尚子選手もノーベル化学賞を受賞された福井謙一博士も白川英樹博士も例外ではない．日本の一流会社や銀行などの創業者の多くの方々にも共通の人生体験や心得があり，妙である（松下，1999；稲盛，2004）．「好きこそものの上手なれ」とは「挫折や失敗は幸運や成功の前兆」であると，楽観的に根気強く夢を追う人に贈られる言葉であろう．豊かな情動が人生を輝かせるといわれる由縁である．このような豊かな情動は幼少期や少年期の家庭，学校，社会における深い愛に根ざした様々な環境により育まれるものであることを肝に銘じたいものである．

文　　献

Abell F, Krams M, Ashburner J, Passingham R, Friston K, Frackowiak R, Happe F, Frith C, Frith U : The neuroanatomy of autism : a voxel-based whole brain analysis of structural scans. *Neuroreport* **10** : 1647-1651, 1999.

Adolphs R, Gosselin F, Buchanan TW, Tranel D, Schyns P, Damasio AR : A mechanism for impaired fear recognition after amygdala damage. *Nature* **433** : 68-72, 2005.

Adolphs R, Tranel D, Damasio H, Damasio AR : Fear and the human amygdala. *J Neurosci* **15** : 5879-5892, 1995.

Adolphs R, Tranel D, Damasio H : Emotion recognition from faces and prosody following temporal lobectomy. *Neuropsychology* **15** : 396-404, 2001.

Adolphs R, Tranel D, Hamann S, Young A, Calder A, Anderson A, Phelps E, Lee GP, Damasio AR : Recognition of facial emotion in nine subjects with bilateral amygdala damage. *Neuropsychologia* **37** : 1111-1117, 1999.

Aggleton JP, Mishkin M : Projection of the amygdala to the thalamus in the cynomolgus monkey. *J Comp Neurol* **222** : 56-68, 1984.

Albe-Feaasrd D, Rocha-Miranda C, Oswaldo-Cruz E : Activités évoquées dans le noyau caudé du chat en réponse à des types divers d'afférences II. Étude microphysiologique. *Electroenceph Clin Neurophysiol* **12** : 649-661, 1960.

Alonso A, Köhler C : A study of the reciprocal connections between the septum and the entorhinal area using anterograde and retrograde axonal transport methods in the rat brain. *J Comp Neurol* **225** ; 327-343, 1984.

Amaral DG : Memory : anatomical organization of candidate brain regions. In Handbook of Physiology, Section 1 : The Nervous System. Vol.5. Higher Functions of the Brain, Part 1. Bethesda (Mountcastle VB, Plum F, Geiger SR eds.), American Physiological Society, Maryland, pp.211-294, 1987.

Anand BK, Brobeck JR : Hypothalamic control of food intake in rats and cats. *Yale J Biol Med* **24** : 123-140, 1951a.

Anand BK, Brobeck JR : Localization of a "feeding center" in the hypothalamus of the rat. *Proc Soc Exp Biol Med* **77** : 323-324, 1951b.

Anderson AK, Phelps EA : Expression without recognition : contributions of the human amygdala to emotional communication. *Psychol Sci* **11** : 106-111, 2000.

Anderson AK, Phelps EA : Lesions of the human amygdala impair enhanced perception of emotionally salient events. *Nature* **411** : 305-309, 2001.

Anderson AK, Spencer DD, Fulbright RK, Phelps EA : Contribution of the anteromedial temporal lobes to the evaluation of facial emotion. *Neuropsychology* **14** : 526-536, 2000.

Andreason PJ, Altemus M, Zametkin AJ, King AC. Lucinio J, Cohen RM : Regional cerebral glucose metabolism in bulimia nervosa. *Am J Psychiatr* **149** : 1506-1513, 1992.

Asberg M, Traskman L, Thoren P : 5-HIAA in the cerebrospinal ; fluid. A biochemical suicide predictor? *Arch Gen Psychiat* **33** : 1193-1197, 1976.

Barton RA, Aggleton JP : Primate evolution and the amygdala. In The Amygdala. A functional analysis, 2nd ed. (Aggleton JP ed.), Oxford University Press, New York, pp.479-508, 2000.

Bates JF, Goldman-Rakic PS : Prefrontal connections of medial motor areas in the rhesus monkey. *J. Comp. Neurosci* **335** : 211-228, 1993.

Beauregard M, Levesque J, Bourgouin P : Neural correlates of conscious self-regulation of emotion. *J*

Neurosci **21**：RC165, 2001.
Bechara A, Damasio AR, Damasio H, Anderson, SW：Insensitivity to future consequences following damage to human prefrontal cortex. *Cognition* **50**：7-15, 1994.
Bechara A, Damasio H, Tranel D, Anderson SW：Dissociation of working memory from decision making within the human prefrontal cortex. *J Neurosci* **18**：428-437, 1998.
Bench CJ, Friston KJ, Brown RG, Scoot LC, Frackowiak RSJ, Dolan RJ：The anatomy of melancholia- focal abnormalities of cerebral blood flow in major depression. *Psychol Med* **22**：607-615, 1992.
Benedict R：The chrysanthemum and the sward. Boston：Houghton Miffin, 1946.（長谷川松治訳：菊と刀—日本文化の型，社会思想社，1972）
Benes FM, McSparren J, Bird ED, SanGiovanni JP, Vincent SL：Deficits in small interactions in prefrontal and cingulate corcices of schizophrenic and schzoaffective patients. *Arch Gen Psychiatry* **48**：996-1001, 1991.
Bergman J, Madras BK, Jhonson SE, Spealman RD：Effects of cocain and related drugs in nonhuman primates. III. Self-administration by squirrel monkeys. *J Pharmacol Exp Ther* **251**：150-155, 1989.
Bianchin M, Walz R, Ruschel AC, Zanatta MS, Da Silva RC, Bueno e Silva M, Paczko N, Medina JH, Izquierdo I：Memory expression is blocked by the infusion of CNQX into the hippocampus and/or the amygdala up to 20 days after training. *Behav Neural Biol* **59**：83-86, 1993.
Blair RJ, Morris JS, Frith CD, Perrett DI, Dolan RJ：Dissociable neural responses to facial expressions of sadness and anger. *Brain* **122**：883-893, 1999.
Bordi F, LeDoux JE：Response properties of single units in areas of rat auditory thalamus that project to the amygdala. I. Acoustic discharge patterns and frequency receptive fields. *Exp Brain Res* **98**：261-274, 1994.
Botez-Marquard T, Botez MI：Visual memory deficits after damage to the anterior commissure and right fornix. *Arch Neurol* **49**：321-324, 1992.
Boucsein K, Weniger G, Mursch K, Steinhoff BJ, Irle E：Amygdala lesion in temporal lobe epilepsy subjects impairs associative learning of emotional facial expressions. *Neuropsychologia* **39**：231-236, 2001.
Brady JV, Nauta, WJH：Subcortical mechanisms in control of behavior. *J Comp Physiol Psychol* **48**：412-420, 1955.
Bray GA, Inoue S, Nishizawa Y：Hypothalamic obesity. *Diabetologia* **20**：366-377, 1981.
Brobeck JR：Mechanism of development of obesity in animals with hypothalamic lesions. *Physiol Rev* **26**：541-559, 1946.
Broca P：Anatomie comparée des circonvolutions cérébrales. Le grand lobe limbique et la scissure limbique dans la série des mammiféres. *Revue d' Anthropologie, Ser. 2* **1**：385-498, 1878.
Brodmann K：Vergleichende Lokalisationslehre der Groβhirnrinde, in ihren Prinzipien dargestellt auf Grund des Zellenbaues. Verlag con Johann Ambrosius Barth, Leipzig, 1909.
Brothers L：The social brain：a project for integrating primate behavior and neurophysiology in a new domain. *Concepts in Neuroscience* **1**：27-51, 1990.
Brown GL, Linnoila MI：CSF serotonin metabolite (5-HIAA) studies in depression, impulsivity, and violence. *J Clin Psychiat* **51** (suppl)：31-41, 1990.
Brown S-L：Steinberg RL, van Praag HM：The pathogenesis of depression：Reconsolidation of neurotransmitter data. In Handbook of Depression and Anxiety (den Boer JA, Ad Siten JM eds.), MarcelDekker, New York, pp.317-347, 1994.
Bruce CJ, Desimone R, Gross CG：Visual properties of neurons in a polysensory area in superior temporal sulcus of the macaque. *J Neurophysiol* **46**：369-384, 1981.
Buck R：The Communication of Emotion, Guilford Press, New York, 1984.
Bursten B, Delgado, TMR：Positive reinforcement induced by intracranial stimulation in the monkey. *J Comp Physiol Psychol* **51**：6-10, 1958.

Buser P, Pouderoux G, Mereaux J : Single unit recording in the caudate nucleus during sessions with elaborate movements in the awake monkey. *Brain Res* **71** : 337-344, 1974.

Butter CM, Snyder DR : Alterations in aversive and aggressive behaviors following orbital frontal lesions in rhesus monkeys. *Acta Neurobiol Exp* **32** : 525-565, 1972.

Caggiula AR, Hoebel BG : "Copulation-reward site" in the posterior hypothalamus. *Science* **153** : 1284-1285, 1966.

Cahill L, Babinsky R, Markowitsch HJ, McGaugh JL : The amygdala and emotional memory. *Nature* **377** : 295-296, 1995.

Cahill L, Haier RJ, Fallon J, Alkire MT, Tang C, Keator D, Wu J, McGaugh JL : Amygdala activity at encoding correlated with long-term, free recall of emotional information. *Proc Natl Acad Sci USA* **93** : 8016-8021, 1996.

Calder AJ, Lawrence AD, Young AW : Neuropsychology of fear and loathing. *Nat Rev Neurosci* **2** : 352-363, 2001.

Calder AJ, Young AW, Rowland D, Perrett DI, Hodges JR, Etcoff NL : Facial emotion recognition after bilateral amygdala damage : differentially severe impairment of fear. *Cognit Neuropsychol* **13** : 699-745, 1996.

Campanella S, Quinet P, Bruyer R, Crommelinck M, Guerit JM : Categorical perception of happiness and fear facial expressions : an ERP study. *J Cog Neurosci* **14** : 210-227, 2002.

Campeau S, Miserendino MJ, Davis M : Intra-amygdala infusion of the N-methyl-D-aspartate receptor antagonist AP5 blocks acquisition but not expression of fear-potentiated startle to an auditory conditioned stimulus. *Behav Neurosci* **106** : 569-574, 1992.

Cannon WB : The James-Lange theory of emotions : a critical examination and an alternative theory. *Am J Psychol* **39** : 106-124, 1927.

Cannon WB : Bodily Changes in Pain, Hunger, Fear, and Rage, 2ed ed., Appleton, New York, 1929.

Carr L, Iacoboni M, Dubeau MC, Mazziotta JC, Lenzi GL : Neural mechanisms of empathy in humans : a relay from neural systems for imitation to limbic areas. *Proc Natl Acad Sci USA* **100** : 5497-5502, 2003.

Cases O, Seif I, Grimsby J, Gasper P, Chen K, Pournin S, Muller U, Aguet M, Babinet C, Shih JC : Aggressive behavior and altered amounts of brain serotonin and norepinephrine in mice lacking MAOA. *Science* **268** : 1763-1766, 1995.

Celani G, Battacchi MW, Arcidiacono L : The understanding of the emotional meaning of facial expressions in people with autism. *Journal of Autism and Developmental Disorders* **29** : 57-66, 1999.

Chapman WP, Schoroeder HR, Geyer G, et al. : Physiological evidence concerning importance of the amygdaloid nuclear region in the integration of circuitry function and emotion in man. *Science* **120** : 949-950, 1954.

Chawarska K, Volkmar F : Impairments in monkey and human face recognition in 2-year-old toddlers with Autism Spectrum Disorder and Developmental Delay. *Developmental Science* **10** : 266-279, 2007.

Childress AR, Mozley PD, McElgin W, Fitzgerald J, Reivich M, O'Brien CP : Limbic activation during cue-induced cocaine craving. *Am J Psychiatr* **156** : 11-18, 1999.

Clark JT, Kalra PS, Crowley, WR, Kalra SP : Neuropeptide Y and human pancreatic polypeptide stimulate feeding behavior in rats. *Endocrinol* **115** : 427-429, 1984.

Clavier RM, Fibiger HC : On the role of ascending catecholaminergic projections in intracranial self-stimulation of the substantia nigra. *Brain Res* **131** : 271-286, 1977.

Corden B, Chilvers R, Skuse D : Avoidance of emotionally arousing stimuli predicts social-perceptual impairment in Asperger's syndrome. *Neuropsychologia* **46** : 137-147, 2008.

Corodimas KP, LeDoux JE : Disruptive effects of posttraining perirhinal cortex lesions on conditioned fear : contributions of contextual cues. *Behav Neurosci* **109** : 613-619, 1995.

Covian MR, Antunes Rodrigues J, Oflaherty JJ : Effects of stimulation of the septal area upon blood pressure and respiration in the cat. *J Neurophysiol* **27** : 394-407, 1964.

Critchley H, Daly E, Bullmore E, Williams S, Van Amelsvoort T, Robertson D, Rowe A, Phillips M, McAlonan G, Howlin P and Murphy D : The functional neuroanatomy of social behaviour changes in cerebral blood flow when people with autistic disorder process facial expressions. *Brain* **123** : 2203-2212, 2000.

Critchley H, Daly E, Phillips M, Brammer M, Bullmore E, Williams S, Van Amelsvoort T, Robertson D, David A, Murphy D : Explicit and implicit neural mechanisms for processing of social information from facial expressions : a functional magnetic imaging study. *Hum Brain Map* **9** : 93-105, 2000.

Dahlström A, Fuxe K : Evidence for the existence of monoamine-containing neurons in the central nervous system. I. Demonstration of monoamine in the cell bodies of brainstem neurons. *Acta Physiol Scand* **62** : 1-55, 1964.

Dalmaz C : Introini-Collison IB, McGaugh JL : Noradrenergic and cholinergic interactions in the amygdala and the modulation of memory storage. *Behav Brain Res* **58** : 167-174, 1993.

Dalton KM, Nacewicz BM, Johnstone T, Schaefer HS, Gernsbacher MA, Goldsmith HH, Alexander AL, Davidson RJ : Gaze fixation and the neural circuitry of face processing in autism. *Nature Neuroscience* **8** : 519-526, 2005.

Damasio AR : Decartes' Error-Emotion, Reason and the Human Brain, Picador, 1995. (田中光彦訳：生存する脳—心と脳と身体の神秘，講談社，2000)

Damasio AR : On some functions of the human prefrontal cortex. *Ann NY Acad Sci* **769** : 241-251, 1995.

Darwin C : The Expression of the Emotions in Man and Animals, John Murray, London, England, 1872. (チャールズ・ダーウィン著，浜中浜太郎訳：人及び動物の表情について，岩波文庫，1991)

Das P, Kemp AH, Liddell BJ, Brown KJ, Olivieri G, Peduto A, Gordon E, Williams LM : Pathways for fear perception : modulation of amygdala activity by thalamo-cortical systems. *Neuroimage* **26** : 141-148, 2005.

Davidson RJ, Putnam KM, Larson CL : Dysfunction in the neural circuitry of emotion regulation-a possible prelude to violence. *Science* **289** : 591-594, 2000.

Deeke L, Scheid P, Kornhuber HH : Distribution of readiness potential, pre-motion positivity, and motor potential of the human cerebral cortex preceding voluntary finger movements. *Exp Brain Res* **7** : 158-168, 1969.

Delgado PL, Charney DS, Price LH, Aghajanian GK, Landis H, Heninger GR : Serotonin function and the mechanism of antidepressant action. Reversal of antidepressant-induced remission by rapid depletion of plasma tryptophan. *Arch Gen Psychiat* **47** : 441-418, 1990.

DeLong MR : Activity of pallidal neurons during movement. *J Neurophysiol* **34** : 414-427, 1971.

Delumeau J 著，永見文雄，西沢文昭訳：恐怖心の歴史，新評論，1997.

Denny-Brown D : The Basal Ganglia. Oxford University Press, London, 1962.

Descartes R：情念論 (野田又夫訳)，世界の名著 22，中央公論社，1967.

De Souza WC, Eifuku S, Tamura R, Nishijo H, Ono T : Differential characteristics of face neuronal responses within the anterior superior temporal sulcus of macaques. *J Neurophysiol* **94** : 1251-1266, 2005.

Downer JDC : Changes in visual gnostic function and emotional behavior following unilateral temporal lobe damage in the "split-brain" monkey. *Nature Lond* **191** : 50-51, 1961.

Drevets WC : PET and the functional anatomy of major depression. In Emotion, Memory and Behavior. Studies on Human and Nonhuman Primates (Nakajima T, Ono T eds.), Japan Scientific Press, Tokyo, pp.43-62, 1995.

Drevets WC, Bogers W, Raichle ME : Functional anatomical correlates of antidepressant drug treatment assessed using PET measures of regional glucose metabolism. *European Neuropsychopharmacology* **12** : 527-544, 2002.

Dum RP, Strick PL : The cingulate motor areas. In Neurobiology of Cingulate Cortex and limbic Thalamus : a comprehensive handbook (Vogt BA, Gabriel M eds.), Birkhäser, Boston, pp.415-441,

1993.
Eccles JC : The Physiology of Synapses, Springer-Verlag, Berlin, 1964.
Eccles JC : Evolution of the Brain : Creation of the Self, Routledge, London, 1989.
Eger E, Jedynak A, Iwaki T, Skrandies W : Rapid extraction of emotional expression : evidence from evoked potential fields during brief presentation of face stimuli. *Neuropsychologia* 41 : 808-817, 2003.
Egger DM : Responses of hypothalamic neurons to electrical stimulation in the amygdala and the hypothalamus. *Electroenceph clin Neurophysiol* 23 : 6-15, 1967.
Eifuku S, De Souza WC, Tamura R, Nishijo H, Ono T : On the organization of face memory. In Cognition and Emotion in the Brain, (Ono T, Matsumoto G, Llinas RR, Berthoz A, Norgren R, Nishijo H, Tamura R eds.), Elsevier, Amsterdam, pp.73-85, 2003.
Eifuku S, De Souza WC, Tamura R, Nishijo H, Ono T : Neuronal correlates of face identification in the monkey anterior temporal cortical areas. *J Neurophysiol* 91 : 358-371, 2004.
Ekman P et. al : Universal and cultureal differences in the judgements of facial expressions of emotion. *J. of Personality and Social Psychology* 53 : 712-717, 1987.
Ekman P, Levenson RW, Friesen WV : Autonomic nervous system activity distinguishes among emotions. *Science* 221 : 1208-1210, 1983.
Ekman T : An argument for basic emotions. *Cognition and Emotion* 6 : 169-200, 1992.
Feldman RS, Meyer JS, Quenzer LF : Affective disorder. In Principles of Neuropsychopharmacology, Ch 19, Sinauer Associates, Sunderland, pp.819-860, 1996.
Fernandes de Molina A, Hunsperger RW : Central representation of affective reactions in forebrain and brain stem : electrical stimulation of amygdala, stria terminalis, and adjacent structures. *J Physiol* 145 : 251-265, 1959.
Fink GR, Markowitsch HJ, Reinkemeier M, Bruckbauer T, Kessler J, Heiss W-D : Cerebral representation of one's own past : neural networks involved in autobiological memory. *J Neurosci* 16 : 4275-4282, 1996.
Fiorino DF, Coury A, Fibiger HC, Phillips AG : Electrical stimulation of reward site in the ventral tegmental area increases dopamine transmission in the nucleus accumbens of the rat. *Behav Brain Res* 55 : 131-141, 1993.
Fitzgerald DA, Angstadt M, Jelsone LM, Nathan PJ, Phan KL : Beyond threat : Amygdala reactivity across multiple expressions of facial affect. *NeuroImage* 30 : 1441-1448, 2006.
Elliott R, Dolan RJ, FrithCD : Dissociable functions in the medial and lateral orbitofrontal cortex : evidence from human neuroimaging studies. *Cereb Cortex* 10 : 308-317, 2000.
Fray PJ, Dunnet SB, Iversen SD, Bjorklund A, Stenevi U : Nigra transplants reinnervating the dopamine-depleted neostriatum can sustain intracranial self-stimulation. *Science* 219 : 416-419, 1983.
Frith CD, Frith U : Interacting minds : a biological basis. *Science* 286 : 1692-1695, 1999.
Fukuda M, Masuda R, Ono T : Contribution of monkey basal forebrain to learning and memory. In Brain Mechanisms of Perception and Memory : From Neuron to Behavior (Ono T, Squire LR, Raichle ME, Perrett DI, Fukuda M eds.), Oxford University Press, New York, pp.356-369, 1993.
Fukuda M, Masuda R, Ono T, Tabuchi E : Responses of monkey basal forebrain neurons during visual discrimination task. In Progress in Brain Research (Hicks TP, Molotchnikoff S, Ono T eds.), Vol. 95, Elsevier, Amsterdam, pp.359-369, 1993.
Fukuda M, Ono T, Nakamura K : Functional relations among inferotemporal cortex, amygdala, and lateral hypothalamus in monkey operant feeding behavior. *J Neurophysiol* 57 : 1060-1077, 1987.
Fukuda M, Ono T, Nishijo H, Sasaki K : Visual responses related to food discrimination in monkey lateral hypothalamus during operant feeding behavior. *Brain Res* 374 : 249-259, 1986.
Fuster JM : Unit activity in prefrontal cortex during delayed-response performance : neuronal correlates of transient memory. *J Neurophysiol* 36 : 67-78, 1973.
Fuster JM : The Prefrontal Cortex : Anatomy, Physiology, and Neuropsychology of the Frontal Lobe,

Raven Press, New York, 1989.
Fuster JM, Alexander GE : Neuronal activity related to short-term memory. *Science* **173** : 652-654, 1971.
Gaffan D, Harrison S : A comparison of the effects of fornix transection and sulcus principalis ablation upon spatial learning by monkeys. *Behav Brain Res* **31** : 207-220, 1989a.
Gaffan D, Harrison S : Place memory and scene memory : effects of fornix transection in the monkey. *Exp Brain Res* **74** : 202-212, 1989b.
Gaffan D, Murray EA, Fabre-Thorpe M : Interaction of the amygdala with the frontal lobe in reward memory. *Eur J Neurosci* **5** : 968-975, 1993.
Gaffan EA, Gaffan D Godges JR : Amnesia following damage to the left fornix and other sites. *Brain* **114** : 1297-313, 1991.
Gallagher HL, Happe F, Brunswick N, Fletcher PC, Frith U, Frith CD : Reading the mind in cartoons and stories : an fMRI study of theory of mind in verbal and non-verbal tasks. *Neuropsychologia* **38** : 11-21, 2000.
Gallistel CR : Self-stimulation. In The Physiological Basis of Memory (Deutsch JA ed.), Academic Press, New York, pp.269-349, 1983.
Ganong WF : Review of Medical Physiology, McGraw-Hill, New York, 1999.
Gautier JF, Chen K, Salbe AD, Bandy D, Pratley RE, Heiman M, Ravussin E, Reiman EM, Tataranni PA : Differential brain responses to satiation in obese and lean men. *Diabetes* **49** : 838-846, 2000.
George MS, Anton RF, Bloomer C, Teneback C, Drobes DJ, Lorberbaum JP, Nahas Z, Vincent DJ : Activation of prefrontal cortex and anterior thalamus in alcoholic subjects on exposure to alcohol-specific cues. *Arch Gen Psychiatr* **58** : 345-352, 2001.
Girgis M : Distribution of acetylcholine-esterase enzyme in amygdala and its role in aggressive behavior. In the Neruobiology of the Amygdala (Elftheriou BE ed.), Plenum Press, New York, pp.283-292, 1972.
Globisch J, Hamm AO, Esteves F, Ohman A : Fear appears fast : temporal course of startle reflex potentiation in animal fearful subjects. *Psychophysiology* **36** : 66-75, 1999.
Gloor P : Amygdala. In Handbook of Physiology, Section 1 : Neurophysiology, Vol.2 (Field J, Magoun HW, Hall VE eds.), American Physiology Society, Washington, pp.1395-1420, 1960.
Goddard GV : Functions of the amygdala. *Psychol Bull* **62** : 89-109, 1964.
Golden RN Gilmore JH, Corrigan MH, Ekstrom RD, Knight BT, Garbutt JC : Serotonine, Suicide, and aggression : clinical studies. *J Clin Psychiat* **52** (suppl) : 61-69, 1991.
Graff-Radford NR, Russell JW, Rezai K : Frontal degenerative dementia and neuroimaging. *Adv Neurol* **66** : 37-47 ; discussion 47-50, 1995.
Grant S, London ED, Newlin DB, Villemagne VL, Liu X, Contoreggi C, Phillips RL, Kimes AS, Margolin A : Activation of memory circuits during cue-elicited cocaine craving. *Proc Nat Acad Sci USA* **93** : 12040-12045, 1996.
Greene JD, Nystrom LE, Engell AD, Darley JM, Cohen JD : The neural bases of cognitive conflict and control in moral judgment. *Neuron* **44** : 389-400, 2004.
Greene JD, Sommerville RB, Nystrom LE, Darley JM, Cohen JD : An fMRI investigation of emotional engagement in moral judgment. *Science* **293** : 2105-2108, 2001.
Groenewegen HJ : Organization of the afferent connections of the mediodorsal thalamic nucleus in the rat, related to the mediodorsal-prefrontal topography. *Neurosci* **24** : 379-431, 1988.
Grossman SP, Dacey D, Halaris AE, et al. : Aphasia and adipsia after preferential destruction of nerve cell bodies in hypothalamus. *Science* **202** : 537-539, 1978.
Hadland KA, Rushworth MF, Gaffan D, Passingham RE : The effect of cingulate lesions on social behaviour and emotion. *Neuropsychologia* **41** : 919-931, 2003.
Halgren E, Baudena P, Heit G, Clarke JM, Marinkovic K : Spatiotemporal stages in face and word processing. I. Depth-recorded potentials in the human occipital, temporal and parietal lobes. *J Physiol* **88** : 1-50, 1994.

Hamburg MD : Hypothalamic unit activity and eating behavior. *Am J Physiol* **220** : 980-985, 1971.

Hariri AR, Mattay VS, Tessitore A, Kolachana B, Fera F, Goldman D, Egan MF, Weinberger DR : Serotonin transporter genetic variation and the response of the human amygdala. *Science* **297** : 400-403, 2002

Hariri AR, Bookheimer SY, Mazziotta JC : Modulating emotional responses : effects of a neocortical network on the limbic system. *Neuroreport* **11** : 43-48, 2000.

Harvey JA, Hunt HF : Effect of septal lesions on thirst in the rat as indicated by water consumption and operant responding for water reward. *J Comp Physiol Psychol* **59** : 49-56, 1965.

Hayashi N, Nishijo H, Ono T, Endo S, Tabuchi E : Generators of somatosensory evoked potentials investigated by dipole tracing in the monkey. *Neuroscience* **68** : 323-338, 1995.

Heath, RG : Electrical self-stimulation of the brain in man. *Amer J Psychiat* **20** : 571-577, 1963.

Heath RG, Monroe RR, Mickle WA : Stimulation of the amygdaloid nucleus in a schizophrenic patient. *Am J Psychiat* **111** : 862-863, 1955.

Hebb DO : A Textbook of Psychology, 3rd edition, Saunder, Phyladelphia, 1972.

He B, Musha T, Okamoto Y, Homma S, Nakajima Y, Sato T : Electric dipole tracing in the human brain by means of the boundary element method and its accuracy. *IEEE Trans Biomed Eng* **34** : 406-414, 1987.

Herberg LJ : A hypothalamic mechanism causing seminal ejaculation. *Nature* **198** : 219-220, 1963.

Hess WR : Hypothalamus und die Zantren des autonomen Nervensystems : Physiology. *Archiv fur Psychiatrie und Nervenkrankheiten* **104** : 548-557, 1936.

Hess WR : The Functional Organization of the Diencephalon, Grune and Stratton, New York, 1957.

Hess WR, Brügger M : Das subkortikale Zentrum der affektiven Abwehrreaktion. *Helv Physiol Acta* **1** : 33-52, 1943.

Higley JD, Mehlman PT, Taub DM, Higley SB, Suomi SJ, Vickers JH, Linnoila M : Cerebrospinal fluid monoamine and adrenal correlates of aggression in free-ranging rhesus monkeys. *Arch Gen Psychiat* **49** : 436-441, 1992.

Hikosaka K, Watanabe M : Delay activity of orbital and lateral prefrontal neurons of the monkey varying with different rewards. *Cereb Cortex* **10** : 263-271, 2000.

Hilton SM, Zbrozyna AW : Amygdaloid region for deffence reactions and its efferent pathway to the brain stem. *J Physiol* **165** : 160-173, 1963.

Hoebel BG : Inhibition and disinhibition of self-stimulation and feeding : hypothalamic control and postingestional factors. *J Comp Physiol Psychol* **66** : 89-100, 1968.

Hoebel BG : Feeding and self-stimulation. *Ann N Y Acad Sci* **157** : 758-778, 1969.

Holdstock TL : Effects of septal stimulation in rats on heart rate, and galvanic skin response. *Psychonomic Science* **9** : 37-38, 1967.

Homma S, Musha T, Nakajima Y, Okamoto Y, Blom S, Flink R, Hagbarth KE, Mostrom U : Localization of electric current sources in the human brain estimated by the dipole tracing method of the scalp-skull-brain (SSB) head model. *Electroenceph Clin Neurophysiol* **91** : 374-382, 1994.

Horel JA, Keating EG, Misantone LJ : Partial Klüver-Bucy syndrome produced by destroying temporal neocortex or amygdala. *Brain Res* **94** : 347-359, 1975.

Hornak J, Rolls ET, Wade D : Face and voice expression identification in patients with emotional and behavioral changes following ventral frontal lobe damage. *Neuropsychologia* **34** : 247-261, 1996.

Hosoya Y, Matsushita M : Identification and distribution of the spinal and hypophyseal projection neurons in the paraventricular nucleus of the rats. A light and electron microscopic study with the horseradish peroxidase method. *Exp Brain Res* **35** : 315-331, 1979.

Howell LL, Byrd LD : Characterization of the effects of cocain and GBR 12909, a dopamine uptake inhibitor, on behavior in the squirrel monkey. *J Pharmacol Exp Ther* **258** : 178-185, 1991.

Iidaka T, Okada T, Murata T, Omori M, Kosaka H, Sadato N, Yonekura Y : Age-related differences in the medial temporal lobe responses to emotional faces as revealed by fMRI. *Hippocampus* **12** : 352-362, 2002.

Ikeda H, Nishijo H, Miyamoto K, Tamura R, Endo S, Ono T : Generators of visual evoked potentials investigated by dipole tracing in the human occipital cortex. *Neuroscience* **84** : 723-739, 1998.

Ikegaya Y, Abe K, Saito H, Nishiyama N : Medial amygdala enhances synaptic transmission and synaptic plasticity in the dentate gyrus of rats in vivo. *J Neurophysiol* **74** : 2201-2203, 1995.

Ito M : Excitability of medial forebrain bundle neurons during self-stimulating behavior. *J Neurophysiol* **35** : 652-664, 1971.

Iwai E, Nishino T, Yamaguchi K : Neuropsychological basis of a K-B sign in KluverBucy syndrome produced following total removal of inferotemporal cortex of Macaque monkey. In Emotion (Oomura, Y ed.), Japan Scientific Societies Press, Tokyo, pp.299-311, 1986.

Jackson DC, Malmstadt JR, Larson CL, Davidson RJ : Suppression and enhancement of emotional responses to unpleasant pictures. *Psychophysiology* **37** : 515-522, 2000.

Jacobsen CF : Studies of cerebral function in primates. *Comp Psychol Monogr* **13** : 1-68, 1936.

Jarrard LE : Selective hippocampal lesions and behavior : implications for current research and theorizing. In The Hippocampus, Vol.4 (Isaacson RL, Pribram KH eds.), Plenum Press, New York, pp.93-126, 1986.

Joëls M, Urban IJA : Amino acid neurotransmission between fimbria-fornix fibers and neurons in the lateral septum of the rat : a microiontophoretic study. *Exp Neurol* **84** : 126-139, 1984a.

Joëls M, Urban IJA : Electrophysiological and pharmacological evidence in favor of amino acid neurotransmission in fimbria-fornix fibers innervating the lateral septal complex of rats. *Exp Brain Res* **54** : 455-462, 1984b.

Johnson TN, Rosvold HE, Mishkin M : projections from behaviorally-defined sectors of the prefrontal cortex to the basal ganglia, septum, and diencephalon of the monkey. *Exp Neurol* **21** : 20-37, 1968.

Jones B, Mishkin M : Limbic lesions and the problem of stimulus-reinforcement associations. *Exp Neurol* **36** : 362-377, 1972.

Kaada BR : Stimulation and regional ablation of the amygdaloid complex with reference to functional rewpresentation. In The Neurobiology of the Amygdala (Eleftheriou BE ed.), Plenum Press, New York, pp.250-281, 1972.

Kahana-Kalman R, Walker-Andrews AS : The role of person familiarity in young infants' perception of emotional expressions. *Child Development* **72** : 352-369, 2001.

Kano M, Fukudo S, Gyoba J, Kamachi M, Tagawa M, Mochizuki H, Itoh M, Hongo M, Yanai K : Specific brain processing of facial expressions in people with alexithymia : an H2 15O-PET study. *Brain* **126** : 1474-1484, 2003.

Kapler ES, Hariri AR, Mattay VS, McClure RK, Weinberger DR : Correlated attenuation of amygdala and autonomic responses : a simultaneous fMRI and SCR study. *Soc Neurosci Abstr* **645** : 3, 2001.

Kerr FW, Triplett, JN, Beeler GW : Reciprocal (push-pull) effects of morphine on single units in the ventromedian and lateral hypothalamus and influences in other nuclei : with a comment on methadone effects during withdrawal from morphine. *Brain Res* **74** : 81-103, 1974.

Killgore WD, Oki M, Yurgelun-Todd DA : Sex-specific developmental changes in amygdala responses to affective faces. *Neuroreport* **12** : 427-433, 2001.

Kim M, Davis M : Electrolytic lesions of the amygdala block acquisition and expression of fear-potentiated startle even with extensive training but do not prevent reacquisition. *Behav Neursci* **107** : 580-595, 1993a.

Kim M, Davis M : Lack of a temporal gradient of retrograde amnesia in rats with amygdala lesions assessed with the fear-potentiated startle paradigm. *Behav Neursci* **107** : 1088-1092, 1993b.

Kim M, McGaugh JL : Effects of intra-amygdala injections of NMDA receptor antagonists on acquisition and retention of inhibitory avoidance. *Brain Res* **585** : 35-48, 1992.

Kinnier Wilson SA : Progressive lenticular degeneration : a familial nervous disease associated with cirrhosis of the liver. *Brain* **34** : 295-307, 1912.

Kita T, Nishijo H, Eifuku S, Terasawa K, Ono T : Place and contingency differential responses of monkey septal neurons during conditional place-object discrimination. *J Neurosci* **15** : 1683-1703, 1995.

Klüver H, Bucy PC : Psychic blindness and other symptoms following bilateral temporal lobectomy in rhesus monkeys. *Am J Physiol* **119** : 352-353, 1937.

Klüver H, Bucy PC : Preliminary analysis of functions of the temporal lobes in monkeys. *Arch Neurol Psychiatr* **42** : 979-1000, 1939.

Kobayashi T, Nishijo H, Fukuda M, Bures J, Ono T : Task-dependent representations in rat hippocampal place neurons. *J Neurophysiol* **78** : 597-613, 1997.

Komura Y, Tamura R, Uwano T, Nishijo H, Ono T : Transmodal coding for reward prediction in the audiovisual thalamus. In Cognition and Emotion in the Brain (Ono T, Matsumoto G, Llinas RR, Berthoz A, Norgren R, Nishijo H, Tamura R eds.), Elsevier, Amsterdam, pp.383-396, 2003.

Komura Y, Tamura R, Uwano T, Nishijo H, Ono T, Kaga K, Ono T : Retrospective and prospective coding for predicted reward in the sensory thalamus. *Nature* **412** : 546-549, 2001.

Kondo CY, Lorens SA : Sex differences in the effects of septal lesions. *Physiol Behav* **6** : 481-485, 1971.

Kondoh T, Nishijo H, Takamura Y, Kawanishi C, Torii K, Ono T : Increased histidine preference during specific alternation of rhythm of environmental temperature stress in rats. *Behav Neurosci* **110** : 1187-1192, 1996.

Krauthamer GM : Sensory functions of the neostriatum. In The Neostriatum, 1979.

Kubota K, Iwamoto T, Suzuki H : Visuokinetic activities of primate prefrontal neurons during delayed-response performance. *J Neurophysiol* **36** : 1197-1212, 1974.

Kunishio K, Harber, SN : Primate cingulostriatal projection : limbic striatal versus sensorimotor striatal input. *J Comp Neurol* **350** : 337-356, 1994.

Kuriyama K, Hori T, Mori T, Nakashima T : Actions of interferon-α and interleukin-1β on the glucose-sensitive neurons in the ventromedial hypothalamus. *Brain Res Bull* **24** : 803-810, 1990.

Kurk MR : Ethology and pharmacology of hypothalamic aggression in the rat. *Neuerosci Biobehav Rev* **15** : 527-528, 1991.

Lane RD, Reiman EM, Bradley MM, Lang PJ, Ahern GL, Davidson RJ, Schwartz GE : Neuroanatomical correlates of pleasant and unpleasant emotion. *Neuropsychologia* **35** : 1437-1444, 1997.

Larsson S : On the hypothalamic organisation of the nervous mechanism regulating food intake. *Acta Physiol Scand Suppl* **32** : 7-63, 1954.

LeDoux JE : The neurobiology of emotion. In : LeDoux JE, Hirst W, eds. Mind and Brain, Cambridge University Press, New York, pp.301-354, 1986.

LeDoux JE : Emotion. In : Mountcastle VB, sect. ed. Handbook of Physiology, Section 1 : The Nervous System. Vol. 5, Part 1, American Physiological Society, Washington, pp.419-459, 1987.

LeDoux JE : Emotion circuits in the brain. *Ann Rev Neurosci* **23** : 155-184, 2000.

Leichnetz GR, Astruc J : The course of some prefrontal corticofugals to the pallidum, subatantia innominata, and amygdaloid complex in monkeys. *Exp Neurol* **54** : 104-109, 1977.

Levesque J, Eugene F, Joanette Y, Paquette V, Mensour B, Beaudoin G, Leroux JM, Bourgouin P, Beauregard M : Neural circuitry underlying voluntary suppression of sadness. *Biol Psychiatr* **53** : 502-510, 2003.

Liddell BJ, Brown KJ, Kemp AH, Barton MJ, Das P, Peduto A, Gordon E, Williams LM : A direct brainstem-amygdala-cortical 'alarm' system for subliminal signals of fear. *Neuroimage* **24** : 235-243, 2005.

Lindvall O, Björklund A : Dopamine and norepinephrine containing neuron sysytem : their anatomy in the rat brain. In Chemical Neuroanatomy, (Steinbusch HWM ed.), Willey, New York, pp.27-78, 1983.

Linseman MA, Olds J : Activity changes in rat hypothalamus, preoptic area, and striatum associated with pavlovian conditioning. *J Neurophysiol* **36** : 1038-1050, 1973.

Li R, Nishijo H, Wang H, Uwano T, Tamura R, Ohtani O, Ono T : Light and electron microscopic study of cholinergic and noradrenergic elements in the basolateral nucleus of the rat amygdala : Evidence for interactions between the two systems. *J Comp Neurol* **439** : 411-425, 2001.

Liu L, Ioannides AA, Streit M : Single trial analysis of neurophysiological correlates of the recognition of complex objects and facial expressions of emotion. *Brain Topogr* **11** : 291-303, 1999.

Lorens SA Kondo CY : Effects of septal lesions on food and water intake and operant responding for food. *Physiol Behav* **4** : 729-732, 1969.

Lorente de No R : Cerebral cortex : architecture, intracortical connections, motor projections. In Physiology of the Nervous System, 3rd ed. (Fulton JF ed.), chap. 15, Oxford University Press, Oxford, pp.288-330, 1949.

MacLean PD : Psychosomatic disease and the "visceral brain" : Recent developments bearing on the Papez theory of emotion. *Psychosomatic Medicine* **11** : 338-353, 1949.

MacLean PD : The triune brain, emotion and scientific bias. In : Intensive Study Program in the Neurosciences. Neurosciences Research Program. Chapter 23, Rockefeller University Press, New York, pp.336-349, 1970.

Mah L, Arnold MC : Grafman J. Impairment of social perception associated with lesions of the prefrontal cortex. *Am J Psychiatr* **161** : 1247-1255, 2004.

Mair WGP, Warrington EK, Weiskrantz L : Memory disorder in Korsakoff psychosis. A neuropathological and neuropsychological investigation of two cases. *Brain* **102** : 749-783, 1979.

Malmo RB : Slowing of heart rate following septal self-stimulation in rats. *Science* **133** : 1128-1130, 1961.

Malmo RB : Classical and instrumental conditioning with septal stimulation as reinforcement. *J Comp Physiol Psychol* **60** : 1-8, 1965.

Maratos EJ, Dolan RJ, Morris JS, Henson RN, Rugg MD : Neural activity associated with episodic memory for emotional context. *Neuropsychologia* **39** : 910-920, 2001.

Margles DL, Olds J : Identical "feeding" and "rewarding" systems in the lateral hypothalamus of rats. *Science* **135** : 374-375, 1962.

Marshall JF, Turner BH, Teitelbaum P : Sensory neglect produced by lateral hypothalamic damage. *Science* **174** : 523-525, 1971.

Maryanski A, Turner JH : The Sccial Cage : Human Nature and the Evolution of Society, Stanford University Press, 1992.（正岡賢司訳：社会という檻—人間性と社会進化，明石書店，2009）

McGaugh JL, Introini-Collison IB, Cahill LF, Castellano C, Dalmaz C, Parent MB, Williams CL : Neuromodulatory systems and memory storage : role of the amygdala. *Behav Brain Res* **58** : 81-90, 1993.

McNaughton N : Biology and Emotion, Cambridge University Press, Cambridge, 1989.

McNaughton BL, Battaglia FP, Jensen O, Moser EI, Moser M-B : Path integration and the neural basis of the 'cognitive map'. *Nature Rev Neurosci* **7** : 663-678, 2006.

Mehlman PT, Higley JD, Faucher I, Lilly AA, Taub DM, Vickers J, Suomi SJ, Linnoila M : Low CSF 5-HIAA consentrations and severe aggression and impaired impulse control in nonhuman primates. *Am J Psychiat* **151** : 1485-1491, 1994.

Meiach RC, Siegel A : Efferent connections of the septal area in the at : An analysis utilizaing retrograde and anterograde transport methods. *Brain Res* **119** : 1-20, 1977.

Miczek KA, Mos J, Olivier B : Brain 5-HT and inhibition of aggressive behavior in animals : 5-HIAA and receptor subtypes. *Psychopharmacol Bull* **25** : 399-403, 1989.

Miller NE : Some motivational effects of electrical and chemical stimulation of the brain. *Electroencephalogr Clin Neurophysiol : Suppl* **24** : 247, 1963.

Miller EK, Cohen JD : An integrative theory of prefrontal cortex function. *Ann Rev Neurosci* **24** : 167-202, 2001.

Miserendino MJ, Sananes CB, Melia KR, Davis M : Blocking of acquisition but not expression of conditioned fear-potentiated startle by NMDA antagonists in the amygdala. *Nature* **345** : 716-718,

1990.

Mizumori SJY, Ward KE, Lavoie AM : Medial septal modulation of entorhinal single unit activity in anesthetized and freely moving rats. *Brain Res* **570** : 188-197, 1992.

Mogenson GJ, Morgan CW : Effects of induced drinking on self-stimulation of the lateral hypothalamus. *Exp Brain Res* **3** : 111-116, 1967.

Mogenson GJ, Takigawa M, Robertson A, Wu M : Self-stimulation of the nucleus accumbens and ventral tegmental area of Tsai attenuated by microinjections of spiroperidol into the nucleus accumbens. *Brain Res* **171** : 247-259, 1979.

Moller SE, Honore P, Larsen OB : Tryptophan and tyrosine ratios to neutral amino acids in endogenous depression. Relation to antidepressant response to amitriptyline and litium + L-tryptophan. *J Affect Disord* **5** : 67-79, 1983a.

Moller SE, Kirk L, Brandrup E, Hollnegal M, Kaldan B, Odum K : Tryptophan availability in endogenous depression. Relation to efficacy of L-tryptophan treatment. *Adv Biol Psychiat* **10** : 30-46, 1983b.

Moll J, de Oliveira-Souza R, Eslinger PJ, Bramati IE, Mourao-Miranda J, Andreiuolo PA, Pessoa L : The neural correlates of moral sensitivity : a functional magnetic resonance imaging investigation of basic and moral emotions. *J Neurosci* **22** : 2730-2736, 2002.

Mora F : The neurochemical substrates of prefrontal cortex self-stimulation : a review and an interpretation of some recent data. *Life Sci* **22** : 919-930, 1978.

Mora F, Avrith DB, Phillips SG, Rolla RT : Effects of satiety on self-stimulaton of the orbitofrontai cortex in the rhesus monkey. *Neurosci Lett* **13** : 141-145, 1979.

Morris JS, DeGelder B, Weiskrantz L, Dolan RJ : Differential extrageniculostriate and amygdala responses to presentation of emotional faces in a cortically blind field. *Brain* **124** : 1241-1252, 2001.

Morris JS, Friston KJ, Buchel C, Frith CD, Young AW, Calder AJ, Dolan RJ : A neuromodulatory role for the human amygdala in processing emotional facial expressions. *Brain* **121** (Pt 1) : 47-57, 1998a.

Morris JS, Ohman A, Dolan RJ : Conscious and unconscious emotional learning in the human amygdala. *Nature* **393** : 467-470, 1998b.

Mos J, Olivier B, Tulp MTM : Ethopharmacological studies differentiate the effects of various serotonergic compounds on aggression in rats. *Drug Dev Res* **26** : 343-360, 1992.

Muller D, Arai A, Lynch GS : Factors governing the potentiation of NMDA receptor-mediated responses in hippocampus. *Hippocampus* **2** : 29-38, 1992.

Munoz C, Grossman SP : Behavioral consequences of selective destruction of neuron perikarya in septal area of rats. *Physiol Behav* **24** : 779-88, 1980.

Murphy DL, Aulakh CS, Garrick NA, Sunderland T : Monoamine oxidase inhibitors as antidepressants : Imprications for the mechanism of action of antidepressants and the psychobiology of the affective disorders and some related disorders. In Psychopharmacology : The Third Generation Progress (Meltzer HY ed.), Raven Press, New York, pp.545-552, 1987.

Nakamura K, Mikami A, Kubota K : The activity of single neurons in the monkey amygdala during performance of a visual memory task. *J Neurophysiol* **67** : 1447-1463, 1992.

Nakamura K, Ono T : Lateral hypothalamus neuron involvement in integration of natural and artificial rewards and cue signals. *J Neurophysiol* **55** : 163-181, 1986.

Nakamura K, Ono T, Fukuda M, Uwano T : Paraventricular neuron chemosensitivity and activity related to blood pressure control in emotional behavior. *J Neurophysiol* **67** : 255-64, 1992.

Nakamura K, Ono T, Tamura R : Central sites involved in lateral hypothalamus conditioned neural responses to acoustic cues in the rat. *J Neurophysiol* **58** : 1123-1148, 1987.

Nakao H : Emotional behavior produced by hypothalamic stimulation. *Am J Physiol* **194** : 411-418, 1958.

Nauta HJ : Evidence of a pallidohabenular pathway in the cat. *J Comp Neurol* **156** : 19-28, 1974.

Nauta WJ : Limbic innervation of the striatum. *Adv Neurol* **35** : 41-47, 1982.

Netter FH : The Ciba collection of medical illustrations, Volume 1, Nervous System, Ciba, West Caldwell,

1958.
Niki H : Differential activity of prefrontal units during light and left delayed response trials. *Brain Res* **70** : 346-349, 1974.
Niki H, Sakai M, Kubota K : Delayed alternation performance and unit activity of the caudate head and medial orbitofrontal gyrus in the monkey. *Brain Res* **38** : 343-353, 1972.
Nishijo H, Hayahi N, Endo S, Musha T, Ono T : Localization of dipole by boundary element method in three dimensional reconstructed monkey brain. *Brain Res Bull* **33** : 225-230, 1994.
Nishijo H, Hori E, Tazumi T, Eifuku S, Umeno K, Tabuchi E, Ono T : Role of the monkey amygdale in social cognition. In Cognition and Emotion in the Brain (Ono T, Matsumoto G, Llinas RR, Berthoz A, Norgren R, Nishijo H, Tamura R eds.), Elsevier, Amsterdam, pp.295-310, 2003.
Nishijo H, Kita T, Tamura R, Eifuku S, Ono T : Involvement of amygdala and septo-hippocampus in emotion. In Emotion, Memory and Behavior : Studies on Human and Nonhuman Primates (Nakajima T, Ono T eds.), Japan Science Society Press, Tokyo, pp.17-30, 1995.
Nishijo H, Ono T, Nishino H : Topographic distribution of modality-specific amygdalar neurons in alert monkey. *J Neurosci* **8** : 3556-3569, 1988a.
Nishijo H, Ono T, Nishino H : Single neuron responses in amygdala of alert monkey during complex sensory stimulation with affective significance. *J Neurosci* **8** : 3570-3583, 1988b.
Nishijo H, Ono T, Tamura R, Nakamura K : Amygdalar and hippocampal neuron responses related to recognition and memory. In Progress in Brain Research (Hicks TP, Molotchnikoff S, Ono T eds.), Vol. 95, Elsevier, Amsterdam, pp.359-369, 1993.
Nishijo H, Tamura R, Eifuku S, Ono T : Hippocampal neuronal responsiveness to complex and simple conditional association tasks in monkeys. In Perception Memory and Emotion : Frontiers in Neuroscience (Ono T, McNaughton BL, Molotchnikoff S, Rolls ET, Nishijo H eds.), Elsevier Science, Amsterdam, pp.251-267, 1996.
Nishijo H, Uwano T, Tamura R, Ono T : Gustatory and multimodal neuronal responses in the amygdala during licking and discrimination of sensory stimuli in awake rats. *J Neurophysiol* **79** : 21-36, 1998.
Nishijo H, Yamamoto Y, Ono T, Uwano T, Yamashita J, Yamashima T : Single neuron responses in the monkey anterior cingulate cortex during visual discrimination. *Neurosci Lett* **227** : 79-82, 1997.
Nishino H, Ono T, Fukuda M, Sasaki K : Lateral hypothaiamic neuron activity during monkey bar press feeding behavior : modulation by glucose, morphine and naloxone. In The Neural Basis of Feeding and Reward (Hoebel BG, Novin D eds.), Haer Institute, Brunswick, pp.355-372, 1982.
Nishino H, Ono T, Fukuda M, Sasaki K, Muramoto K : Single unit activity in monkey caudate nucleus during operant bar pressing feeding behavior. *Neurosci Lett* **2** : 105-110, 1981.
Nishino H, Ono T, Muramoto K, Fukuda M, Sasaki K : Neuronal activity in the ventral tegmental area (VTA) during motivated bar press feeding in the monkey. *Brain Res* **413** : 302-313, 1987.
Nishino H, Ono T, Sasaki K, Fukuda M, Muramoto K : Caudate unit activity during operant feeding behavior in monkeys and modulation by cooling prefrontal cortex. *Behav Brain Res* **11** : 21-33, 1984.
Nordstrom P, Asberg M : Suicide risk and serotonin. *Int Clin Psychopharmacol* **6** (suppl 6) : 12-21, 1992.
Norgren R : Taste pathways to hypothalamus and amygdala. *J Comp Neurol* **166** : 17-30, 1976.
Norman R : The Moral Philosophers : An Introduction to Ethics (2nd ed.), Oxford Univ. Press, 1998. (塚崎 智, 石崎嘉彦, 樫則 章訳：道徳の哲学者たち, 倫理学入門, ナカニシヤ出版, 2001)
Numan R, Quaranta Jr. JR : Effects of medial lesions on operant delayed alternation in rats. *Brain Res* **531** : 232-241, 1990.
Oberg RGE, Divac I : "Cognitive" functions of the neostriatum. In The Neostriatum (Divac I, Oberg RGE eds.), Pergamon Press, Oxford, pp.291-313, 1979.
Olds J : Self-stimulation of the brain ; its use to study local effects of hunger, sex, and drugs. *Science* **127** : 315-324, 1958.
Olds J : Reward and drive neurons. In Brain-Stimulation Reward (Wauquier A, Rolls ET eds.), Elsevier,

New York, pp.1-27, 1976.
Olds J : Drives and Reinforcements : Behavioral Studies of Hypothalamic functions, Raven Press, 1977.
（大村　裕，小野武年訳：脳と行動—報酬系の生理学，共立出版，1981）
Olds J, Milner P : Positive reinforcement produced by electrical stimulation of septal area and other regions of rat brain. *J Comp Physiol Psychol* **47** : 419-427, 1954.
Olds ME : Short-term changes in the firing pattern of hypothalamic neurons during Pavlovian conditioning. *Brain Res* **58** : 95-116, 1973.
Olivier B, Mos J : Rodent models of aggressive behavior and serotonergic drugs. *Prog Neuro-Psychopharmacol Biol Psychiat* **16** : 847-870, 1992.
Ono T, Eifuku S, Nishijo H, Tamura R : Place-correlates of monkey hippocampal neuronal activity and its significance in memory. In Emotion, Memory and Behavior : Studies on Human and Nonhuman Primates-, (Nakajima T, Ono T eds.), Japan Science Society Press, Tokyo, pp.139-152, 1995.
Ono T, Fukuda M, Nishino H, Sasaki K, Muramoto K : Amygdaloid neuronal responses to complex visual stimuli in an operant feeding situation in the monkey. *Brain Res Bull* **11** : 515-518, 1983.
Ono T, Luiten PGM, Nishijo H, Fukuda M, Nishino H : Topographic organization of projections from the amygdala to the hypothalamus of the rat. *Neurosci Res* **2** : 221-239, 1985.
Ono T, Nakamura, K, Fukuda M, Kobayashi T : Catecholamine and acetylcholine sensitivity of rat lateral hypothalamic neurons related to learning. *J Neurophysiol* **67** : 265-279, 1992.
Ono T, Nakamura K, Fukuda M, Tamura T : Place recognition responses of neurons in monkey hippocampus. *Neurosci Lett* **121** : 194-198, 1991a.
Ono T, Nakamura K, Nishijo H, Eifuku S : Monkey hippocampal neurons related to spatial and nonspatial functions. *J Neurophysiol* **70** : 1516-1529, 1993.
Ono T, Nakamura K, Nishijo H, Fukuda M : Hypothalamic neuron involvement in integration of reward, aversion, and cue signals. *J Neurophysiol* **56** : 63-79, 1986a.
Ono T, Nishijo H, Nakamura K, Tamura R, Tabuchi E : Role of amygdala and hypothalamic neurons in emotion and behavior. In Biowarning System in the Brain (Takagi H, Oomura Y, Ito M, Otsuka M eds.), University of Tokyo Press, Tokyo, pp.309-331, 1988.
Ono T, Nishino H, Fukuda M, Sasaki K, Nishijo H : Single neuron activity in dorsolateral prefrontal cortex of monkey during operant behavior sustained by food reward. *Brain Res* **311** : 323-332, 1984.
Ono T, Nishino H, Fukuda M, Sasaki K, Muramoto K, Oomura Y : Glucoresponsive neurons in rat ventromedial hypothalamic tissue slices in vitro. *Brain Res* **232** : 494-499, 1982.
Ono T, Nishino H, Sasaki K, Fukuda M, Muramoto K : Monkey lateral hypothalamic neuron responses to sight of food, and during bar press and ingestion. *Neurosci Lett* **21** : 99-104, 1981.
Ono T, Nishino H, Sasaki K, Fukuda M, Muramoto K : Role of the lateral hypothalamus and the amygdala in feeding behavior. *Brain Res Bull* **5** (Sppl. 4) : 143-149, 1980.
Ono T, Nishino H, Sasaki K, Muramoto K, Yano I, Simpson A : Paraventricular nucleus connections to spinal cord and pituitary. *Neurosci Lett* **10** : 141-146, 1978.
Ono T, Nishijo H, Uwano T : Amygdala role in conditioned associative learning. *Prog Neurobiol* **46** : 401-422, 1995.
Ono T, Oomura Y, Sugimori M, Nakamura T, Shimizu N, Kita H, Ishibashi S : Hypothalamic unit activity related to lever pressing and eating in the chronic monkey. In : Basic Mechanisms and Clinical Implications (Novin D, Wyrwicka W, Bray G eds.), Raven Press, New York, pp.159-170, 1976.
Ono T, Sasaki K, Nishino H, Fukuda M, Shibata R : Feeding and diurnal related activity of lateral hypothalamic neurons in freely behaving rats. *Brain Res* **373** : 92-102, 1986b.
Ono T, Tamura R, Nakamura K : The hippocampus and space : Are there "Place neurons" in the monkey hippocampus? *Hippocampus* **1** : 253-257, 1991b.
Oomura Y, Ono T : Mechanism of inhibition by the amygdala in the lateral hypothalamic area of rats. *Brain Res Bull* **8** : 653-666, 1982.

Oomura Y, Ono T, Ohta M, Nishino H, Shimizu N, Ishibashi S, Kita H, Sasaki K, Nicolaides S, Atta LV : Neuronal activity in feeding behavior of chronic monkeys. In Food Intake and Chemical Senses (Katsuki Y, Sato M, Takagi SF, Oomura Y eds.), Tokyo University of Press, pp.373-375, 1977.

Oomura Y, Ono T, Ohta M, Shimizu N, Kita H, Ishibashi S : Functional relationship between the frontal cortex and lateral hypothalamus. In Integrative Control Functionas of the Brain, Vol 1 (Ito M ed.) (特定研究「脳の統御機構」総括班研究報告, pp.373-375, 1978)

Oomura Y, Ono T, Ooyama H, Wayner MJ : Glucose and osmosensitive neurones of the rat hypothalamus. Nature 222 : 282-284, 1969.

Oomura Y, Ooyama H, Yamamoto T, Naka F, Kobayashi N, Ono T : Neuronal mechanism of feeding. Prog Brain Res 27 : 1-33, 1967.

Oomura Y, Ono T, Ooyama H : Inhibitory action of the amygdala on the lateral hypothalamic area in rats. Nature 228 : 1108-1110, 1970.

Oyoshi T, Nishijo H, Asakura T, Takamura Y, Ono T : Emotional and behavioral correlates of mediodorsal thalamic neurons during associative learning in rats. J Neurosci 16 : 5812-5829, 1996.

Panksepp J : Aggression elicited by electrical stimulation of the hypothalamus in Albino rats. Physiol Behav 6 : 321-329, 1971.

Papez JW : A proposed mechanism of emotion. Arch Neurol Psychiat 38 : 725-743, 1937a.

Papez JW : A proposed mechanism of emotion. Arch Neurol Psychiatry 79 : 217-224, 1937b.

Paquette V, Levesque J, Mensour B, Leroux JM, Beaudoin G, Bourgouin P, Beauregard M : "Change the mind and you change the brain" : effects of cognitive-behavioral therapy on the neural correlates of spider phobia. Neuroimage 18 : 401-409, 2003.

Parent MB, Tomaz C, McGaugh JL : Increased training in an aversively motivated task attenuates the memory impairing effects of posttraining N-methyl-D-aspartic acid-induced amygdala lesions. Behav Neurosci 106 : 439-446, 1992.

Parkinson JK, Murray EA, Mishkin M : A selective mnemonic role for the hippocampus in monkeys : Memory for the location of objects. J Neurosci 8 : 4159-4167, 1988.

Peroutka SJ, Snyder SH : Multiple serotonine receptors : Differential binding of [3H]5-hydroxytriptamine, [3H]lysergic acid diethylamide and [3H]spiroperidol. Mol Pharmacol 16 : 587-599, 1979.

Perrett DI, Rolls ET, Caan W : Visual neurons responsive to faces in the monkey temporal cortex. Exp Brain Res 47 : 329-342, 1982.

Phillips RG, LeDoux JE : Differential contribution of amygdala and hippocampus to cued and contextual fear conditioning. Behav Neurosci 106 : 274-285, 1992.

Pietrini P, Guazzelli M, Basso G, Jaffe K, Grafman J : Neural correlates of imaginal aggressive behavior assessed by positron emission tomography in healthy subjects. Am J Psychiatry 157 : 1772-1781, 2000.

Pinker S : How the Mind Works, W. W. Norton & Company, 1997. (椋田直子, 山下篤子訳：心の仕組み (中)、日本放送出版協会、2003)

Plata-Salaman CR, Oomura Y, Kai Y : Tumor necrosis factor and interleukin-1β : suppression of food intake by direct action in the central nervous system. Brain Res 448 : 106-114, 1988.

Plutchik R : Emotion : A Psychoevolutionary Synthesis. Haper and Row, New York, 1962a.

Plutchik R : The emotions : Facts, theories, and a new model, Random House, New York, 1962b.

Poirier MF, Benkelfat C, Loo H, Sechter D, Zarifian E, Galzin AM, Langer SZ : Reduced Bmax of [3H]-imipramine binding to platelets of depressed patients free of previous medication with 5HT uptake inhibitors. Psychopharmacol 89 : 456-461, 1986.

Pollak SD, Kistler DJ : Early experience is associated with the development of categorical representations for facial expressions of emotion. Proc Natl Acad Sci USA 99 : 9072-9076, 2002.

Prather MD, Lavenex P, Mauldin-Jourdain ML, Mason WA, Capitanio JP, Mendoza SP, Amaral DG : Increased social fear and decreased fear of objects in monkeys with neonatal amygdala lesions.

Neuroscience **106**：653-658, 2001.
Raisman G：The connexions of the septum. *Brain* **89**：317-348, 1966a.
Raisman G：An experimental analysis of the efferent projection of the hippocampus. *Brain* **89**：83-108, 1966b.
Raisman G：A comparison of the mode of termination of the hippocampal and hypothalamic afferents to the septal nuclei as revealed by electron microscopy of degeneration. *Exp Brain Res* **7**：317-343, 1969.
Ramón Cajal S：Estructura de los centros nerviosos de las aves. *Rev Trim Histol Norm* **Pat 1**：1-10, 1888.
Richter R：Degeneration of the basal ganglia in monkeys from chronic carbon disulfide poisoning. J. Neuropath. *Exp Neurol* **4**：324-353, 1945.
Ritter S, Stein L：Self-stimulation of noradrenergic cell group (A6) in locus coeruleus of rats. *J Comp Physiol Psychol* **85**：443-452, 1973.
Roberts CDS：Self-administration of GBR 12909 on a fixed ratio and progressive ratio schedule in rats. *Psychopharmacol* **111**：202-206, 1993.
Robbins TW, Everitt BJ：Neurobehavioral mechanism of reward and motivation. *Curr Opin Neurobiol* **6**：228-236, 1996.
Rolls ET：The neurophysiological basis of brain stimulation-reward. In Brain-Stimulation Reward (Wauquier A, Rolls ET eds.), North-Holland/America Elsevier, New York, pp. 65-87, 1976.
Rolls ET：The orbitofrontal cortex. The Prefrontal Cortex：Executive and Cognitive Functions (Roberts AC, Robbins TW, Weiskrantz L eds.), Oxford University Press, Oxford, pp.67-86, 1998.
Rolls ET, Baylis LL：Gustatory, olfactory, and visual convergence within the primate orbitofrontal cortex. *J. Neurosci* **14**：5437-5452, 1994.
Rolls ET, Burton MJ, Mora F：Hypothalamic neuronal responses associated with the sight of food. *Brain Res* **111**：53-66, 1976.
Rolls ET, Burton MJ, Mora F：Neurophtsiological analysis of brain-stimulation reward in the monkey. *Brain Res* **194**：339-357, 1980.
Rolls ET, Thorpe SJ, Maddison S, Roper-Hall A, Puerto A, Perret, D：Activity of neurones in the neostriatum and related structures in the alert animal. In The Neostriatum (Divac I, Oberg RGE eds.), Pergamon Press, Oxford, pp.163-182, 1979.
Romanski LM, LeDoux JE：Equipotentiality of thalamo-amygdala and thalamo-cortico-amygdala circuits in auditory fear conditioning. *J Neurosci* **12**：4501-4509, 1992.
Rosvold HE：Mishkin, M., Szwarcbart, M.K.：Effects of subcortical lesions in monkeys on visual-discrimination and single-alternation performance. *J Comp Physiol Psychol* **51**：437-444, 1958.
Routtenberg A：The reward system of the brain. *Scientific American* **239**：122-131, 1978.
Sanfey AG, Rilling JK, Aronson JA, Nystrom LE, Cohen JD：The neural basis of economic decision-making in the Ultimatum Game. *Science* **300**：1755-1758, 2003.
Sasaki K, Ono T, Muramoto KI, Nishino H, Fukuda M：The effects of feeding and rewarding brain stimulation on lateral hypothalamic unit activity in freely moving rats. *Brain Res* **322**：201-221, 1984.
Sasaki K, Ono T, Nishino H, Fukuda M, Muramoto KI：A Method for Long-term artifact-free recording of single unit activity in freely moving, eating and drinking animals. *J Neurosci Meth* **7**：43-47, 1983.
Sato M：Prefrontal cortex and emotional behaviors. *Folia Psychiatr Neurol Jpn* **25**：69-78, 1971.
Sato W, Kochiyama T, Yoshikawa S, Matsumura M：Emotional expression boosts early visual processing of the face：ERP recording and its decomposition by independent component analysis. *Neuroreport* **12**：709-714, 2001.
Saudou F, Amara DA, Dierich A, LeMeur M, Ramboz S, Segu L, Buhot MC, Hen R：Enhanced aggressive behavior in mice lacking 5-HT1B receptor. *Science* **265**：1875-1878, 1994.
Schmolck H, Squire LR：Impaired perception of facial emotions following bilateral damage to the anterior temporal lobe. *Neuropsychology* **15**：30-38, 2001.
Schneider JS, Lidsky TI：Processing of somatosensory information in striatum of behaving cats. *J*

Neurophysiol 45：841-851, 1981.

Schreiner L, Kling A：Behavioral changes following rhinencephalic injury in cat. *J Neruophysiol* 16：643-659, 1953.

Schulman S：Bilateral symmetrical degeneration of the thalamus：a clinico-pathological study. *J Neuropath Exp Neurol* 16：446-470, 1957.

Schultz W, Apicella P, Ljungberg T：Responses of monkey dopamine neurons to reward and conditioned stimuli during successive steps of learning a delayed response task. *J Neurosci* 13：900-913, 1993.

Semendeferi1 K, Lu1 A, : Schenker1 N, Damasio H.：Humans and great apes share a large frontal cortex. *Nature Neurosci* 5：272-276, 2002.

Shaver P, Schwartz J, Kirson D, O'Connor C：Emotion knowledge：Further exploration of a prototype approach. *Journal of Personality & Social Psychology* 52：1061-1086, 1987.

Shaw DM, Camps FE, Eccleston EG：5-Hydroxytryptamine in the hind-brain of depressive suicides. *Br J Psychiat* 113：1407-1411, 1967.

Shimizu N, Oomura Y, Plata-Salaman CR, Morimoto M：Hyperphasia and obesity in rats with bilateral ibotenic acid-induced lesions of the ventromedial hypothalamic nucleus. *Brain Res* 416：153-156, 1987.

Shibata T, Nishijo H, Tamura R, Miyamoto K, Eifuku S, Endo S, Ono T：Generators of visual evoked potentials for faces and eyes in the human brain as determined by dipole localization. *Brain Topogr* 15：51-63, 2002.

Siegel A, Edinger H, Koo A：Suppression of attack behavior in the cat by the prefrontal cortex：Role of the mediodorasl thalamic nucleus. *Brain Res* 127：158-190, 1977.

Siegel A, Edinger H, Lowenthal H：Effects of electrical stimulation of the medial aspect of the prefrontal cortex upon attack behavior in cats. *Brain Res* 66：467-479, 1974.

Simmons A, Matthews SC, Stein MB, Paulus MP：Anticipation of emotionally aversive visual stimuli activates right insula. *Neuroreport* 15：2261-2265, 2004.

Sluga E, Seitelberger F：Zur Ultrastrutur der kapillaren und ihrer Beziehung zu Nervenzellen im Bereich der Neurosekretorischen Kerne des Hypothalamus. *Z Zellforsch* 78：303, 1967.

Spezio ML, Huang PY, Castelli F, Adolphs R：Amygdala damage impairs eye contact during conversations with real people. *J Neurosci* 27：3994-3997, 2007.

Sprengelmeyer R, Young AW, Schroeder U, Grossenbacher PG, Federlein J, Buttner T, Przuntek H：Knowing no fear. *Proc R Soc London Ser B* 266：2451-2456, 1999.

Squire LR, Shimamura, AP：Amaral DG. Memory and the hippocampus. In：Neural Models of Plasticity, Byrne JH, Berry WO (eds), Academic Press, San Diego, pp.208-239, 1988.

Staiger JF, Nürnberger F：Pattern of afferents to the lateral septum in the guinea pig. *Cell Tissue Res* 257：471-490, 1989.

Stanley BG, Willett Ⅲ VL, Donias HW, Ha LH, Spears LC：The lateral hypothalamus：a primary site mediating excitatory amino acid-elicited eating. *Brain Res* 630：41-49, 1993.

Stein L：Effects and interactions of imipramine, chlorpromazine, reserpine, and amphetamine on self-stimulation：possible neurophysiological basis of depression. In Recent Advances in Biological Psychiatry (Wortis J ed.), Plenum, New York, pp.288-308, 1962.

Stein L：Amphetamine and neural reward mechanisms. In Animal Behaviour and Drug Action, (Steinberg H, de Reuch AVS, Knight K eds.), Little Brown, Boston, pp.91-113, 1964.

Stein L：Chemistry of reward and punishment. In Psychopharmacology：A review of Progress, (Efron DH ed.), Government Printing Office, 1968.

Stein L：報酬と罰の化学．脳と行動（酒井　誠編），講談社，pp.25-54, 1973.

Stein L, Wise CD：Release o fhypothalamic norepinephrine by rewarding electrical stimulation or amphetamine in the unanesthetized rat. *Federal Proceedings* 26：651, 1967.

Stein L, Wise CD：Release of norepinephrine from hypothalamus and amygdala by rewarding medial forebrain bundle stimulation and amphetamine. *J Comp Physiol Psychol* **67**: 189-198, 1969.

Stevens DR, Cotman CW: Excitatory amino acid antagonists depress transmission in hippocampal projections to the lateral septum. *Brain Res* **382**: 437-440, 1986.

Stoller WL: Effects of septal and amygdaloid lesions on discrimination, eating and drinking. *Physiol Behav* **8**: 823-828, 1972.

Sunshine J, Mishkin M: A visual-limbic pathway serving visual associative functions in rhesus monkeys. *Fed Proc* **34**: 440, 1975.

Suslow T, Ohrmann P, Bauer J, Rauch AV, Schwindt W, Arolt V, Heindel W, Kugel H: Amygdala activation during masked presentation of emotional faces predicts conscious detection of threat-related faces. *Brain and Cognition* **61**: 243-248, 2006.

Swanson LW, Cowan WM: An autoradiographic study of the organization of the efferent connections of the hippocampal formation in the rat. *J Comp Nurol* **172**: 49-84, 1977.

Swanson LW, Cowan WM: The connections of the septal regoin in the rat. *J Comp Neurol* **186**: 621-656, 1979.

Swanson LW, Köhler C, Björklund A: The limbic region. I: The septohippocampal system. In Handbook of Chemical Neuroanatomy, Vol.5, Integrated Systems of the CNS, Part I. Bj_rklund A, H_kfelt T and Swanson LW, eds.), Elsevier Science Publishers BV, Amsterdam, pp.125-277, 1987.

Takamura Y, Tamura R, Zhou TL, Kobayashi T, Tran AH, Eifuku S, Ono T: Spatial firing properties of lateral septal neurons. *Hippocampus* **16**: 635-644, 2006.

Tamura R, Kondoh T, Ono T, Nishijo H, Torii K: Effects of repeated cold stress on activity of hypothalamic neurons in rats during performance of operant licking task. *J Neurophysiol* **84**: 2844-2858, 2000.

Tamura R, Ono T, Fukuda M, Nishijo H: Role of monkey hippocampus in recognition of food and nonfood. *Brain Res Bull* **27**: 457-461, 1991.

Tamura R, Ono T, Fukuda M, Nishijo H: Monkey hippocampal neuron responses to complex sensory stimulation during object discrimination. *Hippocampus* **2**: 287-306, 1992a.

Tamura R, Ono T, Fukuda M, Nakamura K: Spatial responsiveness of monkey hippocampal neurons to various visual and auditory stimuli. *Hippocampus* **2**: 307-322, 1992b.

Tanaka K, Saito H, Fukada Y, Moriya M: Coding visual images of objects in the inferotemporal cortex of the macaque monkey. *J Neurophysiol* **66**: 170-189, 1991.

Tanaka M, Tsuda A, Yokoo H, Yoshida M, Ida Y, Nishimura H: Involvement of the brain noradrenarine system in emotional changes caused by stress in rats. *Ann NY Acad Sci* **597**: 159-174, 1990.

Tanebe K, Nishijo H, Muraguchi A, Ono T: Effects Of Chronic stress on hypothalamic Interleukin-1β, Interleukin-2, and gonadotropin-releasing hormone gene expression in ovariectomized rats. *J Neuroendocrinol* **12**: 13-21, 2000.

Tataranni PA, Gautier JF, Chen K, Uecker A, Bandy D, Salbe AD, Pratley RE, Lawson M, Reiman EM, Ravussin E: Neuroanatomical correlates of hunger and satiation in humans using positron emission tomography. *Proc Nat Acad Sci USA* **96**: 4569-4574, 1999.

Tazumi T, Hori E, Maior RS, Ono T, Nishijo H: Neural correlates to seen gaze-direction and head orientation in the macaque monkey amygdala. *Neuroscience* **169**: 287-301, 2010.

Travis RP, Hooten TF, Sparksa DL: Single unit activity related to behavior motivated by food reward. *Physiol Behav* **3**: 309-318, 1968.

Thomas GJ, Gash DM: Differential effects of posterior septal lesions on dispositional and representational memory. *Behav Neurosci* **100**: 712-719, 1986.

Thomas KM, Drevets WC, Whalen PJ, Eccard CH, Dahl RE, Ryan ND, Casey BJ: Amygdala response to facial expressions in children and adults. *Biol Psychiatry* **49**: 309-316, 2001.

Tran AH, Tamura R, Uwano T, Kobayashi T, Katsuki M, Matsumoto G, Ono T: Altered accumbens neural response to prediction of reward associated with place in dopamine D2 receptor knockout mice. *Proc Natl Acad Sci USA* **99**: 8986-8991, 2002.

Tran AH, Tamura R, Uwano T, Kobayashi T, Katsuki M, Matsumoto G, Ono T : Dopamine D2 receptor-knockout changed accumbens neural response to prediction of reward associated with place in mice. In Cognition and Emotion in the Brain, (Ono T, Matsumoto G, Llinas RR, Berthoz A, Norgren R, Nishijo H, Tamura R eds.), Elsevier, Amsterdam, pp.493-508, 2003.

Tran AH, Tamura R, Uwano T, Kobayashi T, Katsuki M, Ono T : Dopamine D1 receptors involved in locomotor activity and accumbens neural responses to prediction of reward associated with place. *Proc Natl Acad Sci USA* **102** : 2117-2122, 2005.

Tran AH, Uwano T, Kimura T, Hori E, Katsuki M, Nishijo H, Ono T : Dopamine D1 receptor modulates hippocampal representation plasticity to spatial novelty. *J Neurosci* **28** : 13390-400, 2008.

Tranel D, Bechara A, Damasio AR : Decision making and the somatic marker hypothesis. In The New Cognitive Neuroscience (2nd ed.) (Gazzaniga MS ed.), MIT Press, Cambridge, MA, pp.1047-1061, 2000.

Tremblay L, Schultz W : Modifications of reward expectation-related neuronal activity during learning in primate orbitofrontal cortex. *J Neurophysiol* **83** : 1877-1885, 2000.

Turken AR, Swick D : Response selection in the human anterior cingulate cortex. *Nature Neurosci* **2** : 920-924, 1999.

Turner BH : Sensorymotor syndrome produced by lesions of the amygdala and lateral hypothalamus. *J Comp Physiol Psychol* **82** : 37-47, 1973.

Turner BH, Mishkin M, Knapp M : Organization of the amygdalopetal projections from modality-specific cortical association areas in the monkey. *J Comp Neurol* **191** : 515-543, 1980.

Uwano T, Nishijo H, Ono T, Tamura R : Neuronal responsiveness to various sensory stimuli, and associative learning in the rat amygdala. *Neuroscience* **68** : 339-361, 1995.

Vanderploeg RD, Brown WS, Marsh JT : Judgments of emotion in words and faces : ERP correlates. *Int J Psychophysiol* **5** : 193-205, 1987.

Van Hoesen GW : The differential distribution, diversity and sprouting of cortical projections to the amygdala in the rhsus monkey. In The Amygdaloid Complex (Ben-Ari Y ed), Elsevier, Amsterdam, pp.77-90, 1981.

Van Hooff JARAM : A comparative approach to the phylogeny of laughter and smiling. In Non-verbal communication, (Hinde RA ed.), Cambridge University Press, Cambridge, England, pp.209-237, 1972.

Victor M, Adams RD, Collins GH : The Wernicke-Korsakoff syndrome. A clinical and pathological study of 245 patients, 82 with post-mortem examinations. *Contemp Neurol Ser* **7** : 1-206, 1971.

Vogt BA, Pandya DN : Cingulate cortex of the rhesus monkey : 2. cortical afferents. *J Comp Neurol* **262** : 271-289, 1987.

Vuilleumier P, Armony JL, Clarke K, Husain M, Driver J, Dolan RJ : Neural response to emotional faces with and without awareness : eventrelated fMRI in a parietal patient with visual extinction and spatial neglect. *Neuropsychologia* **40** : 2156-2166, 2002.

Vuilleumier P, Armony JL, Driver J, Dolan RJ : Effects of attention and emotion on face processing in the human brain. An event-related fMRI study. *Neuron* **30** : 829-841, 2001.

Vuilleumier P, Richardson MP, Armony JL, Driver J, Dolan RJ : Distant influences of amygdala lesion on visual cortical activation during emotional face processing. *Nature Neuroscience* **7** : 1271-1278, 2004.

Waldeyer W : Ueber einige neuere Forschungen im Gebiete der Anatomie des Centralnervensystems. *Dtsch Med Wochenschr* **50** : 1352-1356, 1891.

Walton ME, Devlin JT : Rushworth MSF ; Interactions between decision making and performance monitoring within prefrontal cortex. *Nature Neurosci* **7** : 1259-1265, 2004.

Waring AE, Means LW : The effect of medial thalamic lesions on emotionality, activity, and discrimination learning in the rat. *Physiol Behav* **17** : 181-186, 1976.

Weinberger NM : Learning-induced changes of auditory receptive fields. *Curr Opin Neurobiol* **3** : 570-577, 1993.

Whalen PJ, Rauch SL, Etcoff NL, McInerney SC, Lee MB, Jenike MA：Masked presentations of emotional facial expressions modulate amygdala activity without explicit knowledge. *J Neurosci* **18**：411-418, 1998.

White NM, Packard MG, Hiroi N：Place conditioning with dopamine D1 and D2 agonists injected peripherally or into nucleus accumbens. *Psychopharmacol* **103**：271-276, 1991.

Wilson FAW, Scaladhe SP, Goldman-Rakic PS：Dissociation of object and spatial processing domains in primate prefrontal cortex. *Science* **260**：1955-1958, 1993.

Winer JA, Morest DK：The medial division of the medial geniculate body of the cat：implications for thalamic organization. *J Neurosci* **3**：2629-2651, 1983.

Wise CD, Stein L：Fascilitation of brain self-stimulation by central administration of norepinephrine. *Science* **163**：299-301, 1969.

Wise RA, Rompre P-P：Brain dopamine and reward. *Ann Rev Psychol* **40**：191-225, 1989.

Yadin E, Guarini V, Garristel CR：Unilaterally activated systems in rat self-stimulating at site in the medial forebrain bundle, medial prefrontal cortex or locus coeruleus. *Brain Res* **226**：39-50, 1983.

Yakovlev PI：Motility, behavior, and the brain：stereodynamic organization and neural coordinates of behavior. *J Nerv Ment Dis* **107**：313-335, 1948.

Yamaguchi H, Aiba A, Nakamura K, Nakao K, Sakagami H, Goto K, Kondo H, Katsuki M：*Genes Cells* **1**：253-268, 1996.

Yamatani K, Ono T, Nishijo H, Takaku A：Activity and distribution of learning-related neurons in monkey (Macaca fuscata) prefrontal cortex. Behav Neurosci **104**：503-531, 1990.

Yeterian EH, Van Hosen GW：Cortico-Striate projections in the rhesus monkey：The organization of certain cortico-caudate connections. *Brain Res* **139**：43-63, 1978.

Yonemori M, Nishijo H, Uwano T, Tamura R, Furuta I, Kawasaki M, Takashima Y, Ono T：Orbital cortex neuronal responses during an odor-based conditioned associative task in rats. *Neuroscience* **95**：691-703, 2000.

YYoung MP, Scannell JW, Burns GA, Blakemore C：Analysis of connectivity：neural systems in the cerebral cortex. *Rev Neurosci* **5**：227-250, 1994.

Young MP, Yamane S：Sparse population coding of faces in the inferotemporal cortex. *Science* **256**：1327-1331, 1992.

Yunger LM, Harvey JA：Effect of lesions in the medial forebrain bundle on three measures of pain sensitivity and noise-elicited startle. *J Comp Physiol Psychol* **83**：173-183, 1973.

伊藤正男：脳の設計図，中央公論新社，1980.
伊藤正男監修：脳神経科学，三輪書店，2003.
稲盛和夫：稲盛和夫のガキの自叙伝―私の履歴書（日経ビジネス人文庫）2004.
小野武年：摂食中枢の抑制機構について．十全医学会誌 **77**：447-458, 1969.
小野武年：「連合学習における強化の神経機構」について．心理評論 **24**：399-408, 1981.
小野武年：摂食行動と食物の識別．脳と認識（伊藤正男編），平凡社，pp.213-246, 1982.
小野武年：摂食の調節と肥満．新医科学大系 6B 体内環境と調節機構Ⅱ（山村雄一，吉利和監修），中山書店，pp.283-312, 1984.
小野武年：解剖生理学，薬日新聞社，1985.
小野武年：情動行動の表出．岩波講座 認知科学6情動（伊藤正男，安西祐一郎，川人光男，中島秀之，橋田浩一編），岩波書店，pp.109-142, 1994.
小野武年，西条寿夫：大脳辺縁系と情動．感覚統合研究，第8集：1-55, 1990.
北山　忍，内田由紀子，新谷　優：文化と感情―現代日本に注目して．感情科学（藤田和生編），京都大学出版会，2007.
久保田　競：大脳前頭前野のニューロン活動，日経サイエンス **11**：22-33, 1981.
小池上春芳：大脳辺縁系及び傍辺縁系，小池上春芳教授退官記念会，文明堂印刷所，1971.
後藤　稠編集代表：最新医学大事典，医歯薬出版，1990.

文献

佐野　豊：神経解剖学，南山堂，1974.
菅谷洋也編：最新保存版　週刊世界の美術館 2008 年 7 月 24 日，7 月 31 日合併号，第 1 巻 1 号，通巻 1 号，講談社，2008.
土居健郎：甘えの構造，弘文館，1980.
時実利彦：よろめく現代人―相争う二つの心をどう操るか，講談社，1960.
時実利彦：脳の話．岩波書店，1962.
時実利彦：目で見る脳―その構造と機能，武田薬品工業株式会社，1968.
戸田正直：感情―人を動かしている適応プログラム，東京大学出版会，1992.
平澤　興：人間と教育，全日本家庭教育研究会，1978.
ひろちさや：仏教とキリスト教（新潮選書），新潮社，1986.
本間三郎編著：脳内電位発生源の特定―脳波双極子追跡，日本評論社，1997.
松下幸之助：人生心得帖，PHP 研究所，1984.
松下幸之助：一日一話―仕事の知恵・人生の知恵，PHP 研究所，1999.
松田幸次郎，市岡正道，星　猛，林　秀生，菅野富夫，中村嘉男，佐藤昭夫訳：医科生理学展望，丸善，1990.
松本　元，小野武年編：情と意の脳科学，培風館，2002.
松本　元，辻野広司：脳のこころ．情と意の脳科学（松本　元，小野武年編），培風館，2002.
和辻哲郎：風土―人類学的考察，岩波書店，1935.

あとがき

　1981年，Eccles卿に富山医科薬科大学で特別講演をして頂いた折，Eccles卿夫妻を，1985年に日航機事故で亡くなられた神経科学界の逸材で，Eccles卿の期待を一身に集めておられた塚原仲晃先生（大阪大学基礎工学部教授）のご依頼で大阪駅までお送りした．列車の中でいろいろな話を伺ったが，「著書執筆も大切で，私自身，49歳のときに"Neurophysiological Basis of Mind"（Oxford University Press 1952）を書いた」とお聞きした．そのとき筆者もいつの日か自らの実験データに基づき著書を書きたいと思った．しかし自らのデータも十分でなく，筆者の浅学非才，文才のなさから月日だけが流れた．ただ，総説や書物の分担執筆の原稿依頼が多く，自らの研究データを断片的に紹介した．私にも著書執筆の依頼はあったが，もう著書など書けないと諦めていた．川村浩先生からPavlov著『大脳半球の働きについて─条件反射学─』（川村浩訳，岩波文庫，1994，第4刷，リクエスト復刊）とご高著『脳とリズム』（朝倉書店，1998，第4刷）を謹呈として頂戴した．1984年に「ソ連─米国国際パブロフ会議」への出席前にパブロフ著『大脳半球の働きについて─条件反射学─』（川村浩訳，岩波文庫，1975）を読んで深い感銘を受けていたが，『脳とリズム』を拝読して私の努力不足を痛感した．Pavlovも川村先生も自らの莫大なデータを見事に体系化して著書をお書きになり，筆者も及ばずながら著書を書けないかと思うようになっていた．そして2006年，津本先生の推薦により朝倉書店から「脳科学ライブラリー」（津本忠治編）の1冊，『脳と情動』の執筆を依頼され，お引き受けすることになった．しかし思ったようには筆が進まずいまさらながら情動，感情，理性，さらには「こころ」といった用語の意味や定義が研究者により千差万別であり，「脳と情動」の問題は如何に広範で複雑かを再認識し，科学的な体系化に戸惑った．しかし2008年に執筆を始め，2010年の末に，やっと自らのデータに基づく原稿ができた．しかし今でも読み返してみるたびに，書き直さねばならないところが出てきて気になって仕方がない．読者のご批判や意見を頂ければ幸いである．

　本書の内容と科学思想は，筆者らによる「こころ」，とくに情動（喜怒哀楽の感

情)に関するニューロンから行動レベルでの自らの神経行動学的研究データを現在の時点で整理し,体系化に努めて書いてある.Sherrington卿の弟子であり,筆者の師であるEccles卿もSherrington卿と同様に神経生理学における不滅の業績に対してノーベル賞を受賞された.しかしお二人とも最終的にはヒトの「自由意志」や「知性」を唯物論で論じることはできないと確信するに至り,心身二元論を展開された.すなわち脳は進化の最高傑作ではあるが,「こころ(魂)」の道具にすぎないことになる.一方DarwinやPavlovは,唯物論者であり,「生存」のために脳が進化し,「こころ」は脳に存在すると信じた.筆者もSherrington卿やEccles卿のように,神経生理学や神経解剖学を学んだが,動物の習性を自己体験することにより「こころ」の中核をなすのは「情動」に違いないと確信するに至り,その神経機構を解明しようと半世紀にわたって研究を続けてきた.しかし現代の科学では,未だにSherrington卿やEccles卿の二元論を完全に否定することができないのも事実である.将来,脳科学がどう展開していくのか,若い研究者による今後の脳研究の発展を楽しみにしている.

なお,本書ではこれまで筆者らが行ってきたニューロンから行動レベルにわたる神経行動学的研究を中心に書かれており,他の研究者による非侵襲的研究については文章としては記述してあるが,画像等の写真や図の引用を割愛した.これら非侵襲的研究については他書に多く論じられており,それを参考にして頂きたい.それは,筆者らが,情動と情動行動のメカニズムをニューロンから行動レベルまで総合的に解明することが「こころ」の解明に繋がると信じているからである.最後に,本書が「こころ」,とくに情動の解明を目指す若い研究者の方々の参考になれば,望外の喜びである.

索引

欧文

5HIAA 47, 48
5HT1 44
5HT1B 47
5HT2 44
5HT3 44
5野 166
8野 178
9野 175, 178
10野 175, 178, 186
11野 186
α受容体 46
α受容体拮抗薬 62
α受容体作動薬 65
α1受容体拮抗薬 65
α2作動薬 46
α2受容体 47
α2受容体拮抗薬 65
β受容体 47
β受容体拮抗薬 62, 65
A10 41, 89
AADC 43
ADH 63
AMPA 49
AMPA受容体 115
C1ニューロン群 43
CA1 142
CA3 142
cAMP 45
ChAT 17
COMT 44
D1受容体 93
D1受容体KOマウス 95, 97
D1様受容体 44
D2受容体 93
D2受容体KOマウス 95, 97
D2様受容体 44
Damasio 3, 5, 181
Darwin 29, 120, 168

DBH 17, 44
DBH阻害薬 46
DT法 166
EPSP 10
ERPs 191
^{18}F-2DG 171
fMRI 160, 173, 181
GnRH 69
Go/Nogo課題 178, 184
Go/Nogo反応 152
Go関連ニューロン 155
Go刺激 178
Go反応関連ニューロン 157
Go/報酬選択応答型 154
Gタンパク共役型 44
HRP 14, 82
ICSS 35〜37, 39, 51, 52, 60, 72,
    95, 117, 142, 148, 159, 185
ICSS行動 36, 37, 41, 45, 60, 93,
    96
IL-1β 68, 69
IL-1βmRNA 68
IPSP 10
Klüver-Bucy症候群 1, 75, 99,
    101, 115
KO 93
KOマウス 93, 97
LTP 115, 172
MAO 44
MAOA 48
McLean 4, 6
MEG 167
MIDS 185
mRNA 68
MSG 70
N170 168, 191
NMDA 49
NMDA受容体 115
Nogo刺激 178
Nogo/無報酬選択応答型 154
P300 191

Papez 16
Papezの回路 25
Papezの情動回路 1, 33
PET 171
PNMT 44
PTSD 190
SEPs 166
SI野 166
SSFB 166
TH 43
Urbach-Wiethe病 171
VEPs 166
VTA 89
Yakovlev 16
Yakovlevの(記憶)回路 25, 33

ア 行

愛 195, 197, 199
アイコンタクト 121, 124, 164
アイデンティティ 161, 164
アストログリア 12
アセチルコリン 10, 62, 63
アセチルコリン作動性 16, 18
アドレナリン 41
アドレナリン受容体 44
アドレナリンニューロン(群)
    43, 44
アトロピン 62
アニミズム 195
アポモルヒネ 90
アルコール中毒 175
アレキシサイミア 191
アンフェタミン 45, 60

異型皮質 23
意識的注意 193
意思決定 3, 5, 175, 181, 194
異種感覚間連合 114
一次情動 30
一次体性感覚野 22

索 引

一次融合 27
一過性応答群 109
異皮質 15
イボテン酸 49
意味概念 111
意味認知 26, 39, 101, 102
イミプラミン 47
意欲 179
飲水行動 36, 174
インターフェース 148
インパルス放電 37
インパルス放電頻度 50, 56, 59, 73

ウィルソン氏病 78
ウェルニッケ-コルサコフ症候群 75
ウェルニッケ症候群 75
後ろ向きの情報処理 74
うつ病 46, 47, 182, 193
うま味 70
運動学習 20
運動系 25
運動神経 10
運動性言語野 22
運動前野 22, 180
運動ニューロン 10
運動野 20

エクソサイトーシス（開口分泌） 44
エクフォリー 172
エピソード 15, 33, 141
エピソード記憶 141
延髄 10, 23
延髄網様体 43

オキシトシン 63
音弁別学習行動 63
オープンフィールド 142, 145, 158
オペラント 38

カ 行

外界中心空間 132
外界中心的座標 139
快感 34
介在ニューロン 182
快刺激 51, 52, 76

快情動 31, 45, 52, 63, 82, 120
快情動行動 24, 34, 45
階層構造（脳の） 23
外側核 118
外側膝状体 120
外側膝状体外視覚系 122
外側膝状体視覚系 122
外側中隔核 156
外側中隔核ニューロン 157
外側被蓋群 42
カイニン酸 49
海馬 15
灰白質 10
海馬体 15, 16, 33, 42, 125, 142, 148, 156, 160, 170〜172
海馬体ニューロン 126, 135, 142
海馬傍回 16, 33
回避行動 174, 184
外部環境 56
快楽説 39
顔ニューロン 160〜162, 164, 170
顔の向き 164
顔表情 190, 192, 196
顔表情認知 189
学習性情動反応 64
覚醒 60
過食 49, 186
下垂体 65
下側頭皮質 112, 114
課題関連応答 135, 139
価値評価 26, 33, 102, 111
カテコラミン 41, 43, 60
カテコラミン輸送担体 44
カテコール O-メチル基転移酵素 44
下頭頂小葉 33
カルバコール 61
感覚性言語野 22
感覚無視 49
感覚野 20
感覚連合 111
眼窩皮質 30, 33, 78, 180, 181, 186, 191, 193
眼窩皮質刺激 186
眼窩皮質ニューロン 184, 186, 187
眼窩皮質破壊 186
感情 2, 4, 5

間脳 8, 10, 23
顔面筋 168
完了報酬 37

記憶 2, 125, 133, 135
——の獲得 172
——の固定 172
記憶回路 16, 25, 33
記憶課題 148
記憶系 170
記憶再生過程 172
技術 33
基底外側核 18, 118
基底外側部 118
基底外側辺縁回路 16
基底内側核 118
喜怒哀楽 2
機能的核磁気共鳴イメージング 160
気分障害 41
基本情動 3, 27, 30, 31, 196
逆転学習 57, 126, 182
逆問題 166
ギャンブル課題 181
嗅覚異常 186
嗅結節 42
嗅周囲皮質 16, 172
旧哺乳類の脳 23
橋 10, 23
強化学習 41, 46
強化刺激 53, 54, 57
橋結合腕傍核 61
胸神経 10
胸髄 10
恐怖症 174
恐怖増強驚愕反応 115
恐怖表情 190, 192
共有注意 122
局所冷却 102, 114
キリスト教 195

空間学習 148
空間情報処理 145
空間の情報 149
空間認知 148
空間・文脈応答性 142
空腹感 50, 60
クモ膜 7
クモ膜下腔 7
グルコース 56

グルコース感受性　54
グルコース感受性ニューロン　56
グルコース代謝率　171
グルタミン酸　157
グルタミン酸溶液　70
クロニジン　46, 47
群発型放電　65

頸神経　10
頸髄　10
血圧上昇　63〜65
血液脳関門　14
血糖値　56, 88, 89
嫌悪系　34, 35, 37, 60, 61
嫌悪刺激　51, 52, 57, 120
嫌悪性　26
嫌悪物体優位応答型ニューロン　126
原爬虫類の脳　23

高インスリン血症　49
攻撃行動　37, 99
攻撃性　47, 48
攻撃・逃避行動　24
高次処理依存的ストレッサー　67
恒常性　49, 65
後柱　10
後天的扁桃体障害　189
行動関連応答ニューロン　76
行動随伴性　154
後頭側頭移行部　168
行動表出　193
後頭葉　8, 20
後頭葉障害　190
後部視床下部　37, 39
興奮性シナプス後電位　10, 102
硬膜　7
功利の判断　174
抗利尿ホルモン　63, 65
コカイン中毒　175
黒質　19, 41, 61, 79, 83, 89, 92
黒質―線条体系　46
黒質―線条体経路　41, 46
黒質―線条体路　61
黒質ニューロン　84〜86, 88, 91
こころ　3〜6, 26, 27, 160, 188, 195, 197, 198
こころの理論　174, 192

個人史的想い出　172
孤束核　63
古皮質　15
小窓　14
コミュニケーション　3
固有海馬　15
コリンアセチル基転移酵素　16
コルサコフ症候群　75

サ　行

再学習　53, 73
再学習課題　76
サイトカイン　68, 69
再連合学習　64
作話　75
作動記憶　78
サル　54, 56, 80, 84, 132, 135, 152, 175, 177, 178, 182, 186, 192
サル海馬体ニューロン　130
サル中隔核ニューロン　149
三次融合　27
三位一体　23
三位一体の脳　4

視覚　105
視覚応答型ニューロン　105
視覚応答ニューロン　182
視覚無視　190
視覚野　22
視覚誘発電位　166, 167
軸索丘　8
軸索突起　8
思考　194
自己中心的空間　133
自己投与行動　46
視床　10, 23, 71
歯状回　15, 172
視床下核　19
視床下部　2, 5, 6, 10, 12, 14, 23, 34, 48, 65, 148
視床下部外側野　35〜37, 40, 45, 49, 50, 54, 56, 59, 68, 102, 117, 186, 187
視床下部外側野ニューロン　62, 70, 112, 114, 118
視床下部室傍核　14
視床下部室傍核ニューロン　63
視床下部ニューロン　68

視床下部腹内側核　49, 60, 61, 68
視床感覚中継核　71
事象関連電位　191
視床背内側核　15
視床前核群　16
視床ニューロン　71, 73
視床背内側核　33, 75, 76, 78
視床背内側核ニューロン　75
視線　124, 164
自然選択説　29
持続応答群　109
失感情言語症　191
失見当識　75
実行機能　180
室周系　35, 61
実践遂行　194
室傍核　14
自動車　135, 149, 152
シナプス　8
シナプス間隙　9
シナプス後電位　10
シナプス後膜　10
シナプス小胞　9
シナプス前膜　9
自閉症　30, 122, 189, 192
社会的行動　5
社会的コミュニケーション　188
社会的認知　188, 190, 191
社会的認知機能　30, 121〜124, 174, 192
習慣　20
習慣記憶　33
集合シナプス電位　166
集団生活　188
主経路　71, 73
主溝　175, 178
樹状突起　8
受動的回避課題　171
『種の起源』　29
準備応答　87
準備電位　187
松果体　10
消去　53, 126
消去学習　54, 57, 64, 71, 73, 76
条件課題　149, 157
条件識別課題　148
条件刺激　76, 170, 172
条件刺激関連応答ニューロン

索引

76
条件性課題特異的ニューロン 154
条件性非対称性 Go/Nogo 課題 151
条件行動 38, 53, 115
上行性賦活系 60
上側頭溝 123, 160
情動 1, 2, 4, 5, 25, 26, 29, 34, 179, 197, 199
　――の主観的体験 26
情動回路 16, 25, 33
情動記憶 116, 171
情動系 170
情動行動 15, 25, 28, 30, 34, 47, 48, 50, 54, 184, 186
情動行動の表出 57, 63
衝動性 48
情動的価値評価 26
情動脳 80, 92
情動発現 32, 99, 121, 173
情動反応 3
情動表出 26, 28, 63, 193
情動領域 181
小脳 8, 19
食物獲得動因 56
徐波睡眠 59
自律神経 65
自律(神経)反応 28, 63, 64
進化 118
新奇物体優位応答型ニューロン 130
神経細胞体 8
神経修飾物質 10
神経伝達物質 9, 10, 41
心身二元論 197
身体的ストレス 67, 69
身体的ストレッサー 68
心的外傷後ストレス症候群 190
新皮質 15, 23
新哺乳類の脳 23

遂行活動 87
髄鞘 8
錐体外路性運動症状 79
錐体ニューロン 180
推論 3, 5, 179, 194
すくみ反応 29
ストループ課題 180

ストレス 65
ストレッサー 65, 67
スピペロン 62
スピロペリドール 61

性行動 36
性腺刺激ホルモン放出ホルモン 69
生存 6, 29, 121, 198
正の強化系 48
正の強化刺激 52
青斑核 42, 46, 60
生物学的意味 126, 149
生物学的価値 109
生物学的価値判断 193
生物学的価値評価 25, 39, 101, 114, 120, 182, 184, 188
西洋ワサビ過酸化酵素 14, 82
生理学的動機 27
生理学的欲求 27
生理の欲求 36
脊髄 10, 14, 23
脊髄神経 10
脊髄中間質外側核 63
接近行動 24, 45
摂取(味覚)応答型ニューロン 107
舌状回 191
摂食 50, 60, 68, 174
摂食行動 36, 49
摂食中枢 49, 68, 186
セロトニン 44, 45, 47
セロトニントランスポーター 47, 48
セロトニンニューロン 43
前嗅核 42
仙骨神経 10
線条体 33, 41, 181
仙髄 10
選択応答型ニューロン 109, 126
選択応答ニューロン 111
前柱 10
前頭眼窩皮質 160, 191
前頭眼野 22
前頭前皮質 5, 160
前頭皮質 33
前頭葉 1, 8, 9, 20, 32, 33, 121, 172, 176
前頭葉眼窩皮質 15

前頭葉系 193
前頭葉内側皮質 191
前頭葉冷却 82
前頭連合野 20, 33
前部下側頭皮質 161, 162
前部下側頭皮質腹側部 162
前部上側頭溝 161, 162, 168
前部上側頭溝ニューロン 164
前部帯状回 33, 180～182, 184, 192, 193
前部帯状回運動領域 180
前部帯状回ニューロン 181

想起 130
双極子 167
双極子追跡法 166, 167
創造性 5
側坐核 33, 39, 42, 97
側坐核ニューロン 96
側柱 10
側頭皮質 33, 121
側頭葉 8, 20, 32, 160
側頭葉極部 16, 33
側頭連合野 22
咀嚼運動 85, 86
咀嚼, 嚥下運動 92

タ 行

第一次体性感覚野 166
第一次聴覚野 22
帯状回 15
帯状回後部 16
帯状回前部 15
対称性 Go/Nogo 課題 151
対称性シナプス 18
苔状線維 172
体性感覚誘発電位 166
大脳基底核 19, 33, 78, 79
大脳新皮質 20
大脳皮質連合野 32
大脳辺縁系 1, 15
大辺縁葉 15
多次元尺度分析 162, 185
多種感覚応答型ニューロン 109
多食症 175
手綱核 148
ダニ細胞 14
多連微小ガラス電極法 63

多連微小電極　54
多連微小電極法　61,65
単一種感覚応答型ニューロン　105
短期記憶　173
短期調節　50
淡蒼球　19, 41, 78, 79, 84～86, 91, 92
淡蒼球ニューロン　80, 87

遅延空間反応　173
遅延交代反応　80
注意課題　180
中隔—海馬体系　148
中隔核　42, 148, 156
中隔核ニューロン　152
中隔—側頭軸　15
中隔部　148
中心核　118
中脳　10, 23
中脳中心灰白質　37, 148
中脳—辺縁皮質経路　41, 46
中脳網様体　60
聴覚　105
聴覚応答型ニューロン　106
長期記憶　116, 171
長期増強　115, 172
長期調節　50
チロシン　43
チロシン水酸化酵素　43
陳述記憶　15, 171

デカルト　6
出来事　15, 33, 141
電位依存性カルシウムチャネル　44
電気刺激　117
電流双極子　166
電流発生源　166, 167

動因　27
動因低減説　39
動因ニューロン　38, 39
頭蓋骨　7
動機　82
動機づけ　27, 34, 41, 174, 179
動機づけ形成　184
動機づけ行動　27, 35～37, 41, 91, 175
同型皮質　23

統合失調症　182, 186, 187
頭頂皮質　33
頭頂皮質障害　190
頭頂葉　8, 22, 32
頭頂連合野　22
道徳的情動　192
逃避行動　99
島皮質　33, 173
頭部三次元実形状四層モデル　166
動物的感情　194
透明中隔　148
時実利彦　2
特殊核群　12
特殊感覚中継核　71, 73
ドパミン　41, 45, 62, 63, 82, 83
ドパミン-β-水酸化酵素　17, 43, 61
ドパミン作動性ニューロン　89
ドパミン作動薬　46
ドパミン受容体　44, 93
ドパミンニューロン　44, 90, 91
トランスポーター　44
トリプトファン　44, 47
トリプトファン水酸化酵素　44

ナ　行

内嗅皮質　16
内臓脳　6
内側核　119
内側視索前野　69
内側前脳束　35, 41, 45, 46, 117, 142
内部環境　56, 65, 198
内分泌反応　28
慣れ　108
軟膜　7

匂い　185
匂い嗜好性　186
二次情動　30
二次融合　27
乳頭体　16
乳頭体視床路　16
ニューロン　8
ニューロン活動　37
ニューロン説　8
任意場所探索課題　145
任意報酬場所探索課題　142

人間的感情　194, 195
認知　2, 133, 135
認知細胞類似応答型ニューロン　130
認知症　175
認知領域　180

ネコ　186
ネコ視床下部　58

脳下垂体　10
脳幹　8, 10, 23
脳弓　16, 148
脳磁図　167
脳脊髄液　7
脳内自己刺激　35
脳内自己刺激行動　37
脳内双極子追跡法　166
野口英世　198
ノックアウト動物　92
ノルアドレナリン　41, 42, 46, 60, 62, 63, 65
ノルアドレナリン作動性　17
ノルアドレナリンニューロン　44

ハ　行

背外側前頭前皮質　78, 82, 157, 173, 174, 179, 198
背外側前頭前皮質ニューロン　175～177
背外側前頭前皮質破壊　178
背外側前頭皮質　193
背側延髄群　42
背側ノルアドレナリン束　43
背側縫線核　43
梅毒　198
パーキンソン症候群　79
パーキンソン病　79, 83
白質　10
恥の文化　196
場所　135
場所依存性 Go/Nogo 課題　149
場所依存性物体認知課題　150, 151
場所移動学習課題　135
場所応答　135, 137, 138, 145
場所応答野　142, 145, 147, 158
場所学習課題　142, 143, 145,

147
場所関連ニューロン　157
場所細胞　142
場所嗜好性　46
場所ニューロン　135
場所非依存性物体識別課題　149
場所非依存性物体認知課題　151
場所フィールド内　139
派生情動　27
バソプレシン　63,69
罰　52,57
罰系　35
罰刺激　52
範疇化　189,191
反復寒冷ストレス　69
反復寒冷ストレス負荷　68

被核　41
被殻　19,78
被虐待児　189
非言語的コミュニケーション　30,118,120,196
尾骨神経　10
皮質盲　190
尾状核　19,41,91,92
尾状核ニューロン　80,82,84
非条件刺激　76
非条件性非対称性　151
非食物　54,56
ヒスチジン　68
非選択応答型ニューロン　126
非対称性シナプス　18
ビタミンB_1　75
非陳述記憶　33
非特殊核群　12
皮膚抵抗　190
肥満　49,50
表情　123,124,168
　──の表出　28
表情筋　168
表情識別　189
フィゾスチグミン　61
フェニルエタノールアミンN-メチル基転移酵素　44
フェノキシベンザミン　62
フォスフォリパーゼC系　45
不快刺激　52,76

不快情動　3,31,37,52,63,120
不快情動行動　24,34
副経路　71
副腎皮質刺激ホルモン放出ホルモン　69
腹側外側前頭前野皮質　78
腹側線条体　42
腹側被蓋野　41,45,117
腹側被蓋野ニューロン　89
腹側扁桃体遠心路　15,37
腹内側核　37
腹内側前頭皮質　30
符号化　130,135,141,154
仏教　195
物体再認　130
負の強化刺激　52
プラゾシン　65
ブロカイン　102,117
ブローカの対角帯核　42
プロプラノロール　62,65
文化　195
分界条　15,37
吻側情動領域　180
文脈　145,148,170
文脈刺激　172
文脈的認知　170
文脈テスト　170
分離脳　101
辺縁系　1,6,15,23,25,173,198
辺縁皮質領域　42
扁桃体　1,15,16,18,30,33,37,42,57,71,76,99,102,104,116〜118,121,124,160,170,171,188〜190,192
扁桃体損傷　190
扁桃体ニューロン　105,111,114
扁桃体破壊　171
扁桃体冷却　114
防御行動　37
方向選択　135
方向選択応答　138
方向選択性　134
芳香族アミノ酸脱炭酸酵素　43
報酬　47,51,52,57,73,74,111,120,126,149,151,157
報酬価　74
報酬獲得　74

報酬獲得行動　93
報酬関連ニューロン　154
報酬系　34,35,45,46,60
報酬随伴性　151,152,154,157
報酬性　26
報酬ニューロン　38,39
報酬予測　46,73
報酬予測応答　97
紡錘状回　123,160,168,191
保持　130
補足運動野　22,180
ホメオスタシス　65,67
ホルモン分泌　63
本能　25
本能行動　24,30,34,174,198
本能的欲求　24

マ　行

前向きの情報処理　74
慢性アルコール中毒　75
満腹感　175
満腹中枢　49,68

味覚　105
見せかけの怒り　67

無意識的課題　191
無飲　48,49
無食　48,49
無髄線維　8
ムスカリン性受容体　62
無報酬　149,151
無報酬関連ニューロン　155,157

眼　167
迷走神経背側運動核　63

網膜部位局在性　166
目標設定　194
目標達成　179,194
「モナリザの微笑み」　169
モニタリング　180,181
モノアミン　10,43,45
モノアミン系　41
モノアミン酸化酵素　44
モラル　173,192,193
モラルジレンマ　174

ヤ 行

誘因報酬　37
有益　120
有害　120
融合膜　12
有髄線維　8
誘発電位　166

腰神経　10
腰髄　10
陽電子断層撮影　171
抑制応答　52
抑制性シナプス後電位　102

予告音　52
予測　3, 179, 194
ヨヒンビン　65
抑制性シナプス後電位　10

ラ 行

ラット　50, 63, 65, 68, 71, 75, 114, 139, 157, 184

理性　3, 4, 5, 172, 194, 197
離断症候群　101
リック行動　52, 54, 64, 76

霊長類　118, 120
レオナルド・ダ・ヴィンチ　169
レバー押し運動　85
レバー押し関連ニューロン　182
レバー押し摂食行動　54, 84, 175, 179, 186
レバー押し認知ニューロン　184
連合核群　12
連合学習　53, 115
連合記憶　116
レンズ核　78

著者略歴

小野武年（おの たけとし）

1938 年	英領マレー半島ケランタン州コタバル市に生まれる
1964 年	鹿児島大学医学部卒業
1969 年	金沢大学大学院医学研究科修了
1969 年	金沢大学医学部生理学助手
1973 年	金沢大学医学部生理学助教授
1977 年	富山医科薬科大学医学部生理学教授
2004 年	富山医科薬科大学長
現　在	富山大学大学院医学薬学研究部・特任教授
	医学博士

脳科学ライブラリー 3
脳　と　情　動
——ニューロンから行動まで——

定価はカバーに表示

2012 年 2 月 20 日　初版第 1 刷
2013 年 6 月 20 日　　　　第 2 刷

著　者　小　野　武　年
発行者　朝　倉　邦　造
発行所　株式会社　朝　倉　書　店
東京都新宿区新小川町 6-29
郵便番号　162-8707
電　話　03 (3260) 0141
Ｆ Ａ Ｘ　03 (3260) 0180
http://www.asakura.co.jp

〈検印省略〉

Ⓒ 2012〈無断複写・転載を禁ず〉　　　中央印刷・渡辺製本

ISBN 978-4-254-10673-2　C 3340　　　Printed in Japan

JCOPY　〈(社)出版者著作権管理機構　委託出版物〉

本書の無断複写は著作権法上での例外を除き禁じられています。複写される場合は、そのつど事前に、(社)出版者著作権管理機構 (電話 03-3513-6969, FAX 03-3513-6979, e-mail: info@jcopy.or.jp) の許諾を得てください。

理研 加藤忠史著 脳科学ライブラリー1 **脳と精神疾患** 10671-8 C3340　A5判 224頁 本体3500円	うつ病などの精神疾患が現代社会に与える影響は無視できない。本書は、代表的な精神疾患の脳科学における知見を平易に解説する。〔内容〕統合失調症／うつ病／双極性障害／自閉症とAD/HD／不安障害・身体表現性障害／動物モデル／他
東北大 大隅典子著 脳科学ライブラリー2 **脳の発生・発達** ―神経発生学入門― 10672-5 C3340　A5判 176頁 本体2800円	神経発生学の歴史と未来を見据えながら平易に解説した入門書。〔内容〕神経誘導／領域化／神経分化／ニューロンの移動と脳構築／軸索伸長とガイダンス／標的選択とシナプス形成／ニューロンの生死と神経栄養因子／グリア細胞の産生／他
玉川大 丹治 順・埼玉大 吉澤修治編 **脳の高次機能** 10177-5 C3040　A5判 320頁 本体6200円	人類に残された最後の聖地であるヒトの脳の高次機能について、わが国第一線の研究者40名余によって最新の研究成果をわかりやすく解説。〔内容〕認知のメカニズム／行動決定と運動の戦略／記憶の形成と保持／情動と思考のメカニズム／他
玉川大 小島比呂志監訳 **脳・神経科学の研究ガイド** 10259-8 C3341　B5判 264頁 本体5400円	神経科学の多様な研究(実験)方法を解説。全14章で各章は独立しており、実験法の原理と簡単な流れ、データ解釈の注意、詳細な参考文献を網羅した。学生・院生から最先端の研究者まで、神経科学の研究をサポートする便利なガイドブック。
東京成徳大 海保博之監修　同志社大 鈴木直人編 朝倉心理学講座10 **感情心理学** 52670-7 C3311　A5判 224頁 本体3600円	諸科学の進歩とともに注目されるようになった感情(情動)について、そのとらえ方や理論の変遷を展望。〔内容〕研究史／表情／認知／発達／健康／脳・自律反応／文化／アレキシサイミア／攻撃性／罪悪感と羞恥心／パーソナリティ
東京成徳大 海保博之監修　同志社大 久保真人編 朝倉実践心理学講座7 **感情マネジメントと癒しの心理学** 52687-5 C3311　A5判 192頁 本体3400円	日常における様々な感情経験の統制の具体的課題や実践的対処を取り上げる。〔内容〕I 感情のマネジメント(心の病と健康,労働と生活,感情労働) II 心を癒す(音楽,ペット,皮肉,セルフヘルプグループ,観光,笑い,空間)
東京成徳大 海保博之・聖院大 松原 望監修 東洋大 北村英哉・早大 竹村和久・福島大 住吉チカ編 **感情と思考の科学事典** 10220-8 C3540　A5判 484頁 本体9500円	「感情」と「思考」は、相対立するものとして扱われてきた心の領域であるが、心理学での知見の積み重ねや科学技術の進歩は、両者が密接に関連してヒトを支えていることを明らかにしつつある。多様な学問的関心と期待に応えるべく、多分野にわたるキーワードを中項目形式で解説する。測定や実践場面、経済心理学といった新しい分野も取り上げる。〔内容〕I. 感情／II. 思考と意思決定／III. 感情と思考の融接／IV. 感情のマネジメント／V. 思考のマネジメント
海保博之・楠見 孝監修 佐藤達哉・岡市廣成・遠藤利彦・大渕憲一・小川俊樹編 **心理学総合事典** 52015-6 C3511　B5判 792頁 本体28000円	心理学全般を体系的に構成した事典。心理学全体を参照枠とした各領域の位置づけを可能とする。基本事項を網羅し、最新の研究成果や隣接領域の展開も盛り込む。索引の充実により「辞典」としての役割も高めた。研究者、図書館必備の事典〔内容〕I部：心の研究史と方法論／II部：心の脳生理学的基礎と生物学的基礎／III部：心の知的機能／IV部：心の情意機能／V部：心の社会的機能／VI部：心の病態と臨床／VII部：心理学の拡大／VIII部：心の哲学

上記価格(税別)は2013年5月現在